CLÓVIS DE BARROS FILHO
PEDRO CALABREZ

EM BUSCA DE NÓS MESMOS

Diálogos sobre o ser humano e seu lugar no universo

10ª edição

CITADEL
Grupo Editorial

2021

Em busca de nós mesmos

10ª edição: Maio 2021

Autores:
Clóvis de Barros Filho
Pedro Calabrez

Preparação de texto:
Lúcia Brito

Projeto gráfico:
Dharana Rivas

DADOS INTERNACIONAIS DE CATALOGAÇÃO NA PUBLICAÇÃO (CIP)

B277e Barros Filho, Clóvis de.
Em busca de nós mesmos / Clóvis de Barros Filho, Pedro Calabrez. – Porto Alegre : CDG, 2017.
400 p.

ISBN: 978-85-68014-45-5

1. Desenvolvimento pessoal. 2. Filosofia e psicologia. 3. Ética. 4. Neurociências. I. Calabrez, Pedro II. Título.

CDD - 181.0956

Produção editorial e distribuição:

CITADEL Grupo Editorial

contato@citadel.com.br
www.citadel.com.br

Para nossos alunos.

Sem vocês, este livro não existiria.

"Cervantes trouxe, através de Dom Quixote, uma das melhores definições da natureza humana: 'Sei quem eu sou e quem posso ser, se desejar'. Eis a grande viagem humana. Os autores nos instrumentalizam na busca pela autoconsciência sobre quem somos, assim como as nossas potencialidades e a força necessária para alcançá-la, lastreada pelo nosso desejo.

Clóvis de Barros Filho e Pedro Calabrez alargam nossa visão e horizontes sobre o que esperar de nós mesmos. A vida é uma escola que nunca fecha ou cessa. Encontrar pessoas que nos ajudam no processo de construção do ser é um grande achado. Em busca de nós mesmos é daqueles livros que possuem a capacidade de nos ler. E aqui nos encontramos."

Carlos Netto

Diretor de estratégia do Banco do Brasil

"Por que os indivíduos acreditam em certas coisas, mesmo quando a maioria das pessoas afirma que aquilo não é verdade? Por que muitas pessoas continuam defendendo suas crenças, mesmo diante de evidências concretas de erro? Por que as autoridades ainda impõem suas preferências pessoais aos outros como se fossem verdades universais?

Clóvis de Barros Filho e Pedro Calabrez, um professor e um neurocientista, descrevem a evolução do complexo processo de construção da realidade pelo cérebro humano, enfatizando que tudo é representação, já que a realidade é sempre uma construção subjetiva de cada indivíduo. Neste sentido, cada pessoa, quando se relaciona com o mundo, encontra um mundo diferente.

O livro com certeza poderá ser muito útil às autoridades políticas, aos executivos e aos casais que precisam se libertar do fenômeno chamado pelos autores de delírio socialmente aceito, quando as pessoas atuam como se seus interlocutores pensassem ou sentissem o mundo exatamente como elas."

Augusto Rodrigues

Idealizador do Café Filosófico e presidente do
conselho curador da Fundação Padre Anchieta

CLÓVIS DE BARROS FILHO
PEDRO CALABREZ

EM BUSCA DE NÓS MESMOS

Prefácio

Quem sou eu? De onde veio o mundo? O que devo fazer para viver melhor? Por que estou tão triste? O que acontece dentro de mim quando estou apaixonado?

São perguntas comuns, feitas cotidianamente por todos nós. Apesar de cotidianas, não são levianas ou inúteis. São questões profundas, feitas pelos maiores pensadores da humanidade ao longo dos últimos três mil anos. Nos dias de hoje, são tema de investigação científica dentro das principais universidades do mundo.

Frequentemente, aqueles que desejam compreender as ideias dos grandes pensadores ou as recentes pesquisas científicas encontram um difícil obstáculo: a linguagem dos textos é complicada e muito pouco convidativa.

Como professores, nosso objetivo sempre foi trazer o conhecimento de forma acessível ao maior número possível de pessoas, sem jamais perder o rigor filosófico e científico. Desejamos derrubar, no bom sentido, as barreiras impostas pelos muros de universidades e laboratórios. Acreditamos que o conhecimento é o melhor caminho para a condução de uma vida *verdadeiramente humana*. O conhecimento permite sobretudo a busca e a luta por melhores formas de viver e de conviver. Devemos a ele tudo o que chamamos de "avanço" nas esferas pessoais e sociais da humanidade. Sendo assim, qualquer obstáculo entre o ser humano e o conhecimento deve ser questionado.

À primeira vista, este livro pode parecer um diálogo entre campos do conhecimento muito distantes. De um lado, a filosofia (e as ideias de gigantes como Aristóteles, Platão e Spinoza). Do outro, as ciências da mente (psicologia e neurociências).

Nosso objetivo, no entanto, é mostrar ao leitor justamente o contrário: as reflexões que a filosofia e a ciência propõem são, em grande medida, complementares. Filósofos e cientistas da Antiguidade até os dias atuais estão em uma grande jornada, em uma missão em busca de nós mesmos.

Neste livro, o leitor encontrará discussões sobre temas diversos a partir de olhares igualmente distintos. Ofereceremos algumas respostas às perguntas feitas no início deste prefácio. Traremos respostas a muitas outras questões. Não serão respostas únicas e absolutas, é claro. Mas permitirão ao leitor refletir e, quem sabe, chegar a suas próprias conclusões.

Além disso, ofereceremos questionamentos para os quais não temos respostas. Algumas ideias serão fáceis de compreender. Outras nem tanto. Apesar disso, garantimos que todas essas reflexões foram e continuam sendo importantes para a compreensão do ser humano e de nosso papel no universo.

Ao final do livro, inserimos uma série de notas e recomendações de leitura para todas as ideias, sistemas de pensamento e estudos científicos mencionados por nós. Assim, o leitor será capaz de seguir aprofundando seus conhecimentos a respeito dos temas que mais lhe interessarem. No entanto, aqueles que desejarem ler somente o texto principal, sem recorrer às notas e recomendações, poderão fazê-lo sem problema algum.

Nossa linguagem nas páginas a seguir será descontraída e informal. É um diálogo, afinal de contas. Mas não somente um diálogo entre diferentes campos do conhecimento. É um diálogo entre dois amigos em busca de ideias que ajudem a entender quem somos nós, seres humanos, em meio a este vasto e complexo universo.

Nosso maior desejo foi trazer a todos uma leitura prazerosa e instigante. Quem sabe, tanto quanto foi para nós escrever este livro que está em suas mãos.

Um forte abraço e ótima leitura!

Clóvis de Barros Filho e Pedro Calabrez

São Paulo, fevereiro de 2017

SUMÁRIO

Parte I

A realidade | 14

1. O que é o mundo? » 15
2. O mundo, os desejos e os prazeres » 33

Parte 2

O cosmos e a vida humana | 70

1. A *Odisseia* de Homero » 71
2. Platão e a busca pela verdade » 85
3. A *Teogonia* de Hesíodo » 89
4. O navio de Teseu » 99
5. O cosmos aristotélico » 101
6. O estoicismo » 123
7. O nosso papel no cosmos » 135
8. A transição entre Antiguidade e Idade Média » 145
9. A revolução copernicana » 153
10. O cosmos (des)ordenado: Renascença, Modernidade e Humanismo » 167
11. A desconstrução do Humanismo » 173
12. Filosofia estoica x filosofia contemporânea » 177
13. Naturalismo poético » 179
14. O demônio de Laplace » 189
15. A direção do tempo » 193

16. O cosmos tende à desordem » 197
17. Um pálido ponto azul » 209
18. Cérebro: um cosmos dentro do cosmos » 219
19. Nascer e crescer » 225
20. Amadurecer » 245
21. A morte » 259
22. Deus » 271
23. A ilusão da imortalidade » 277

Parte 3
Viver e conviver | 282

1. Amor e paixão » 283
2. Liberdade » 313
3. Poder » 347
4. Felicidade » 355

Notas e recomendações de leitura | 378

Parte 1

A REALIDADE

1

O que é o mundo?

Clóvis de Barros Filho: O que é o mundo para nós? É o que vemos? É o que ouvimos? É o que experimentamos? É o que apalpamos ou o que cheiramos?

Tudo isso que chamamos de mundo não passa de uma percepção do nosso corpo. Alguma coisa que ele próprio produz. Observe, por exemplo, aquilo que você ouve: é claro que o que você ouve não é o mundo, mas uma produção do seu corpo. Basta perfurar o tímpano e o mundo mostrará as suas garras silenciosas. Assim, também o que você cheira não é o odor do mundo, mas uma produção do seu olfato. O que você vê, então, nossa! É só a luz, a luz que reflete no seu olho. É ele que produz o que você vê, e, se a luz é apagada, não há mais mundo para enxergar.

Assim, é normal que, sendo os corpos diferentes uns dos outros, acabemos vendo e sentindo mundos distintos. O mundo para mim não é o mesmo mundo para você. Sorte daqueles que, como eu, têm acanhado capital estético, pois haverá alguém que enxergue em nós a beleza. Mas o problema é deles, pois não há nenhuma objetividade bela.

Se o mundo é só uma produção do nosso corpo e cada um vê um mundo diferente, então quem garante que exista um único mundo para todos? Será que o mundo não é só um delírio de cada um? Será que o mundo não é só uma visão? Será que existe mesmo alguma coisa fora de nós?

Estas são as perguntas feitas pelo filósofo George Berkeley. Ele mesmo afirma que não. Ele diz que só existe mente, só existe alma, só existe percepção: o mundo é apenas um filme, quando acaba, é porque você morreu.

Fique com essa, meu amigo...

PEDRO CALABREZ: A sensação que temos ao acordar de manhã ou ao ler estas páginas é a de que nossa cabeça é uma espécie de câmera de vídeo meramente capturando a realidade, absorvendo o mundo real integralmente. Faz sentido; afinal, as cores do mundo nos parecem tão reais, os cheiros, tão verdadeiros, as formas e texturas, tão óbvias...

Este é um belo exemplo de que nem tudo que faz sentido está certo.

Ao olhar para o horizonte, faz muito sentido acreditar que a Terra é plana. Ora, veja lá, pegue uma régua!

Ao olhar para o céu, é coerente acreditar que a Terra é imóvel e que o restante do universo é que se move ao nosso redor. Durante muito tempo, aqueles que se opuseram a essa visão foram motivo de chacota e, em alguns casos, julgados de forma severa pelo Santo Ofício.

Acontece que as evidências científicas invalidam tais afirmações. Nem tudo que faz sentido está certo.

Gosto da palavra "produção" para definir o que é o mundo. Há outra ainda melhor: "construção". Longe de uma captura, de uma absorção pura e simples, o cérebro realiza um complexo processo de construção da realidade que percebe. Não só em relação aos cinco sentidos, mas a todos os mais íntimos aspectos de nossas vidas.

Ao olhar as pessoas movimentando-se na rua, por exemplo, temos a sensação de que o mundo é um filme contínuo e fluido. No entanto, sabemos que isso é uma ilusão produzida pelo cérebro. Certas lesões cerebrais fazem com que as pessoas vejam o mundo como uma sequência de imagens, uma espécie de filme quadro a quadro.

Quando olhamos para nossa mãe, nosso filho ou nosso cachorro, temos a sensação de que são familiares. Novamente, uma construção cerebral. Há casos bizarros de lesões cerebrais que fazem com que você olhe para sua mãe e diga: "Doutor, esta não é minha mãe, ela é uma impostora!".

O célebre neurologista Oliver Sacks relatou o famoso caso do homem que, após um distúrbio cerebral, confundiu sua mulher com um chapéu. Eu já fui professor de neurociências para o curso de artes visuais em uma universidade de São Paulo. Tive alunos que, ao olhar um número, sempre o enxergavam colorido. Por exemplo: o 1 era sempre azul, o 5 era verde, o 7 era roxo. Também já tive alunos que, ao ouvir um som, sentiam um sabor, ré maior é amargo, sol menor é azedo. Um deles sente sabores ao ver objetos. Um dia, ao final de uma aula, chegou para mim e disse: "Professor, sinto sabores quando vejo coisas... Outro dia, estava andando pela

Avenida Paulista, olhei para o prédio da Fiesp e senti um gosto muito estranho na boca!".

O nome disso é sinestesia, condição que provavelmente tem componentes genéticos, na qual estruturas e funções de percepção aparentemente ficam "emaranhadas" no cérebro. É muito mais comum em famílias e pessoas que seguem carreiras artísticas.

E o seu corpo? Ele é seu templo. Ele está aí, neste momento, segurando este livro, com toda a certeza, certo?

Errado.

O corpo é igualmente uma construção do cérebro. Se eu estimular magneticamente certas regiões do seu cérebro, você poderá ter a vívida sensação de que está fora do corpo, observando a si mesmo do teto. A amputação de um braço deixa muitas pessoas com a vívida sensação de que o braço ainda está lá, um fenômeno conhecido como "membro fantasma". Se antes da amputação o braço estava paralisado em uma posição dolorosa, a dor também permanece, é a chamada dor fantasma. Existe até útero fantasma: mulheres que realizam histerectomia (remoção do útero) muitas vezes relatam cólicas menstruais, ou seja, dores em um útero que não está mais lá.

Certa vez conheci Inri Cristo. Ele acredita que é Cristo. Nosso diálogo foi interessantíssimo.

Ele disse: "É um prazer conhecer um professor tão jovem!".

Eu respondi: "Ah, Inri, não sou tão jovem assim".

Ao que ele respondeu: "Claro que é! Comparado a mim, que tenho mais de dois mil anos!".

Só pude concordar: "É, você venceu".

Tirei foto com ele e postei no Facebook, senão ninguém acreditaria nessa história.

O Inri Cristo acredita que é Cristo tanto quanto o leitor acredita que está lendo estas palavras. Você pode criticá-lo sem perceber que todos os dias todos nós fazemos coisas parecidas. Ou seja, acreditamos em algo — e, apesar de muitos discordarem de nós, continuamos acreditando.

Você acredita que seu prato predileto é a coisa mais gostosa do mundo. É a sua preferência. Se eu criticar seu prato favorito, dizendo que não é gostoso, você não deixará de preferi-lo. Afinal, é claro que é gostoso! Você sente que é gostoso, e essa sensação é a verdade para você. No máximo, você pode reconhecer que a minha verdade é diferente da sua... Mas muitos não são capazes disso. Quantos de nossos leitores já não ouviram algo assim: "Como pode você não gostar disso? É uma delícia! Você não entende de culinária!".

Há quem acredite que seu time de futebol é o melhor do Brasil. Muitos não concordam — mas, na cabeça da pessoa que acredita, aquilo é uma verdade. Não há quem prove o contrário, mesmo mostrando dados concretos, estatísticas e *rankings*. Isso gera discussões, brigas e, muitas vezes, guerras entre torcidas.

Crenças semelhantes fundamentam posições políticas. Você deve conhecer alguém que acredita piamente que o candidato X é a salvação, e o candidato Y é a perdição. E não adianta confrontar essas crenças com dados, com lógica e racionalidade.

Vamos a outro exemplo.

Pais acreditam que os filhos são mais bonitos do que de fato são. Certa vez, uma amiga e colega profissional me chamou para conhecer sua família. Na ocasião, me apresentou o filho de dois ou três anos de idade. Quando vi o menino, quase levei um susto. O moleque era muito feio. Parecia um cabrito do avesso. A amiga disse: "Ele é lindo, né?". Sem saber ao certo o que dizer, respondi: "É a cara do pai!".

Alguns de nossos leitores são casados ou namoram. Cônjuge, namorado ou namorada — você provavelmente acredita que essa pessoa é mais bonita do que ela de fato é.

Algo semelhante ocorre na maneira como nos enxergamos. Os estudos mostram que os seres humanos acreditam que são mais bonitos, inteligentes, honestos e competentes do que de fato são. Tentar convencê-los do contrário é uma ótima receita para perder amizades. Voltarei a esse tema adiante, explicando suas raízes psicológicas.

Neste momento, a grande questão é: por quê? Por que os indivíduos continuam acreditando em certas coisas, mesmo quando a maioria das pessoas lhes diz que aquilo não é verdade? Por que, mesmo frente a evidências concretas do erro, muitos continuam agarrados a suas crenças e preferências? Por que, além disso, muitos impõem suas crenças e preferências aos outros, como se fossem verdades universais?

Porque as crenças, as preferências, este livro, o corpo, o braço, o útero, a dor, as sensações, as cores, o nosso "eu" e tudo o mais... Tudo é representado no — e produzido pelo — cérebro. O cérebro não absorve o mundo como uma câmera de vídeo. Ele constrói a realidade, e essa construção nos parece a representação perfeita do mundo como ele é. Em outras palavras, as percepções que nosso cérebro produz do mundo são interpretadas por nós como reais — e isso leva muita gente a acreditar que sejam universais, ou seja, que se apliquem a todas as outras pessoas.

Então, até aqui podemos concordar com Berkeley: só existe mente, só existe alma, só existe percepção.

Mas, afinal, o que é a mente?

Todos nós temos uma experiência subjetiva de mundo. Subjetivo: aquilo que é próprio ao sujeito, relativo ao indivíduo, ou seja, aquilo que é individual e particular. Você, leitor, tem uma experiência subjetiva de mundo. Uma experiência sua, particular, individual. Ela é composta por diversos elementos: memórias, sentimentos, emoções, planos, percepções sensoriais e tantos outros. Nem todos conscientes, mas são eles que compõem a sua experiência de mundo. O conjunto desses elementos é o que chamamos de mente.

Só que a mente não existe isolada. Como diria o excelente professor de Harvard, Steven Pinker: "A mente é o que o cérebro faz". Afinal, acabei de relatar que alterações cerebrais causam sérias alterações mentais. E o cérebro é parte do corpo, assim como o dedão e o estômago. Podemos então concluir que a existência da mente está intimamente associada à existência do corpo.

Além disso, é importante perceber que a mente, às vezes, produz delírios e alucinações. Ou seja, sensações e percepções distorcidas.

Vamos imaginar três casos.

Caso um: uma pessoa que alucina uma abdução alienígena. Caso dois: uma pessoa que acredita ser o Super-Homem (chamamos isso de delírio). Caso três: uma pessoa que admira uma tarde de céu azul na primavera, sentindo alegria.

Nos três casos, as pessoas sentem tais experiências de forma vívida. No entanto, os dois primeiros são distorções. Sendo assim, parece que nem tudo é sensação e percepção, nem tudo é mente. Afinal, se há sensações distorcidas, isso significa que *há algo que é distorcido*. Em outras palavras, o conceito de distorção não existe isolado. Distorção é sempre distorção de alguma coisa. Distorcer significa deturpar algo que antes não estava deturpado.

O que seria isso que antes não estava deturpado (distorcido)? A resposta é evidente: o mundo.

Logo, nem tudo é mente, nem tudo é alma, nem tudo é percepção.

Tudo é relação entre corpo, mente e mundo. Entre cérebro e mundo. A realidade é o resultado dessa relação.

CLÓVIS: Aquilo que sentimos nada mais é do que uma interpretação que o nosso corpo oferece às transformações que ele sofre na hora de se relacionar com o mundo. E o mundo não sai da frente. Viver é relacionar-se com ele. Vamos invadir essa ideia.

Quando você encontra alguma coisa e entra em relação com ela, o seu corpo se transforma, e então você sente. Ora, aquilo que você sente dependeu de duas coisas: primeiro, de você. Você sente o que sente porque você é o que é, tem o corpo que tem, as células, as expectativas, as ideias que tem. A outra coisa que influenciou no que você sentiu é o mundo que você encontrou. Então, sua sensação é o resultado do encontro. Depende das duas coisas: de você e do mundo. E o que isso significa? Significa que, se trocarmos o mundo, você sentirá outra coisa. Isso você já deve ter percebido.

É óbvio também que, quando um outro corpo que não o seu encontra a mesma coisa que você encontra, esse outro, por ser diferente do seu, sente outra coisa. Portanto, um erro a não cometer: imaginar que os outros sentem o mesmo que você sente quando encontram o mesmo mundo. Na verdade, sentimos exclusivamente, somos ilhas afetivas. Ninguém sente o que sentimos porque ninguém tem o corpo que temos.

Mais um erro a não cometer: imagine quando uma pessoa é causa dos seus afetos. Você a encontra, e ela lhe alegra. Qual é o erro *prime* a evitar? Acreditar que essa pessoa tenha que se alegrar como você se alegra quando a encontra.

E por que erro *prime*? Porque você comete dois erros em um só. Pare para pensar: quando você encontra alguém, você sente, e esse alguém é a causa. Quando esse alguém encontra você, é o outro que sente, e você é a causa. Ora, se o que sentimos é o resultado do encontro com o mundo, do nosso corpo e do mundo, não há nenhuma coincidência no encontro amoroso. Quando você encontra alguém que lhe alegra, é o seu corpo que se alegra, e esse alguém é só a causa. Quando ele encontra você, no mesmo encontro, no mesmo instante, é o corpo dele que vai sentir, sendo você a causa. Não há nada que justifique a expectativa de que o outro sinta o que você sente, razão pela qual não passa de tirania ou ignorância esperar que as pessoas sintam por nós o que sentimos por elas. Ok?

Espero que você tenha percebido o seguinte: quando alguém faz questão de que você sinta o que ela sente, você vivencia a inconveniência disso na pele porque não sente o que ela sente. E aí, de duas, uma: ou essa pessoa aceita a diversidade afetiva e deixa você livre para sentir o que sente, ou tenta impor o próprio sentimento. Pessoas assim são insuportáveis. Um exemplo típico são os conhecedores de vinho. Aliás, todos aqueles que têm gosto tido como nobre e que, em virtude do aplauso social, acreditam que seu gosto seja mais valioso do que o gosto dos outros. E então tentam nos empurrar as porcarias que lhes alegram como sendo boas em si. São tiranos asquerosos, nazistas insuportáveis. Por mim, já teria eliminado uns quatro ou cinco, não fosse a moral.

Hoje constava no meu horóscopo que o mar não está para peixe e que eu não ando nada bem...

CALABREZ: Os profissionais de *marketing* já sabem há décadas que consumidores portam-se de forma bastante peculiar quando desconhecem a marca dos produtos que estão consumindo. Vamos começar com o exemplo dos refrigerantes.

Os chamados testes cegos, nos quais produtos são apresentados sem que o consumidor saiba a marca, vêm demonstrando há tempos que a maioria das pessoas prefere Pepsi em vez de Coca. A Pepsi inclusive utilizou essa informação em uma campanha publicitária chamada "Desafio Pepsi".

Mas os estudos mostram que essa preferência só ocorre quando os consumidores não sabem a marca que estão bebendo. Quando as mesmas pessoas bebem os refrigerantes sabendo quais são as marcas, a maioria delas declara que a Coca-Cola é mais gostosa do que a Pepsi.

Para um cientista, isso impõe uma questão: o que acontece no cérebro dessas pessoas? Será que há algo diferente, do ponto de vista do cérebro, ao beber um refrigerante sabendo sua marca *versus* beber o mesmo refrigerante sem saber a marca?

O exemplo do vinho é perfeito para nossa reflexão.

Vamos começar com os conhecedores de vinho. Um estudo demonstrou que, quando os pesquisadores colocaram um rótulo chique no vinho (*grand cru classé*), estudantes de uma faculdade de enologia (a "ciência" do vinho) apresentaram grande tendência a acreditar que o vinho fosse mais saboroso do que quando beberam de uma garrafa com um rótulo não tão chique (*vin du table*). No entanto, *todo mundo estava tomando o mesmo vinho*. O *grand cru classé* foi classificado como "agradável, amadeirado, complexo e balanceado", enquanto o *vin du table* foi chamado de "fraco, curto, leve e problemático".

Se isso ocorre com estudantes de enologia, imagine com pessoas comuns. Em um estudo recente, participantes beberam vinho enquanto seus cérebros foram mapeados por ressonância magnética funcional, uma técnica que mede com precisão os fluxos sanguíneos no cérebro, indicando as áreas que se ativam e se inibem. Os participantes bebiam sempre o mesmo vinho, mas eram levados a acreditar que às vezes o vinho custava $5 e outras vezes custava $90. Como era de se esperar, os participantes tenderam a classificar o vinho supostamente mais caro como mais saboroso.

O leitor poderia criticar: "Mas a diferença entre cinco e noventa é enorme! Até eu pensaria isso!".

Os pesquisadores então fizeram novos testes, levando os participantes a acreditar que um vinho custava $35 e o outro $45 (como antes, o vinho era o mesmo). Veja só: o resultado foi o mesmo. As pessoas tenderam a classificar o vinho de $45 como mais saboroso.

O mais interessante, no entanto, foi o que aconteceu quando os pesquisadores olharam o cérebro desses participantes. As estruturas associadas ao paladar e ao olfato não mostraram diferenças ao beber vinho "caro" e "barato".

No entanto, ao beber o vinho "caro", uma estrutura cerebral mostrou atividade significativamente maior do que ao beber o vinho "barato": o córtex orbitofrontal medial. Essa estrutura costuma estar associada a uma espécie de integração entre funções cognitivas superiores (como expectativas e percepções conscientes do mundo) e processos afetivos (emoções e sentimentos, como prazer e motivação). Isso levou os pesquisadores a sugerir que a experiência de prazer com vinhos não é somente sensorial, ou seja, não deriva somente do paladar e olfato. Envolve funções cognitivas superiores, em especial a expectativa que temos em relação à qualidade do vinho que bebemos.

Um estudo parecido foi realizado com Coca-Cola e Pepsi, mapeando o cérebro de participantes ao beber os refrigerantes sem saber as marcas e depois sabendo qual era a marca. Os resultados foram muito semelhantes.

O meu estudo favorito desse tipo foi quase uma sacanagem... Os pesquisadores colocaram comida de cachorro em um processador de alimentos para obter uma textura pastosa. Depois, ofereceram aos participantes a comida de cachorro ao lado de patês de fígado. Após os participantes comerem, os pesquisadores revelaram que um dos patês era na verdade comida de cachorro e pediram que identificassem qual era o patê falso. Novamente, como esperado, a maioria dos participantes não soube discernir comida de cachorro e patê.

Clóvis: Esta reflexão problematiza um argumento: a biologia nunca esteve tão em alta. O argumento biológico por excelência é que todas as sensações são uma consequência mecânica de certa composição físico-química. Se você sente dor, isso decorre de certo estado de sua organização celular. Se você sente prazer, isso também é mera consequência mecânica de uma composição físico-química do seu corpo. Tal afirmação nos obrigaria a considerar que, dada certa composição físico-química idêntica, dado certo estado da estrutura celular do corpo, somos determinados a sentir a mesma coisa. Meu amigo, existem aí duas dificuldades.

A primeira é na hora de comprovar a objetividade da estrutura físico-química. A objetividade do estímulo recebido pelo corpo, por exemplo, encontra na sensação uma dificuldade de demonstração, pois como saber a dor sentida por aquele que a sente? Estamos condenados a relatos, mas temos que aceitar que, entre o que sentimos e o que dizemos sobre o que sentimos, há uma fronteira de imprecisão oceânica. Nunca sentimos o que o outro sente. Para que pudéssemos comparar, seria preciso que o pesquisador sentisse a dor de todos para ter certeza de tratar-se da mesma dor dada à mesma estrutura celular. Ora, isso não acontece.

E a segunda dificuldade: vamos admitir que aquilo que relatam os pacientes seja o nosso limite, que tenhamos que confiar nisso. É outro grande problema porque, todas as vezes que compararmos sensações, perceberemos que, ante o mesmo estímulo, ante a mesma broca que cura a cárie, as pessoas parecem sentir coisas muito diferentes. Consulte os que trabalham com a dor e verá que a sensibilidade diante de situações idênticas oscila de modo impressionante. Portanto, acreditamos que, entre uma situação corpórea concreta e as sensações que temos, existe um abismo que ainda nos garante alguma originalidade, alguma especificidade, um estilo próprio de sentir dor e um estilo próprio de sentir prazer. Assim, continuaremos sabendo que, quando estimularem nossa genitália, aquilo que sentimos provavelmente não é compartilhado por mais ninguém.

Calabrez: Creio que os estudos que mencionei anteriormente nos ensinam uma grande lição: a própria experiência de prazer que sentimos será, em grande medida, fruto das nossas expectativas. Essas, por sua vez, vão depender de inúmeros fatores complexos, tais como nossa cultura, nossas experiências passadas e nossa visão de mundo.

O que sentimos é sem dúvida fruto do encontro de nosso corpo com o mundo. E cada corpo inclui um cérebro. Este meu cérebro de hoje foi construído a partir da relação entre variáveis biológicas (como os genes com os quais eu nasci) e variáveis ambientais (minhas experiências, cultura, linguagem, nutrição e tantas outras coisas). Sendo assim, nenhum cérebro será perfeitamente igual a outro. Isso significa que o mundo afetará cada pessoa de maneiras diferentes. Cada encontro com o mundo será relativamente inédito.

Digo *relativamente* inédito porque obviamente existem certas semelhanças entre as experiências humanas de diferentes pessoas. É possível extrair critérios objetivos de fenômenos subjetivos. Um perfeito exemplo é a oftalmologia. Quando você está no oftalmologista, ele pergunta: "Você está vendo as letras?". Após ajustar as lentes, pergunta novamente: "E agora, está vendo melhor ou pior?".

A percepção de "melhor" ou "pior" do paciente é altamente subjetiva. Não há objetividade ao dizer "isto é melhor" ou "pior", afinal, não temos uma régua de percepção em nosso cérebro. Dizemos que as coisas são melhores (ou piores) de acordo com nossas percepções particulares.

No entanto, a partir desse fenômeno subjetivo, o médico obtém dados objetivos: o grau, em números, das lentes dos óculos que deverão ser produzidas. Em outras palavras, a medida objetiva (graus numéricos) da oftalmologia é obtida pela medicina a partir dos dados subjetivos derivados do relato dos pacientes.

Graças a isso, sou capaz de enxergar, afinal, uso óculos desde os três anos de idade. Antes dessa idade, eu não sabia me comunicar muito bem. Vivia tropeçando, caindo e batendo a cara na parede. Minha mãe achava que eu era meio idiota. Hoje já é possível saber o grau necessário para os olhos da pessoa sem ter de lhe fazer perguntas. Isso permite criar óculos até para bebês. Na minha época não havia essa tecnologia. Apesar disso, muitos médicos ainda preferem adotar o método tradicional (perguntando e ajustando) com pacientes em idade suficiente para se comunicar bem.

As pesquisas científicas sobre fenômenos subjetivos, tais como felicidade, satisfação, prazer, etc., são baseadas em princípios semelhantes. Afinal, ainda que meu cérebro seja diferente do seu, ambos são bastante parecidos. Do contrário, as ciências do cérebro — as neurociências — seriam impossíveis.

Aliás, se a realidade de cada um fosse completamente diferente, viveríamos em um caos. Veja as emoções, por exemplo. O medo é universal. Existe em todo ser humano que tem um cérebro saudável, em todo lugar do mundo. No entanto, qual é a causa do medo? Qual será a intensidade? Qual será o comportamento dele resultante? Isso tenderá a variar entre os indivíduos, terá influências culturais, etc. Mas serão variações fisiológicas, psicológicas e comportamentais de um mesmo fenômeno que chamamos coletivamente de medo. Temos cérebros bastante parecidos, afinal.

Acontece que "bastante parecido" não é sinônimo de "idêntico". E essa pequena diferença entre os cérebros de cada um de nós produz realidades diferentes, afetos diferentes, experiências diferentes, ainda que semelhantes.

O problema é que nunca saberei o que é ter outro cérebro que não este meu. Assim como você nunca saberá o que é possuir outro cérebro que não o seu. Talvez no futuro, com os avanços tecnológicos, seja possível conectar dois ou mais cérebros humanos, mas hoje isso ainda é impossível. Logo, se nenhum de nós é capaz de saber o que é ter outro corpo, outro cérebro, somos todos levados a uma espécie de delírio. O delírio mencionado pelo Clóvis, de que as outras pessoas pensam e sentem o mundo exatamente como nós.

É curioso como costumamos pensar em delírios somente na esfera das doenças, distúrbios e transtornos, como nos exemplos que dei anteriormente. Se um sujeito acredita que é o Super-Homem ou Thor, se alguém acredita que foi abduzido por alienígenas, dizemos que está delirando ou alucinando. Mas será que não há diversas formas "diluídas" de delírio? Em outras palavras, delírios socialmente aceitos, distorções da realidade tão delirantes quanto acreditar que você é o Batman?

O sujeito que nos impõe seu gosto individual, que tira sarro porque não temos paladar "refinado", que acredita de pés juntos que seu vinho é melhor que o vinho do outro, não estaria, em alguma medida, delirando? Assim como quem acredita que seu partido político é melhor, que seu time de futebol é melhor, que sua visão de mundo é melhor...

São de fato tiranos. Estão impondo suas experiências individuais como se os outros tivessem obrigação de viver a mesma realidade que eles. Estão atribuindo à realidade um caráter universal, ao acreditar que todos os seres humanos vivem na mesma realidade, quando, na verdade, como vimos, nossas realidades são sempre diferentes, pois nossos corpos são diferentes e, portanto, nossos encontros com o mundo são sempre diferentes (ainda que semelhantes).

Mas isso pode levar as pessoas a pensar que então tudo é possível. Dado que as realidades individuais são sempre diferentes, posso construir minha realidade ao meu bel-prazer... Se a realidade é totalmente maleável, então podemos viver a experiência de mundo que quisermos. Basta querer!

Esse é um grande erro. Independentemente da nossa vontade, dos nossos desejos, dos nossos esforços, das nossas diferentes experiências de mundo... Independentemente disso tudo, o sol nasce e se põe, as folhas caem no outono. O céu às vezes está azul. Outras vezes, cinza e nublado...

2

O mundo, os desejos e os prazeres

CLÓVIS: Viver é viver no mundo. Por onde tenho andado, já me dei conta de que o mundo não sai da frente. Viver é interagir com ele. Podemos nos mover, podemos abrir portas e derrubar paredes. Podemos ir morar em outro país. Mas, ao descer do avião, uma constatação: o mundo continua ali, preparado para interagir conosco. Podemos nos mover no mundo o quanto quisermos, para todos os sentidos e direções, até mesmo acreditar que somos livres — ilusão do livre-arbítrio —, mas não se sai de si, não se sai do mundo. Podemos até fugir, mas nunca escapar. Ora, por isso o desespero não tem fronteiras. Só nascemos para sofrer e para morrer. Se houver reencarnação, só renascemos para sofrer e morrer novamente. Não há nada além da dor.

E o prazer?

É quando a dor diminui. Assim, só há prazer quando, por exemplo, diminuímos a dor da fome. Se não houvesse fome, não haveria prazer em comer. Só há prazer quando diminuímos a dor da sede. Se não houvesse sede, não haveria o prazer de beber. E o prazer do repouso depende do cansaço. Por isso, todo prazer depende da dor que circunstancialmente diminui. Como poderia haver uma felicidade eterna, permanente e estável se todo o prazer pressupõe a dor que ele apenas reduz?

Nesse turbilhão de nossas forças vitais, nos relacionamos com o mundo pelo desejo. Mas, na lógica do desejo, sempre nos faltará algo. A saciedade apenas indica um novo desejo, uma nova falta. Por essas e outras, não há salvação, não há outro mundo. O mundo é este aqui, com seus desejos e suas dores. O mundo é só o mundo e nada mais. O céu é vazio, nele não há azul, nem deuses, nem anjos. A salvação é este vazio mesmo. A compreensão da ilusão. A aceitação do desespero.

CALABREZ: Esse desespero, parece-me, vem da compreensão de que, ainda que nossas realidades sejam subjetivas, individuais, particulares, ainda que as experiências de mundo variem muito entre cada um de nós, estamos todos condenados a nos deparar com uma constante. Uma constante sobre a qual não temos praticamente controle algum: o mundo.

E não há um manual sobre como desvendar o mundo. Aquilo que hoje nos alegra, amanhã pode não alegrar. A pessoa que hoje nos ama pode se apaixonar por outra no dia seguinte. Às vezes sequer sabemos se realmente estamos alegres ou se algo realmente nos está dando prazer... Há coisas que dão prazer ao mesmo tempo em que causam o sofrimento da culpa e do arrependimento — todos que já atacaram a sobremesa gordurosa durante a dieta sabem do que estou falando.

Um pai chega para o filho e diz: "Você tem tudo para ser feliz!". Como vimos, o correto seria dizer: "Você tem tudo que eu acho que, no seu lugar, me faria feliz."

O pai não diz isso por mal. Frequentemente, é por amor... Mas o que não falta no mundo são pessoas e instituições querendo nos dizer qual é o prazer legítimo do momento, qual é a forma correta de conduzir nosso corpo...

Impõe-se então uma questão dificílima: como desejar? O que de fato é causador de prazer, se o prazer de hoje pode não ser o mesmo de amanhã? O prazer com o vinho barato é menos legítimo do que o prazer com o vinho mais caro? O prazer do sujeito que comeu pão com salsicha na faculdade é diferente do prazer que ele mesmo sente hoje, homem de sucesso, ao comer caviar?

CLÓVIS: Prazer? Bem, prazer é uma palavra, o nome que damos às sensações que gostamos de sentir, sensações boas. As sensações, por sua vez, são uma interpretação que nosso corpo dá às transformações que sofre. E essas transformações acontecem ininterruptamente, então também sentimos o tempo inteiro. De algumas sensações temos mais consciência do que de outras. O prazer é um tipo de sensação. Claro que não é o único; há também a dor, por exemplo, que é quando não gostamos muito de sentir o que sentimos, quando nosso corpo não aprova a transformação que sofreu. Se você quebra o dedinho do pé, sente dor, e seu corpo interpreta com desaprovação esse encontro causador da fratura.

Pois muito bem, os prazeres são sensações de outro tipo. Sensações pelas quais lutamos, transformações aprovadas pelo corpo. E os prazeres não são superiores ou inferiores. O que os diferencia é a intensidade e a longevidade. O que pode variar em qualidade é a causa do prazer; assim, podemos ter prazer determinado por causas mais e menos nobres. Mas pensemos bem: se nos traz prazer, se nosso corpo aprova o mundo que agora se relaciona conosco, como poderíamos julgar negativamente a causa daquilo que chamamos de prazer?

O problema é que não estamos sozinhos no mundo. Cada corpo é um corpo que teve uma trajetória no mundo. O corpo que sente hoje não é o corpo que nasceu, agora ele está talhado e forjado nas relações sociais que viveu. Então, existem prazeres determinados por causas nobres quando indivíduos dominantes na sociedade transformam aquilo que é causa de prazer em algo nobre. Dessa forma, não é a mesma coisa sentir prazer ouvindo uma sinfônica na Sala São Paulo ou indo a um baile funk. Na verdade, a transformação do corpo é inapelável, as células vibram tanto em um lugar quanto no outro. A diferença é que, na Sala São Paulo, estamos tendo o prazer determinado por uma causa autorizada por certo segmento social, enquanto que, no baile funk, por outro segmento social.

O importante é você lembrar sempre que o corpo que você tem hoje é "ortopedizado" por uma vida em sociedade, por um pertencimento a uma classe social e a um grupo de pessoas que aplaude certas causas de prazer e vaia outras.

Veja que às vezes não basta ter prazer. É preciso ter prazer com o que os outros autorizam.

CALABREZ: Prazer socialmente legitimado, portanto... Mas é interessante perceber que, do ponto de vista do cérebro, o sujeito que ouve a sinfônica na Sala São Paulo terá uma ativação cerebral diferente ao ouvir funk. Essa "ortopedização" social do prazer manifesta-se de fato em uma atividade neurofisiológica peculiar e distinta. Não se trata, portanto, de mera frescura. O sujeito que bebe o vinho caro tem de fato uma sensação maior de prazer do que se bebesse um vinho barato. Mas o sujeito que ouve funk igualmente pode ter maior prazer do que se ouvisse Mozart.

O erro, me parece, está na crença iludida de que aquilo que me propicia prazer necessariamente também propiciará prazer ao outro.

Basta pensarmos na crítica que muitos fazem ao artista Romero Britto, como se sua arte tivesse menor valor por ser mais comercialmente apelativa. Aqueles que apreciam a arte de Romero Britto (e são muitos, do contrário ele não seria tão famoso) têm verdadeiro prazer ao apreciá-la. Seus cérebros e corpos produzem maior motivação e prazer. Dizer que essas pessoas estão erradas é delirante. Como alguém pode estar "errado" ao sentir prazer? Não há um erro nesse prazer, mesmo após uma reflexão moral; afinal, é um prazer que não faz mal a ninguém.

Como neurocientista, tendo a enxergar a arte a partir de uma visão do cérebro e da mente do indivíduo que contempla uma obra de arte. Talvez você, Clóvis, a partir da filosofia, possa complementar essa visão.

CLÓVIS: A arte sempre fascinou o homem, mas muitas vezes, sobretudo hoje em dia, as pessoas se perguntam: "Mas será que isso é arte mesmo?".

Quando eu era adolescente, fui a uma bienal e vi um carro antigo cheio de pãozinho francês e me perguntei se aquilo era arte.

A definição de arte mudou muito pouco ao longo do pensamento. A arte é uma grande ideia encarnada em um pedaço de matéria. Assim, toda arte tem dois elementos: uma grande ideia e um pedaço de matéria onde essa grande ideia está codificada, está traduzida em símbolos. A título de exemplo, a arte grega, que é a tradução, na arquitetura e na escultura, da ideia de cosmos, da ideia de um universo ordenado, organizado, harmonioso, simétrico. Ou a arte medieval, que é a tradução, em grandes vitrais e em grandes telas, do esplendor divino, da criação divina.

Você perguntará: "Mas que grande ideia está por trás da arte contemporânea?".

A ideia de desconstrução, do estilhaçamento do sujeito, de que não somos racionais por completo, do inconsciente que contamina as nossas decisões, de que o sujeito estilhaçado é muito mais emoção do que razão, de que estamos à mercê de fluxos vitais e de afetos que conhecemos pouco. Assim, é normal que as obras de arte acabem codificando toda essa gama de ideias importantes, e é evidente que essa codificação pode ser bastante criativa.

A arte tem sempre dois elementos: uma grande ideia do espírito, da nossa parte intelectiva, e a tradução sensível, corpórea, à disposição da nossa sensibilidade num pedaço de matéria qualquer. Para que haja pleno deleite, pleno desfrute diante de uma obra de arte, você tem que saber qual a grande ideia que lhe confere fundamento e qual foi a estratégia de simbolização que aquele artista usou para traduzir aquela ideia naquele pedaço de arte que está ali para a sua contemplação.

CALABREZ: Dessa forma, consigo compreender o historiador da arte que vê menor valor em Romero Britto. Afinal, um historiador está munido intelectualmente das grandes ideias que estão por trás das obras de arte. Sendo assim, ele compreende tais estratégias de simbolização artística.

No entanto, isso não diminui o prazer de quem aprecia Romero Britto, funk ou sertanejo universitário, comparado a quem aprecia Pollock, Mozart ou Pink Floyd. O prazer, a atividade neurofisiológica associada ao prazer, isso é amoral, ou seja, não tem valor em si mesmo, não é bom ou mau, maior ou menor.

O valor é atribuído por nós, pela sociedade.

Muitos dos nossos prazeres são meras convenções sociais. Mas seguimos na ilusão de que as convenções são naturais, que sempre estiveram lá. Ou seja, de que o prazer convencionado (ou seja, socialmente construído) é natural, universal, e que, portanto, todos deveriam ter prazer com aquilo "que é bom" ou daquele jeito específico "que é bacana".

Hoje as mulheres (e cada vez mais os homens também) depilam o corpo. Corpos sem pelos, para muitos, são maior fonte de prazer do que corpos com pelos. No entanto, poucas décadas atrás, a coisa não era deste jeito. Não havia depilação. Eis que faço uma constatação óbvia: nessa época de peludos, os corpos eram desejados mesmo assim!

Há os que dizem: "Mulheres que não se depilam são nojentas!".

Nesse sentido, atribuem uma universalidade moral (mediante o sentimento de pureza) a uma prática socialmente convencionada (a depilação). Não depilar é sinônimo de ser "nojento".

Pois veja que, para muitos dermatologistas, a depilação põe a saúde em risco mais do que a não depilação (devido às feridas na pele, que abrem portas para infecções). Claro que nem todos os dermatologistas concordam, mas a própria discordância só escancara a convenção social da depilação como sinal de higiene.

Não quero dizer com isso que não devemos criticar os desejos ou que desejos socialmente convencionados não são importantes. Desejar escovar os dentes é melhor do que não desejar. Desejar lavar as mãos após ir ao banheiro é melhor do que não desejar. Desejar fazer sexo com uma pessoa sem o seu consentimento é algo abominável, que deve ser repudiado e nos torna piores enquanto seres humanos.

Apenas quero dizer que há uma certa ilusão ao crer que Romero Britto ou a banda Calypso são em essência bons ou ruins. Tais valores são atribuições feitas pelo ser humano — em grande medida, socialmente convencionadas.

Não nego que haja padrões estéticos invariantes, universais. Há diversos exemplos. Podemos aqui falar da simetria. Rostos e corpos simétricos tendem a ser considerados mais belos do que os não simétricos, e isso parece ter pouca variação entre diferentes culturas. No entanto, as obras de Picasso são um ótimo exemplo de uma quebra desse padrão — e são consideradas belíssimas por muitos. Ainda que haja padrões estéticos universais, o espaço de influência das convenções sociais e culturais é grande demais para desejarmos impor nossas preferências aos outros.

CLÓVIS: A obra de arte não é uma ilusão, mas tem muito de ilusório. As obras existem, são coisas tão reais quanto muitas outras. Tão verdadeiras, tão familiares e nascidas da mão do homem. Um quadro é muito menos misterioso do que uma concha que abriga um molusco.

Mas a ilusão está em toda a parte. Não na obra real, não necessariamente no artista, pois ele conhece o trabalho de suas mãos e sabe o sonho que o guiou. A arte é um trabalho antes de ser uma religião, um ofício antes de ser um mistério. O artista mede o seu esforço por seu cansaço. Dez por cento de inspiração e noventa por cento de transpiração.

O gênio se torna modesto pelo trabalho, mas o espectador, ocioso, esquece esse labor, ignora-o e a obra-trabalho se torna obra-milagre. A ilusão nasce da contemplação preguiçosa. Ela nasce e logo se desdobra. A grande ilusão da obra de arte é a objetividade do belo. Essa obra que admiro sem compreender é de tamanha beleza que parece se impor a todos. A beleza é vivida como realmente universal, eterna, absoluta e presente na obra que amamos. Achar que algo é belo não é apenas reconhecer o prazer que ele proporciona a mim. É pretender a objetividade e a universalidade desse prazer. Quando algo é belo, atribui-se aos outros a mesma satisfação. Não julgamos a beleza apenas para nós mesmos, mas para outrem, como se fosse uma propriedade da coisa contemplada e tivesse que ser flagrada por qualquer um. Aí sim algo é belo. Sempre, para qualquer um. Por isso, a beleza da arte nunca é somente uma questão de gosto, porque, se fosse, não seria nada.

Calabrez: É neste momento que precisamos da filosofia. Afinal, neste momento poderíamos dizer que o desejo e a busca pelo prazer, do ponto de vista fisiológico, são os mesmos entre cães, chimpanzés e seres humanos. As estruturas cerebrais associadas à recompensa (motivação e prazer) e sexualidade, por exemplo, são muito semelhantes entre camundongos, macacos e seres humanos. Afinal, evoluíram a partir de ancestrais comuns.

Mas há uma diferença. Animais com cérebros mais complexos, especialmente os humanos, têm cérebros sociais, cérebros que se desenvolveram dentro de uma cultura, cérebros cujas estruturas desenvolveram-se a partir de um constante diálogo entre genética e ambiente, entre biologia e sociedade. Assim, o desejo humano não pode ser considerado isoladamente, em sua animalidade...

Temos que considerar que o cérebro humano possui estruturas neocorticais, ou seja, estruturas mais recentes evolutivamente, que permitem uma maior inteligência, raciocínio abstrato, cognição social, cultura, moralidade e tantas outras "funções superiores" do intelecto. E não há como dissociar tais estruturas daquelas mais primitivas, que dividimos com todos os mamíferos e até com os répteis. Tudo isso trabalha de forma intimamente interconectada.

Talvez então devamos tentar diferenciar o desejo animalesco do desejo propriamente humano. Talvez tenhamos que dar outro nome a esse desejo humano que vai além das entranhas, vísceras e circuitarias cerebrais primitivas que tantas outras espécies possuem. É por isso, repito, que precisamos da filosofia. Para que sejamos mais humanos.

CLÓVIS: Platão diz que o amor é muito importante para a vida. Mas não qualquer amor. Imagine que, para Platão, amor é Eros. Em *O banquete*, Sócrates define Eros como sendo desejo: amar é desejar. Você ama aquilo que deseja, ama aquele que deseja, ama na intensidade que deseja.

Você, leitor, pense em alguma coisa que deseje agora. Isso que você deseja é o que você ama. Naturalmente, pode ter passado pela sua cabeça um carro novo, uma cerveja bem gelada ou um par de glúteos espetaculares que você adoraria apalpar. Tudo isso que você deseja é o que você ama, simplesmente porque, para Platão, amor e desejo são a mesma coisa.

Mas e o desejo, o que será? Desejo é o que não temos, é energia canalizada para a busca do que nos faz falta. Amamos o que não temos, amamos o que não somos, amamos o que não conseguimos. A equação está completa: você ama o que deseja e deseja o que não tem. De duas, uma: ou você ama e deseja o que não tem, ou então tem, mas, nesse caso, não ama e não deseja mais. Essa sinuca de bico é irritante. Quando você se casa e tem uma mulher para você, ela se torna indesejável e impossível de ser amada, então você passa a desejar e amar a cunhada — sempre impossível, sempre apetecível, sempre desejável na impossibilidade.

Essa lógica do Eros é interessantíssima para o mundo da vida. De fato, constatamos que aquelas coisas que nos fazem falta acabam merecendo a nossa incrível atenção. Também constatamos que aquelas coisas que estão muito fáceis à nossa mão, que se oferecem para nós o tempo inteiro, acabam não merecendo nossa atenção e nem valor algum. Parece que estamos o tempo inteiro supervalorizando o que não temos e depreciando o que já conquistamos. Eis aí uma vida divorciada do real, divorciada do mundo, uma vida apenas desejada na fantasia, na quimera. Exemplo de vida ruim. Lógica do Eros, pensamento de Platão.

E haveria uma saída?

Platão propõe o que denomina de ascese, de elevação. A ideia é que, na hora de se relacionar com as coisas do mundo, digamos que existam apreços que valem mais do que outros.

Imaginemos que passe uma mulher de glúteos impressionantes do outro lado da rua, e você diga: "Nossa, que espetáculo de mulher! Que bunda!".

Você tem aí um apreço por um glúteo particular e se deixa atrair por ele. Digamos que esse apreço é digno de uma vida bastante pobre, uma vida inferior mesmo. Um apreço superior a esse seria o apreço pela beleza do corpo feminino. E aí já não seria mais uma bunda específica, mas sim um corpo genérico, uma ideia de corpo feminino.

Mas haveria talvez um apreço superior ao da beleza genérica do corpo feminino. Seria o apreço pela beleza de qualquer coisa: do corpo feminino, da paisagem, da obra de arte, da música, ou seja, o apreço pela beleza onde ela estiver. Perceba que estamos subindo, partimos de glúteos específicos, passamos pelo corpo genérico de mulher e finalmente chegamos à beleza salpicada onde estiver, a beleza em si, que não está particularizada em uma coisa ou em um corpo específico, mas que pode estar em qualquer lugar.

Haveria algum apreço superior a esse?

Talvez pudéssemos imaginar um apreço por algo superior à beleza, que é um apreço pelo próprio ser. Perceba que o ser é mais genérico do que o ser belo. Assim, estamos subindo: da bunda da mulher do outro lado da rua até o ser, estamos ascendendo degrau a degrau.

Espero que você comece a entender a solução que Platão nos propõe, pois, concordará comigo, esse ser a que me refiro agora está muito distante da mulher do outro lado da rua e muito mais próximo da sua cabeça, das suas ideias, da sua alma pensante, da sua inteligência. Quanto mais o apreço tiver por objeto uma ideia, mais ele será indicativo de uma vida bem vivida, de uma vida humanamente digna. Quanto mais o apreço for pelo particular, pelo físico captado pelos sentidos e pelas sensibilidades, mais próximos estaremos da animalidade, menos digna será a nossa vida, mais pobre será a nossa existência.

•••••

Em seus diálogos, Platão sempre falou em dois mundos: o primeiro é este que está mais próximo de nós, um mundo de coisas sensíveis, das coisas que podemos ver, encontrar, tocar, cheirar. O outro é aquele que alcançamos pelo pensamento, pelo uso da razão, pelas atividades intelectivas.

Platão sempre teve desprezo pelas sensibilidades, pelas percepções sensoriais. Ele considerou que o resultado dessas percepções nos proporcionava um conhecimento de segunda classe, passível de erro. Sempre defendeu a tese de que os sentidos nos enganam e por isso deu enorme primazia, superioridade hierárquica mesmo, àquelas verdades alcançadas pela razão, sem o auxílio dos sentidos, sem a participação do corpo.

E por que Platão detestava tanto as sensibilidades? Por que menosprezava tanto as constatações feitas pelos sentidos?

Para ir direto ao assunto, o que Platão diz é que os sentidos nos fazem acreditar numa diversidade, numa existência de coisas diferentes, quando na verdade estamos diante da mesma coisa. Os sentidos, portanto, nos convencem do plural, quando na verdade estamos diante do singular.

O exemplo clássico é o da água e do gelo. Quando você olha para a água, percebe certas características, quando olha para o gelo, percebe outras. Se você apalpar, a diferença aumenta; no entanto, ao botar a cachola para funcionar e fazer uma investigação científica, você descobre que tanto a água líquida quanto o gelo são H_2O, são a mesma coisa.

Assim, para Platão, a nossa inteligência, a nossa razão, nos leva a uma coisa só: H_2O. Mas nossos sentidos nos obrigam a constatar diversidade, pluralidade, diferença entre a água e o gelo.

Com base nesse tipo de argumento, Platão está convencido de que os nossos sentidos nos levam a equívocos. Por esse motivo, o convite é para o uso da razão, que será tanto mais garantidor de um conhecimento confiável quanto menos depender das nossas observações sensoriais.

Muitos criticam Platão por esse tipo de convicção.

Mas, se confiarmos nos sentidos, imaginaremos que uma moeda possa ter o mesmo tamanho do Sol, tudo dependerá da distância. A distância já é coisa de inteligência. No simples olhar, na simples mirada, a moeda e o Sol têm tamanho idêntico. E aí toda a importância dada à razão, à articulação das ideias em busca daquilo que é inequivocamente verdadeiro.

Tomemos como exemplo a beleza. Você poderia imaginar que a beleza estivesse relacionada com o que o seu corpo sente quando contempla o mundo. Caso você se sentisse atraído pelo mundo, este lhe seria belo; caso você sentisse repulsa face ao mundo, este lhe seria feio. Porém, nesse caso, a beleza dependeria do seu corpo, dependeria da percepção. Se um dia você estivesse com cólica, não iria achá-lo tão bonito, e o belo viraria feio por causa da cólica. Não pode ser assim.

A beleza tem que ser inquestionável e não pode depender da sua cólica, nem da perspectiva, nem da distância, nem do seu bom humor. A beleza nada tem a ver com você se sentir atraído ou repulsado. Ela é uma ideia que você constrói pela inteligência. E essa ideia já se encontra em você, sempre esteve em sua alma. Cabe a você tentar sossegar um pouco o facho — o pinto ou a periquita — e deixar a cabeça fazer o seu trabalho, buscar o que é indiscutivelmente belo. E, se porventura o que é indiscutivelmente belo não agradar seu corpo, trate de educá-lo para gostar do que é bonito e detestar o que é racional e inequivocamente feio.

•••••

Se há algo que nos caracteriza como desejantes, isso nos aproxima de tudo o que vive. O desejo é a nossa maior marca registrada. Ele tem objetos que passam por nossa cabeça, objetos de desejo. E assim pode ser definido por tudo o que faz falta. O desejo é sempre por aquilo que não temos, que não somos e que não conseguimos. Nesse sentido, o desejo é ilimitado.

Mas o desejo não é só o objeto que passa pela nossa cabeça. Também é energia. Energia de vida que disponibilizamos para ir atrás daquilo que nos faz falta, e aí nosso desejo é limitado. Afinal, nossa energia tem fronteiras: as fronteiras da finitude, do corpo, das células, da nossa matéria específica. Então, o desejo é mesmo ambivalente. Ilimitado no seu objeto e limitado na energia que disponibilizamos para alcançá-lo. Talvez, por isso, tanta frustração, tanta angústia. Para buscar o ilimitado só dispomos do que tem limite.

O desejo é energia mais objeto. Assim, o desejo se distingue do apetite, porque este último é só energia sem objeto, sem consciência de si. O apetite é o que nos aproxima do resto dos animais. Afinal, como saber o que se passa pela cabeça de um caranguejo? Mas caranguejos têm apetite, é só vê-los em deslocamento atrás da presa. Agora, se pensam, se cogitam, se têm desejo, não sabemos. Talvez um caranguejo resolva uma equação do segundo grau mais rápido do que nós. Talvez seja preciso ser caranguejo para saber o que passa na cabeça de um.

Quanto à vontade, o problema é o mesmo. Terá o caranguejo critérios morais de conduta? A filosofia — boa parte dela — garante que não. Eu tenho minhas cautelas, afinal, olhando bem para um caranguejo, percebo que ali existe apenas mistério.

A vontade não se confunde nem com o apetite, nem com o desejo. Vontade é energia, é também o objeto desejado, portanto, contém nela o apetite e o desejo. Mas a vontade é mais do que os dois juntos, pois inclui a reflexão, a ponderação, o julgamento a respeito da conveniência do desejo, a análise da pertinência e do valor do objeto do desejo. Por isso, existe uma diferença enorme entre desejo e vontade.

O desejo é coisa de célula, de neurônio. O desejo se impõe a nós. A vontade não. A vontade mostra a nossa liberdade. A nossa liberdade frente ao nosso corpo desejante, à nossa capacidade de desejar, mas não agir em busca do que queremos. Afinal, nem tudo o que desejamos é certo ir buscar, nem tudo o que desejamos fazer é certo fazer. E são tantas as coisas que gostaríamos de fazer e que decidimos, na vontade, não fazer. O tempo inteiro e a qualquer momento estamos diante de impulsos do nosso corpo que, por alguma razão, não traduzimos em conduta. Por isso, apetite, desejo e vontade fazem parte da nossa vida.

CALABREZ: Sempre achei belíssima a reflexão de Platão sobre o desejo, bem como sua crítica aos erros que a imediata percepção sensorial pode nos levar a cometer. É um grito em homenagem à racionalidade humana, à nossa capacidade de apreciar a pureza das ideias, à maravilhosa complexidade do intelecto humano.

A distinção entre vontade e desejo, por sua vez, me parece adequada inclusive em uma perspectiva neurofisiológica e também psicológica.

Do ponto de vista do cérebro, a vontade tem forte aspecto negativo. Em outras palavras, as manifestações da vontade se dão frequentemente através da negação dos desejos — e não da afirmação de novos desejos. Dito de maneira mais simples: nosso cérebro tem liberdade para dizer não aos impulsos afetivos (desejos, emoções e sentimentos) — mas não tem o poder de criar, de forma racional e voluntária, tais impulsos.

A liberdade para negar a fatalidade do desejo, escolhendo outros caminhos, diferentes daquele pelo qual o desejo nos levaria, envolve uma série de circuitarias cerebrais. Uma delas em especial é chave nesse processo: o córtex pré-frontal. A atividade pré-frontal está associada, entre uma série de outras funções, à capacidade que temos de imaginar as consequências futuras de algo que estamos fazendo agora. Além disso, está associada à capacidade que temos de inibir processos afetivos, ou seja, de frear nossos sentimentos e emoções.

Exemplo perfeito disso é quando ingerimos bebida alcoólica. O álcool é uma substância que causa a inibição dos neurônios. Em outras palavras, os neurônios passam a disparar em uma frequência menor.

Nesta hora, as pessoas ficam com uma pulga atrás da orelha: "Mas, Pedro, a última coisa que fico quando eu bebo é inibido! Pelo contrário, fico desinibido!".

Pois bem, isso deve-se ao fato de que um dos efeitos do álcool é a inibição do córtex pré-frontal. Tendo em vista que essa estrutura está envolvida em frear os afetos, o álcool faz com que as "rédeas" do cérebro sobre as emoções fiquem mais frouxas, mais soltas. É por isso que, quando bebe, o sujeito briga com muito mais facilidade. É por isso que o bêbado costuma ser imprudente, inconsequente. É por isso que a pessoa bebe e telefona ou manda mensagem no WhatsApp para o(a) ex-namorado(a) — e depois se arrepende.

Tenho um amigo que, com o pré-frontal inibido, tomava as decisões mais estúpidas que já presenciei. Anos atrás, ele tinha uma namorada. Na formatura da moça, ele bebeu muito. Lá pelo fim da festa, teve a brilhante ideia de pedi-la em casamento (na frente dos pais dela). Ela aceitou, radiante.

Acontece que o córtex pré-frontal também está envolvido na formação de memórias, especialmente as de curto prazo, que chamamos de memórias de trabalho — e sua inibição também pode prejudicar a conversão de memórias de curto prazo em memórias de longo prazo. Para piorar, o álcool também interfere com os receptores de glutamato (um composto que carrega sinais entre neurônios) em uma estrutura mais profunda do cérebro, chamada hipocampo, essencial à memória de longo prazo. Durante essa interferência, o álcool impede que certos receptores funcionem normalmente, enquanto ativa outros que não deveriam ser ativados. Isso faz com que o neurônio produza esteroides que prejudicam a comunicação neuronal (entre neurônios), deturpando um processo conhecido como "potenciação de longa duração". Esse processo é necessário para a aprendizagem e a formação de memórias. Acredita-se que é por isso que o álcool causa amnésia anterógrada, quando esquecemos o que aconteceu a partir do momento em que ficamos muito bêbados.

Resumo da ópera: no dia seguinte, meu amigo não lembrava que tinha pedido a menina em casamento. Não teve jeito, levou um pé na bunda. Mas esse era um amigo muito peculiar. Um dia bebeu muito, para variar, e sumiu. Depois de muito procurar, encontramos o sujeito deitado no meio do chão da cozinha... todo embrulhado em papel alumínio. Até hoje, me pergunto primeiramente *como* ele fez aquilo. Ele parecia um croquete prateado. Mas o que me intriga mesmo é: *por que* diabos alguém se embrulharia em papel alumínio? Creio que nunca saberei.

Mas divago. Voltemos à relação entre vontade e desejo.

Um pré-frontal saudável é sim capaz de frear os desejos e, portanto, permitir que a vontade seja exercida. No entanto, essa capacidade é limitada. Quero deixar claro aqui que hoje é consenso dentro das ciências da mente e do comportamento (neurociências, psicologia, economia comportamental) que o ser humano possui sim a capacidade de pensar racionalmente, mas que a racionalidade não é o modo de operação padrão do cérebro humano. Em outras palavras, no dia a dia costumamos ser muito menos racionais do que gostaríamos.

Ao falar disso, lembro sempre do grande filósofo escocês David Hume em seu *Tratado da natureza humana*: "A razão é, e só pode ser, escrava das paixões". Creio que essa é a passagem filosófica mais citada por neurocientistas. Isso porque já há algumas décadas sabemos que a racionalidade humana, enaltecida por tantos pensadores, é intimamente ligada a processos emocionais.

Sabemos, há cerca de trinta anos, que lesões cerebrais em estruturas responsáveis por mediar processos afetivos (emoções e sentimentos) costumeiramente acarretam sérios déficits nos processos de planejamento e tomada de decisões (ou seja, alteram um aspecto tipicamente considerado racional da personalidade). Dito de maneira mais simples, lesões em circuitarias emocionais do cérebro destroem também as faculdades racionais dos seres humanos. David Hume não poderia estar mais correto.

É como se o cérebro funcionasse a partir de dois sistemas: um mais lento e frio (capaz de ser racional) e outro mais rápido e quente (responsável pelas emoções e hábitos, por exemplo). Esses termos, sistema frio e sistema quente, são usados pelo grande psicólogo Walter Mischel, uma das maiores autoridades do mundo no estudo do autocontrole e da força de vontade. Daniel Kahneman, vencedor do Prêmio Nobel de Economia em 2002, usa termos diferentes: sistema 1 (rápido) e sistema 2 (devagar).

Muitos neurocientistas preferem o termo *top-down* (de cima para baixo, em inglês) para indicar os processos lentos e frios. E o termo *bottom-up* (de baixo para cima) para indicar os processos rápidos, quentes.* Essa terminologia é encontrada em centenas de artigos científicos e se refere, de certa forma, ao fato de que as estruturas localizadas no "topo" do cérebro em geral são mais evolutivamente recentes, enquanto as estruturas localizadas no "fundo" do cérebro são mais primitivas.

Pois bem, muita gente acredita então que o sistema 2 (frio, lento) é sempre racional. Isso é um equívoco. O sistema 2 pode funcionar de duas formas: como um cientista ou como um advogado criminalista.

Como o cientista chega a uma conclusão? Ele vai ao mundo munido de uma hipótese. Em seguida, colhe e analisa as evidências disponíveis a respeito dessa hipótese. Depois de tudo isso, finalmente chega a uma conclusão.

---

* Nota de Pedro Calabrez: esses termos binários são figuras de linguagem. Não há no cérebro dois sistemas discretos perfeitamente separados e definidos, responsáveis por processos frios e quentes, lentos e rápidos, bottom-up e top-down, etc. Utilizamos essa dualidade apenas para fins didáticos.

Como o advogado criminalista chega a uma conclusão? Em primeiro lugar, ele chega à conclusão ("meu cliente é inocente"). Em seguida, ele vai ao mundo procurar evidências que corroborem a conclusão preestabelecida.

Em outras palavras, muitas vezes o sistema 2, em vez de ser racional, funciona apenas procurando justificativas aparentemente racionais para processos que na verdade foram totalmente irracionais e muitas vezes afetivos, emocionais.

É interessante ver como as pessoas perseguem, desejam e até idealizam objetos socialmente legitimados ou maneiras de viver impostas pela sociedade. Isso ocorre sob a crença de que a aquisição de um certo objeto ou a conduta da vida de certa maneira serão prazerosos e, no limite, trarão felicidade. Para sustentar isso tudo são criadas justificativas aparentemente racionais que dão alicerce a esses desejos.

Por exemplo, a sociedade nos diz que devemos trabalhar oito horas por dia. Se trabalharmos mais, melhor ainda. Somos condicionados a desejar trabalhar — ou, pelo menos, a desejar o fruto do trabalho, que é o dinheiro. A partir disso, criam-se as justificativas, que culminam até em ditados populares: "Deus ajuda quem cedo madruga", "o trabalho enobrece o homem" e por aí vai. Acreditamos que essas são justificativas racionais, mas certamente não são. São tentativas de atribuir racionalidade a um desejo (de dinheiro, crescimento na carreira, etc.). Essa motivação é um afeto, uma emoção e um sentimento socialmente construídos em nossas cabeças. A razão é escrava das paixões.

Quem disse que devemos acordar cedo? Quem disse que devemos trabalhar para sermos "nobres"? Que diabos significa ser "nobre"? Quem disse que devemos investir metade das nossas horas úteis do dia para construir uma carreira ou ganhar dinheiro, para então encontrar a felicidade?

Estudos mostram que, a partir de certo nível de renda monetária, essencialmente a partir do momento em que entramos na chamada "classe média", o acúmulo de mais dinheiro deixa de trazer incrementos significativos para nossa satisfação com a vida.

Quantos grandes executivos totalmente insatisfeitos com a vida existem por aí? Quantos empreendedores bilionários e infelizes?

O leitor pode pensar: "Então trabalhar muito é ruim!". Claro que não. Trabalhar muito pode ser ruim para alguns, enquanto pode ser sinônimo de alegria para outros. O erro está em atribuir universalidade, dizer que o trabalho enobrece todos os homens, que Deus ajuda quem cedo madruga e, devido a isso, todos devem cedo madrugar.

CLÓVIS: Neste mundo de matéria e energia em que vivemos, nada vem do nada, tudo tem causa. Matéria determina matéria, energia determina energia.

Assim também são os nossos discursos, aquilo que nos vem à cabeça, aquilo que pensamos e às vezes enunciamos. Os nossos discursos não vêm do nada. Desde que nascemos, somos bombardeados por eles e muito antes de começarmos a falar já estamos ouvindo, imersos numa polifonia discursiva.

Pouco a pouco, começamos a falar também. Começamos a participar dessa poderosa rede de discursos que constitui o nosso tecido social. Aquilo que falamos não é cópia do que ouvimos. Pegamos uma coisa daqui, outra dali, outra de lá e formulamos nossos próprios enunciados. Somos criativos. Aquilo que dizemos é inédito, mas a matéria-prima vem de fora, é dada pela sociedade.

Aquilo que falamos sobre nós, a definição que damos de nós mesmos, os atributos que utilizamos para nos definir também vêm de fora. Ao nascer, ninguém sabe quem é. Ao nascer, ninguém diz que é generoso, contributivo e proativo. Aprendemos isso ouvindo os outros falarem sobre nós. Assim, até o que dizemos sobre nós mesmos, aparentemente oriundo da mais íntima das intimidades, nada mais é do que o resultado de um aprendizado no mundo da vida, no mundo dos encontros com outras pessoas. Tanto é que, caso se meta a falar de você coisas com as quais a sociedade não concorda, pagará um preço caro de escárnio e exclusão.

Esta é uma inquietação que sempre tive: na hora de explicar as próprias condutas, o homem muda de critério, muda de paradigma, dependendo do sucesso ou do fracasso das suas iniciativas. Se o homem foi bem-sucedido no que pretendia alcançar, costuma explicar sua conduta pela livre escolha, pela liberdade bem-sucedida de definir os meios adequados para os fins desejados. Quando o homem fracassa, costuma relacionar a própria conduta a variáveis exteriores a si, variáveis que ele não pode controlar. Desaparece a liberdade, desaparece a condição de escolher o melhor meio para o melhor fim, e entra em cena o que se chama de determinismo. Dadas certas variáveis externas, eu nada poderia fazer de diferente. Assim, o homem imputa as razões pelas quais agiu mal ao tempo, ao clima, ao comportamento do outro, às instituições, ao sistema.

Poderíamos pensar em um jogador de futebol quando escolhe o lado certo para driblar, vence o adversário, chuta adequadamente, faz o gol e leva o time à vitória. Ele é um gênio e enaltecerá a sua acertada escolha. Quando o mesmo jogador não consegue nada disso, seu fracasso quase sempre é atribuído ao sistema defensivo adversário, a ter sido caçado em campo, ao juiz não ter visto todas as faltas que recebeu, a que não era um bom dia, a que, enfim, os colegas de equipe não o abasteceram com a quantidade necessária de bolas para que ele pudesse, diante de toda essa gama de alternativas, encontrar pelo menos em algum momento uma solução de gol.

Viu? A liberdade, a livre escolha e a adequação inteligente de meios afins são coisas de quem se deu bem, mas a atribuição a fatores externos que não se pode controlar é coisa de quem se deu mal. E, quando você nega a própria liberdade, nega a própria escolha, nega a possibilidade de ter feito diferente. A isso denominamos má-fé, artifício de fracassados.

Calabrez: Esses discursos convenientes são obra do nosso sistema 2. Sendo mais específico, trata-se do sistema 2 agindo como advogado criminalista, como expliquei há pouco.

Esta reflexão leva-me a um dos temas que acho mais interessantes dentro das ciências da mente: aquilo que chamamos de consistência cognitiva (ou consistência psicológica).

Sempre pergunto às pessoas: "O que é mais fácil mudar: uma crença ou um comportamento?".

Gostaria que o leitor pensasse na pergunta...

A maioria das pessoas responde na lata: "Um comportamento". Parece que, na visão de boa parte delas, as crenças são enraizadas, difíceis de mudar.

Em seguida a essa resposta, eu pergunto: "Então o que é mais fácil: você começar a dieta agora, neste instante, ou crer piamente que começará a dieta na semana que vem?".

Neste momento você percebe que mudamos crenças com uma facilidade enorme.

Mas por que isso acontece?

Imagine que nossa mente é como um computador, desses que temos em casa.* Imagine que, tal como nossos computadores, ela tem diversas pastas e que cada uma guarda os conteúdos de uma dimensão da nossa vida. Por exemplo, temos uma pasta chamada "trabalho", outra chamada "família", mais outra chamada "lazer" e por aí vai.

---

* **Nota de Pedro Calabrez:** quero deixar claro que esta é uma metáfora. Não há supercomputador hoje que chegue sequer próximo daquilo que um cérebro humano é capaz de fazer. Há pesquisadores que acreditam que supercomputadores digitais (versões muito poderosas de computadores semelhantes aos nossos) serão capazes de simular a atividade cerebral no futuro, outros afirmam que o cérebro não é um computador digital (o grande neurocientista brasileiro Miguel Nicolelis defende a tese de que o cérebro é um computador analógico-digital — ele expõe essas ideias no livro *O cérebro relativístico*) e outros ainda afirmam que o cérebro não é um computador, ou seja, não é uma máquina de processamento de informações (um exemplo desse pensamento é o grande psicólogo americano Robert Epstein).

O princípio aqui é o seguinte: a mente humana necessariamente buscará fazer com que os conteúdos dessas pastas sejam consistentes. Em outras palavras, buscará evitar — a todo custo — inconsistências. Inconsistências nada mais são do que informações conflitantes dentro da pasta, informações que se contradizem. Os cientistas chamam essas inconsistências de "dissonâncias cognitivas" desde os anos 1970.

Vou dar um exemplo.

Meus alunos de 18 anos de idade, ao entrar na faculdade, frequentemente se apaixonam. A paixão, do ponto de vista do cérebro, assemelha-se a um estado hipermotivacional de demência temporária com duração de doze a 24 meses. Acho que nosso leitor já deve ter percebido que, quando se apaixona, fica meio demente. A paixão acarreta inibição pré-frontal, ou seja, algo semelhante a ficar bêbado, como mencionei há pouco. Por isso as pessoas apaixonadas tomam decisões estúpidas. Vamos falar bastante sobre paixão na terceira parte do livro.

Pois bem, meus alunos de 18 anos apaixonam-se. Começam a namorar. Imagine uma conversa entre esses namorados com cerca de três meses de relacionamento, ou seja, no ápice, na crista da onda da demência.

Um vira para o outro e fala: "Amor, você me ama?".

A resposta é óbvia: "É claro!".

Eis que vem a pergunta fatídica: "Para sempre?".

Veja que, nesta hora, eles poderiam ser racionais. Observar a situação de forma fria, sistema 2, cientista, *top-down*. Imaginemos a resposta racional:

"Você me ama?"

"É claro!"

"Para sempre?"

"Jamais. Veja, amor, com base no cálculo da média aritmética simples das minhas relações anteriores, creio que ficaremos juntos por mais cerca de nove meses, com margem de erro de um e meio."

Imagine a pasta "namoro", criada há três meses na mente do casal. Provavelmente está cheia de conteúdo (memórias, planos, sentimentos, etc.) majoritariamente positivo.

A racionalidade e a frieza intelectiva, neste momento, adicionarão uma informação negativa a essa pasta ("um dia nosso namoro vai acabar"). Tendo em vista que os conteúdos anteriores da pasta são consistentemente positivos, essa informação negativa causará um conflito, uma inconsistência. Em outras palavras, essa informação conflitante produzirá uma dissonância.

Entra em ação uma espécie de mecanismo psicológico de manutenção de consistência. Nossa mente dará um jeito de resolver a inconsistência, e o jeito mais comum, nesse caso, é produzir uma crença: a de que vai durar para sempre.

Perceba que os jovens, ao dizerem "eu te amo para sempre", genuinamente acreditam na ideia. Não estão mentindo ou sendo ardilosos. A crença da eternidade do relacionamento mantém a consistência psicológica, eliminando a dissonância derivada da consciência fria de que um dia a relação terminará.

Veja então que nossa mente é equipada com um mecanismo de manutenção de consistência. Esse mecanismo entrará em ação sempre que surgirem inconsistências (dissonâncias).

Quero agora destacar uma característica adicional desse mecanismo: ele estará tão mais presente quanto mais difícil tenha sido corrigir a inconsistência por meio de ações.

O leitor pode não ter compreendido a ideia neste momento. Parece complicado, então vamos dar um exemplo para explicar. O exemplo perfeito é a diferença entre uma menina solteira de vinte anos de idade e uma mulher casada há quinze anos.

A jovem solteira de vinte anos vai à balada. Depois de tomar uns drinques e dançar na pista, observa um rapaz, sujeito aparentemente simpático, definitivamente bonito. O rapaz se aproxima, e os dois começam a conversar. "Que cara legal!", pensa a jovem. Após alguns minutos de conversa, a moça decide ficar com ele e só espera o momento certo.

É nesse instante que o rapaz, sem interromper a conversa, olhando nos olhos da jovem, enfia o dedo no nariz. Não satisfeito, fica com o dedo lá, quase cutucando o cérebro, cavoucando como um verdadeiro minerador de petróleo. Depois disso, tira uma meleca do tamanho de uma azeitona e, ainda olhando nos olhos da moça, limpa o dedo na camisa.

A jovem é acometida pelo sentimento de nojo.

Analisemos a psicologia da situação: ocorreu uma inconsistência?

Claro que sim! Lembre-se do que acabei de falar, da mente como um computador.

A pasta "menino da balada" havia acabado de ser criada. Até então, só tinha conteúdos positivos: sujeito bonito, simpático, interessante, "quero ficar com ele". Eis que entrou uma informação conflitante na pasta: ele é nojento. Surgiu uma dissonância.

Como resolver essa dissonância? Fácil: mudando de comportamento, ou seja, agindo. A menina diz: "Vou até o banheiro e já volto, tá?".

E desaparece.

Essa é uma situação na qual corrigir a inconsistência mediante uma ação é fácil, e provavelmente é o que a maioria das jovens faria.

Agora, vamos ao outro exemplo: uma mulher casada há quinze anos. Antes do casamento, foram quatro anos de namoro. Dezenove anos de relacionamento, portanto. Dois filhos. O apartamento está em nome dos dois.

O casal está em casa, ao fim da tarde de um domingo. Estão sentados à mesa de jantar, comendo aquele típico "lanche da tarde": frutas, pães de queijo, suco de laranja, granola e iogurte Activia Zero, sabor morango.

Eis que o maridão de repente enfia o dedo no nariz e fica lá, cavoucando, por um tempo... Tira uma meleca do tamanho de uma azeitona. Em seguida, limpa na camisa.

O que a esposa faz? Levanta, vai embora e nunca mais volta? "Amor, vou comprar cigarro" — e desaparece para sempre?

Claro que não!

Ela diz, brava: "Ai, amor! Que nojo! Não encosta no pão!".

E pronto, a vida segue.

Novamente, analisemos a psicologia da situação: ocorreu uma inconsistência?

Obviamente sim! O amado maridão fez algo nojento!

Mas perceba que essa situação é muito diferente da anterior, na balada. Corrigir essa inconsistência por meio de uma ação é dificílimo, pois um casamento é uma relação muito mais estável, sólida e interdependente do que um flerte na balada. Agir para mudar a situação aqui é muito mais difícil.

Como eu disse anteriormente, quanto mais difícil for corrigir a inconsistência através de ações, mais presente será o mecanismo psicológico de manutenção de consistência.

A esposa, no segundo exemplo, mudou suas crenças a respeito do que é nojento e aceitável em uma relação. As crenças atuais permitem que ela aceite algo que, no início do relacionamento, seria inaceitável.

"Ah, ele é nojentão, mas é meu amor!", "não é tão nojento assim!", "ele quase nunca faz essas coisas". Ideias como essas aparecem espontaneamente na mente da esposa. Tais ideias mantêm a consistência psicológica, evitando dissonâncias.

Não é à toa que alguns chamam esse mecanismo psicológico de "autoengano".

Imagine uma pessoa que acabou de levar um pé na bunda. Pouco tempo depois, surgem em sua mente ideias como: "Ele(a) não me merecia", "tudo tem um motivo para acontecer", "eu já sabia que não ia dar certo", "agora posso encontrar uma pessoa melhor". Tais ideias aparecem espontaneamente na cabeça da pessoa que foi largada. É um processo automático, de origem inconsciente. Tudo porque levar um pé na bunda é algo que geralmente produz inconsistência psicológica. E nossa mente não suporta inconsistências.

Pois bem, agora consigo responder à inquietação levantada pelo Clóvis.

Por que as pessoas usam discursos de liberdade quando têm sucesso ("fui lá, enfrentei as dificuldades e fui vitorioso!") e discursos deterministas e fatalistas quando fracassam ("não havia o que eu pudesse fazer, a culpa é do meu chefe")?

Primeiro, é preciso compreender que costumamos ter uma visão deturpada de nós mesmos. Diversos estudos mostram que os seres humanos tendem a acreditar que são mais inteligentes, competentes, honestos e bonitos do que de fato são. Assim, adequamos nossas visões de mundo a uma imagem distorcidamente positiva de nós mesmos.

Devido a isso, imagine o impacto psicológico de olhar no espelho e dizer para si mesmo: "Meu fracasso é fruto de minhas escolhas livres". Ou, então: "Sou responsável pelo meu fracasso".

É fácil perceber que isso produziria uma enorme inconsistência. Perceba que o fracasso já ocorreu, não há o que fazer. Em outras palavras, não há ações que consigam corrigir essa inconsistência. Por isso produzimos uma crença: a crença de que a culpa não foi nossa, de que não poderíamos ter feito nada diferente, de que fatores totalmente fora de nosso controle foram responsáveis pelo nosso fracasso.

Voltarei a esse princípio de manutenção de consistência ao longo de nossas reflexões, pois ele é muito importante e está por trás de uma série de características do comportamento humano.

Mas neste momento, meu amigo, já que acabei de falar de relacionamentos românticos, gostaria de levantar uma questão. Se para Platão desejo é Eros, ou seja, só ocorre na falta, de modo que, quando obtemos o que desejamos, já não desejamos mais, como explicar a expressão "erótico", tão usada nos dias atuais especialmente para designar um tipo de prazer, o prazer sexual? Parece-me que, durante o prazer sexual, erótico, desejamos permanência, desejamos que aquele momento prazeroso dure mais.

CLÓVIS: Falarei então sobre a expressão "prazer erótico". Aparentemente, ela contém termos contraditórios, afinal, erótico vem de Eros, que significa desejo.

Desejo, por sua vez, é sempre pelo que falta, é sempre por aquilo que não temos, por aquilo que não somos e gostaríamos de ser, por aquilo que não fazemos e gostaríamos de conseguir fazer. Portanto, o objeto do desejo está sempre na nossa imaginação. O objeto do desejo é sempre uma conjectura do intelecto, jamais o mundo efetivamente encontrado.

O prazer é o contrário do desejo. O prazer é na presença, é no encontro, é uma sensação do corpo diante de um mundo efetivamente encontrado. O prazer é um tipo de reação do corpo a uma relação específica com o mundo que se encontra diante dele.

Ora, o prazer erótico mistura o prazer que precisa da presença e o desejo que precisa da falta. Aparentemente, não é uma expressão coerente, porém, é possível pensar no prazer de um mundo efetivamente encontrado e que já fora desejado no passado. Assim, o desejo indica a falta do passado que se materializa no encontro presente. O prazer erótico indica, portanto, uma falta que se resolve na presença. O mundo desejado no passado é encontrado e determina a causa de prazer. É o que você gostaria de encontrar e encontrou. Gostaria de ter e teve. Gostaria de fazer e fez.

Existem prazeres que não são eróticos, quer dizer, prazeres que não foram desejados no passado. É quando, por exemplo, você encontra de supetão alguém ou alguma coisa que lhe dá prazer, mas que você jamais havia desejado. Por outro lado, existem prazeres profundamente desejados durante anos e que de repente acabam se convertendo em um encontro real e profundamente prazeroso. Existe ainda Eros que jamais vira prazer. Desejos que resistem para sempre na falta e nunca viram presença. Por isso se costuma dizer que o prazer é o suicídio do desejo. O desejo que precisa da falta busca a presença que o aniquila, que o destrói. Por isso, todo o desejo é mesmo suicidário, e o prazer é o momento que culmina com o suicídio do desejo.

CALABREZ: Do ponto de vista científico, podemos igualmente fazer essa distinção entre a busca pelo objeto de prazer e o prazer em si. A busca pelo objeto de prazer é tipicamente chamada de motivação. Um estímulo motivador é em essência aquele que produz em nós uma inclinação a *fazer mais daquilo que estamos fazendo.*

Vamos dar um exemplo.

Imagine-se com fome. Chega à sua mesa uma porção de fritas. Você come uma batata frita. O que acontece com seu corpo? Qual é a inclinação imediata após comer uma batata? Comer outra e outra, até ficar satisfeito. Ou seja, inclinação a fazer mais daquilo que estava fazendo. Isso pode ocorrer com todo tipo de estímulo: um projeto profissional, um livro interessante, uma conversa instigante, sexo, alimentos e por aí vai.

Já o prazer de fato é a sensação subjetiva associada ao estímulo. No caso da batata, é a sensação gostosa, a experiência positiva do sabor.

Hoje há interessantes debates e estudos sobre como motivação e prazer se manifestam no cérebro. Muitos pesquisadores sugerem que algumas circuitarias cerebrais responsáveis por cada uma dessas funções sejam de fato diferentes.

Motivação e prazer tipicamente são referidos de forma simultânea, sob o termo "recompensa". Estímulos recompensadores são aqueles que promovem motivação e prazer.

Existem dois tipos de recompensa.

Há estímulos que são intrinsecamente recompensadores ou, dito de outra forma, recompensas intrínsecas. Isso significa que são naturalmente recompensadores. Os exemplos mais comuns são: água, alimentos, sexo, conforto e carinho maternal/paternal. Obviamente, há influências sociais sobre quais alimentos ou quais práticas sexuais, por exemplo, serão mais prazerosas ou até autorizadas. No entanto, a recompensa perante esses estímulos costuma nascer conosco e com uma série de animais não humanos. A sociedade influenciará os detalhes, refinando nossas preferências.

Por outro lado, há os estímulos extrinsecamente recompensadores ou, dito de outra forma, recompensas extrínsecas. Nesses casos, estamos falando de estímulos que se tornam recompensadores mediante associação e, portanto, por um processo de aprendizagem. Um perfeito exemplo é o dinheiro. Atualmente, o ganho de dinheiro é altamente recompensador. No entanto, dinheiro não é um estímulo intrinsecamente recompensador. Torna-se recompensador por associações que aprendemos em sociedade (associações entre dinheiro e maior número de parceiros(as) sexuais ou dinheiro e felicidade, por exemplo). Poderíamos dar outros exemplos: objetos de consumo, diplomas e títulos acadêmicos, curtidas e seguidores nas redes sociais e por aí vai.

Parte 2

O COSMOS E A VIDA HUMANA

1

A *Odisseia* de Homero

CALABREZ: Dando seguimento a essas inquietações e continuando nosso grande tema — uma reflexão sobre o que é a realidade, o que é o mundo —, falaremos agora sobre algumas das grandes visões de mundo. Visões sobre como funciona a totalidade das coisas que chamamos de universo ou cosmos. Desde a origem do pensamento ocidental, temos contribuições fantásticas, olhares extremamente instigantes e belos sobre a natureza da realidade em geral e dos seres humanos em específico. Chegando aos dias atuais, encontramos alguns dos maiores cientistas do planeta dedicando suas vidas a compreender o cosmos. Em meio a esse universo vasto e complexo, estamos nós, os seres humanos. Faremos então uma jornada pelo cosmos e pela vida humana dentro do cosmos — da Antiguidade até os dias atuais.

CLÓVIS: Uma ideia muito presente no pensamento grego é a de que o mundo é ordenado. Nesse sentido, ele poderia ser comparado a uma máquina constituída por partes, por peças. E essas peças não se encontram na máquina por acaso. Cada uma tem a sua finalidade, sua função. Deste modo, as coisas da natureza cumprem o seu papel: o vento refresca, a maré fertiliza, o sapo engole moscas, o joelho dobra, o intestino "peristalta". É fundamental que cada peça cumpra sua função para que o universo como um todo funcione bem.

Dentro dessa concepção ordenada do universo, que os gregos denominavam cosmos, o homem ocupa particular posição, afinal, ele também é imprescindível para o bom funcionamento do cosmos. Assim, a vida boa implica uma harmonia de cada homem que vive com o todo, com o cosmos. Da mesma maneira que o vento em harmonia venta e com isso colabora com o cosmos, cada um de nós também deve, vivendo uma vida específica, colaborar com o que o cosmos espera de nossas vidas. A diferença é que o vento venta, não há outra alternativa para ele. Mas, no nosso caso, as alternativas são muitas. Podemos viver uma vida em harmonia com o cosmos, como podemos optar por muitas outras que seriam desarmônicas e, portanto, em desajuste com a ordem cósmica.

No primeiro caso, nossa vida seria boa e haveria felicidade. No segundo, padeceríamos e sofreríamos, além de comprometer a ordem universal. Portanto, um dos grandes problemas do pensamento grego é: como deve ser a vida de cada um para garantir a harmonia com o cosmos e, com isso, a felicidade? Qual vida eu teria que escolher para cumprir o papel que o cosmos espera de mim?

A resolução desse problema sempre intrigou o pensador grego, isso desde a mitologia.

• • • • •

Foi Zeus quem fez o cosmos ordenado e organizado e distribuiu cada pedaço para cada um de seus correligionários. E o cosmos colocou cada coisa no seu lugar, cada coisa com a sua atividade específica. A felicidade é a harmonia com o cosmos, e você consegue essa harmonia no pleno desabrochar da sua própria natureza.

Mas essa ideia de cosmos já estava presente antes da filosofia surgir, nos relatos mitológicos. Já se encontrava, por exemplo, na *Odisseia* de Homero, que é um relato sobre o caminho do caos ao cosmos.

A *Odisseia* é a história de Ulisses querendo voltar para casa. Ele foi para a guerra de Troia, acabou tornando-se um herói, porém, teve dificuldades na volta para casa. E a *Odisseia* conta esse retorno. Ulisses era da ilha de Ítaca, morava com Penélope, ou seja, estava no lugar certo, no lugar dele. Se você pegar a ideia de cosmos, onde cada um tem o seu lugar, Ulisses estava em Ítaca, que era uma espécie de lateral direita para Cafu ou de comando de ataque para Romário. Ulisses foi obrigado a sair para guerrear, uma vez que era rei em Ítaca. Acabada a guerra, ele tenta desesperadamente voltar para casa, mas tem muitas dificuldades. E o que tudo isso simboliza? Que, enquanto Ulisses estava fora de Ítaca, estava em desarmonia com o cosmos. Mas, quando finalmente volta para Ítaca, ele retoma a harmonia com o cosmos, e a vida volta a ser boa, volta a valer a pena.

Claro que o caos anterior ao regresso de Ulisses a Ítaca é complexo. É um caos absolutamente sofisticado, explicado numa narrativa imperdível e fantástica que mostra como Ulisses estava fora de lugar, como ele não queria estar onde estava. O esforço de Ulisses para voltar para Ítaca era o esforço de uma retomada, de reassumir seu posto nesse espaço ordenado e cósmico.

O caos em que Ulisses se meteu começa no casamento de Tétis e Peleu. Ela, uma deusa, e ele, humano. O casamento entre humanos e deuses não era incomum na mitologia. Zeus, deus dos deuses, ofereceu uma festa no Olimpo e se "esqueceu" de convidar Éris, que era uma mala, deusa da discórdia, tipo aquelas pessoas que gostam de alfinetar, cutucar, aborrecer. Uma intrigueira. Éris não gostou e foi ao casamento assim mesmo — como convém a toda intrigueira —, deixando uma linda maçã de ouro em cima da mesa com a dedicatória: "Para a mais bela". Aí começou o caos, começou uma discórdia terrível. Éris conseguiu o que queria.

•••••

Na guerra de Troia, Ulisses acabou furando o olho do ciclope Polifemo — o que é muito ruim, uma vez que um ciclope só tem um olho. Ele cegou Polifemo, filho de Poseidon, deus dos mares. Poseidon viu-se obrigado a vingar o filho — muito embora Polifemo fosse um pentelho — e resolveu dificultar o regresso de Ulisses para Ítaca. Eis a *Odisseia*, a "Ulisseia", a aventura — ou a desventura — de Ulisses tentando voltar para casa. Há aí uma nova situação de caos em contraste com a harmonia cósmica que é o retorno definitivo de Ulisses para Ítaca. A primeira situação é a discórdia proposta por Éris. A segunda é a própria guerra de Troia e suas atrocidades. E a terceira é a *Odisseia*, pois Ulisses tenta, mas não consegue voltar para casa.

Todos os obstáculos que Poseidon colocou para Ulisses eram ligados ao esquecimento, com a perda do sentido da vida. Se o sentido da vida de Ulisses estava em Ítaca, com Penélope, o esquecimento do caminho de volta e todas as dificuldades que ele enfrentou simbolizam o caos e se contrapõem à ordem cósmica que é o retorno definitivo.

Não cabe a menor dúvida de que a parte mais interessante desse retorno é a passagem de Ulisses pela ilha de Calipso. Tanto é que, dos dez anos que ele leva para voltar para casa, sete são gastos na ilha. Esses anos são o símbolo de uma vida fracassada, no caos.

Todavia, há um contraste que é preciso deixar claro: nem todas as dificuldades que Ulisses teve para voltar para casa foram doloridas. Um exemplo é que em Calipso havia muito prazer. Mas a mitologia e esse relato específico contrastam uma vida de prazeres fortuitos e a felicidade eudaimônica, que é o ajuste ao todo cósmico.

Ulisses chegou à ilha de Calipso para reabastecer o seu barco, mas, quando Calipso o viu, apaixonou-se perdidamente e decidiu escondê-lo. Aliás, Calipso vem do grego *kalýptein*, que significa "esconder". E assim Ulisses tornou-se prisioneiro dela.

A ilha era paradisíaca, e Homero é absolutamente criterioso em dizer que o papel de Calipso era tentar fazer com que Ulisses esquecesse Penélope, esquecesse Ítaca, esquecesse, portanto, do local onde a vida estaria em harmonia com o cosmos.

Calipso adorava Ulisses. E ela era uma divindade maravilhosa, uma deusa espetacular, encantadora. Tinha o charme de Juliana Paes misturado com a elegância de Deborah Secco e a magnitude de todas as atrizes imponentes que nos encantam. Invente Calipso como quiser, a mitologia autoriza.

Mas que estranho castigo esse imposto por Poseidon a Ulisses! Uma ilha paradisíaca, um *resort* com ninfas, uma mulher maravilhosa apaixonada e absolutamente louca por sexo? Alguns confundiriam isso com o próprio paraíso!

E a verdade é que Ulisses chorava todas as noites na esperança de voltar para casa, para os braços de Penélope, para a ilha de Ítaca, o seu lugar natural.

Em um determinado momento, chega a notícia de que Zeus mandou soltar Ulisses. Atena ficou com pena, mandou Hermes — espécie de deus DHL ou Sedex 10, deus da comunicação — avisar que era para soltá-lo. Quando Calipso se vê obrigada a libertá-lo, tenta uma última cartada. Ela quer que ele fique por conta própria e lhe propõe a eternidade e a juventude. Mas ele recusa. Quando Ulisses recusa a proposta de se tornar deus, recusa a proposta da eternidade e da juventude na ilha de Calipso, há um momento nobre da história do pensamento: o pensamento grego está nos ensinando que é preferível uma vida de mortal, finita, uma vida de humano no lugar certo e em harmonia com o cosmos, a uma vida eterna, porém fora de lugar, em desarmonia e em desacordo com a ordem cósmica. Se Ulisses aceitasse, tornar-se-ia deus, deixaria de ser humano, deixaria, portanto, de ser quem era e viveria em um lugar longe do seu.

Acho que você percebeu. Ulisses, ao optar por Penélope, por Ítaca, opta pelo ajuste à ordem cósmica, pela vida boa, finita, pela mortalidade e pela humanidade. A verdade é que Ulisses escolheu ser homem tendo podido tornar-se deus.

Essa história nos aponta algumas lições que estarão na medula da sabedoria grega filosófica. A primeira delas é sem dúvida a vitória sobre o medo. Todos nós conhecemos os medos que nos assolam. Sabemos que o medo tem a ver com um tipo particular de queda de potência, de energia vital, que tem como causa alguma coisa ruim que passa pela nossa cabeça. Evidentemente que o medo dos medos é o da morte. A morte de que falamos é justamente essa morte imaginada, a morte que em nós assume vários tipos de fantasmas, de imaginário, e que produz um imenso desconforto. O medo da morte com certeza não é exatamente o medo de uma ocorrência vindoura. É o medo de coisas que passam por nossa cabeça, é o medo da morte dos entes queridos, é o medo do perecimento de tudo aquilo que nos alegra.

Quando Ulisses opta pela finitude, ele mostra um atrevimento, uma coragem para enfrentar o medo do perecimento. E é claro que isso é um traço de sabedoria, afinal, a nossa vida é mesmo finita e, se formos imobilizados pelo medo, evidentemente ela não será tão boa quanto se a deixarmos fluir sem pensar nesse assunto.

Perceba o quanto o medo da morte nos aterroriza. Nossos condomínios absolutamente cercados por muralhas e com seguranças privados, nossos veículos blindados e marcados por uma fronteira imensa entre o dentro e o fora ameaçador. O medo nos fecha para o mundo, nos fecha para os outros e, em grande medida, nos impede de estarmos aptos a encontrar o mundo em experiências alegres. Portanto, a vitória sobre o medo é condição da vida boa, primeira lição da escolha de Ulisses por Ítaca e por Penélope.

Uma segunda lição da *Odisseia* tem a ver com o tempo que ele levou para voltar para casa: vinte anos. Dez guerreando em Troia e mais dez enfrentando os obstáculos que Poseidon lhe impôs. Durante esses vinte anos, o que Ulisses mais queria era estar em Ítaca. Ele lembra os tempos de Ítaca, quando, nos braços de Penélope, tudo era bom. Perceba que, durante esses vinte anos de vida fora de lugar, de vida fracassada e de vida ruim, o espírito de Ulisses é atravessado pela lembrança dos tempos já vividos em Ítaca e pela esperança de um dia voltar para casa.

Para os gregos, eis aí dois dos piores males que podem nos assolar. Ao invés de vivermos a vida na vida, aproveitarmos o instante presente e o que o mundo tem de melhor, nos refugiamos, e nosso espírito vaga pelo passado. Quando o passado foi bom, lamentamos que tenha terminado, vivemos em nostalgia, em saudade. Quando o passado foi ruim, é pior ainda, vivemos cheios de remorsos, de arrependimentos, de culpa. São as paixões tristes que nos assolam. A lembrança de um passado ruim nos massacra, e, quando finalmente nos libertamos do que já aconteceu, nosso espírito vaga para o futuro, para o que ainda não se apresentou, para o mundo ainda não encontrado. Aí, é claro, desejamos e temos a ilusão de que tudo será melhor quando alguma coisa acontecer. São pensamentos do tipo "quando eu trocar de mulher", "quando eu trocar de casa", "quando eu trocar de emprego", "quando eu trocar de carro", e assim temos a ilusão de que, quando o mundo for diferente do que é, a nossa vida será melhor.

Quando Ulisses opta por Ítaca, está optando pela reconciliação com o mundo, pela reconciliação com o presente, pela vida na vida, pela riqueza do instante, pela beleza do instante vivido.

Portanto, abra mão da nostalgia, abra mão da esperança. Quando a vida é boa, cada instante vale por si só. As lembranças e a memória, as projeções e as antecipações não fazem mais falta. Somente escapamos quando o instante ameaçador nos aterroriza e nos assombra.

Nietzsche chamava essa reconciliação com o real e com o mundo de amor *fati.* A certeza de que a vida só será boa se conseguirmos amar o real como ele é, sem escapar para o passado ou para o futuro, ou seja, sem a nostalgia e sem a esperança.

• • • • •

O retorno de Ulisses a Ítaca simboliza o restabelecimento da ordem cósmica. Ulisses passa a colaborar com o cosmos em casa, governando os súditos, no lugar que é o seu, onde tudo lhe convém. Veja, da mesma maneira que ao arrozal convém a várzea, ao cacto, a terra seca, a Ulisses convém Ítaca. Ulisses em Ítaca passa a render melhor, a viver melhor, passa a ter uma existência eudaimônica e, assim, a colaborar com o cosmos.

Você já deve ter pensado na questão da eternidade. O que é a eternidade para nós, pós-cristãos? É continuar vivendo em outro lugar depois de morrer — talvez com corpo, talvez sem corpo — eternamente. Você volta a viver e não morrerá outra vez, você conserva a sua identidade e ainda pode encontrar seus entes queridos. Essa eternidade é show de bola. Mas a eternidade sugerida por Homero e retomada pela filosofia grega é um pouco diferente.

Quando você restabelece a ordem cósmica, participa do cosmos e se torna um fragmento de eternidade, pois o cosmos é eterno. Participar do cosmos é participar de algo eterno. A eternidade é do todo, e ela só é possível porque suas partes são finitas, se deterioram, desaparecem. Veja que curioso: para que o cosmos possa sobreviver eternamente, suas partes têm que morrer. Assim, você participa de algo eterno, morrendo. A finitude é a condição da eternidade do todo, e você oferece sua vida à ordem cósmica, morre sabendo que é justamente nessa condição que o cosmos continuará existindo. A matéria que o constitui se reorganizará, nada desaparece, e aquilo que o constitui hoje se reorganizará em outros entes, em outras formas de ser e dará sobrevida ao cosmos.

Meu amigo, entre a eternidade que acreditamos e essa sugerida por Homero, vamos combinar que ninguém vai perder o medo de morrer tendo como consolo palavras como essas. Não fique triste. Parte de você virará testículos de javali, outra parte virará maçaneta de porta e, quem sabe, outra parte virará manguezal. Melhor seria se vivêssemos com a nossa identidade na eternidade. Mas isso sou eu que estou falando. Homero e a *Odisseia* apontam para uma eternidade diferente.

•••••

A história de Ulisses nos permite uma última conclusão: a certeza de que, para os gregos que irão se aproveitar da *Odisseia* para refletir, ética e felicidade são dois lados da mesma moeda. Impossível falar de uma sem falar da outra.

Já sabemos que a vida ajustada ao todo cósmico é bem-sucedida, é uma vida que vale a pena ser vivida. Quando nosso corpo entra em harmonia com a ordem cósmica, os instantes de vida são gloriosos e de grande felicidade. Quando isso não acontece e vivemos fora de lugar, aí a vida é sem graça, frouxa, medíocre. E, em cada instante assim, torcemos para que acabe logo.

Se o ajuste à ordem cósmica é condição da eudaimonia, condição da felicidade, é também o nosso maior dever, porque o universo é a referência para nossa vida. Nossa grande obrigação é fazer o cosmos funcionar, e temos uma espécie de programa de vida a cumprir nesse sentido. Se não o cumprirmos, estaremos comprometendo o funcionamento do cosmos, estaremos vivendo fora de lugar, em desarmonia. É exatamente isso que os gregos chamavam de *hýbris*, situação em que, vivendo fora de lugar, você não só compromete a própria vida, como compromete a harmonia de todo o resto.

Por essas e outras, seu maior dever é investigar qual é a vida que o cosmos espera que você viva. Assim você estará cumprindo o seu dever de fazer funcionar o cosmos e vivendo em felicidade. Dever e felicidade são a mesma coisa, implicam a mesma conduta.

Para os gregos, como poderia haver um dever que nos levasse a uma vida infeliz? Nossa obrigação é viver bem, pois nossa vida boa também permite que o todo viva bem.

Esta reflexão é fascinante, ética e felicidade se dão as mãos lado a lado, sem fissura possível. Imaginar deveres que levassem à tristeza seria, de fato, de grande estupidez.

Mas nem todo mundo pensou ou pensa que ética e felicidade sejam dois lados da mesma moeda. Mais perto de nós, no pensamento moderno, vamos encontrar pensamentos éticos que não coincidem com a maneira de enxergar essa relação com a felicidade. Vou destacar dois sobre os quais certamente voltaremos a falar.

Começaremos pelo pensamento utilitarista dos ingleses. Fundamentalmente, eles pensam que uma conduta boa é aquela que tem como consequência a felicidade da maioria; portanto, uma conduta boa depende da sua consequência.

Uma conduta será boa quando ensejar a felicidade do maior número e será ruim quando ensejar a tristeza do maior número.

Você pensará que aí está a correspondência entre ética e felicidade. Não é bem assim, meu amigo, pois a felicidade do maior número pode não coincidir com a felicidade de quem age. E isso acontece muitas vezes. Você tem que escolher entre um caminho ou outro: um lhe será mais prazeroso, mais conveniente, mas arruinará a vida de meio mundo; o outro lhe será menos prazeroso, quem sabe até doloroso, mas propiciará alegria para muitas pessoas. Pelo utilitarismo, você, agente, deve optar pela própria tristeza em nome da alegria da maioria. Veja que essa correspondência entre agir bem e ser feliz fica quebrada.

Uma segunda teoria ética moderna, de Kant, dirá que o verdadeiro fundamento de uma boa decisão está nas razões pelas quais você decidiu agir do jeito que agiu — que ele chamava de máximas e que podemos chamar de princípios, de valores. Existem boas razões para você agir do jeito que age, como, por exemplo, o fato de que qualquer um poderia fazer o que você está fazendo naquele momento, qualquer um poderia pretender que todos fizessem daquela forma, uma espécie de universalização possível da conduta.

Ora, vamos combinar, isso pode ter a ver com a nossa felicidade ou não. Muitas vezes o nosso prazer, o nosso bem-estar, implica uma conduta que não gostaríamos que outros tivessem conosco e que, portanto, estariam excluídas do rol das boas condutas.

Espero que você tenha entendido que, aquilo que os gregos disseram do agir bem, viver bem, viver de acordo com o cosmos e então sentir-se feliz, essa correspondência entre a felicidade do agente e o bem agir, ao longo da história do pensamento, nem sempre se sustentou.

2

Platão e a busca pela verdade

CLÓVIS: Na *Odisseia*, Ulisses sai do caos, da desarmonia de estar fora de lugar, e enfim chega a Ítaca, onde se restabelece a ordem cósmica. Essa alegoria que nos ensina tanto sobre o jeito grego de pensar está presente na primeira filosofia.

Um grande nome, talvez o maior de todos os tempos, é Platão. Ele escreveu os *Diálogos* — aparentemente 35 de autoria confiável —, nos quais apresenta temáticas como a virtude, a beleza, a amizade, a coragem, a justiça, entre outras. Platão inicia os diálogos apresentando as opiniões dominantes sobre tais temas no tempo dele. Portanto, apresenta o estado da arte, mostra o que as pessoas mais influentes pensavam sobre aquele assunto naquele momento. Expostas essas várias opiniões politicamente fortes, que ele denominava de *doxa*, Platão pouco a pouco ia colocando as ideias umas contra as outras, em enfrentamento, como se quisesse atritá-las, verificar e testar suas consistências. O objetivo era sempre encontrar algum tipo de argumento satisfatório.

Todos os diálogos de Platão são movidos por uma espécie de vontade de verdade, vontade de encontrar algum tipo de definição, de ideia que satisfizesse a curiosidade inicial sobre o tema proposto. Perceba que, da mesma maneira que Ulisses sai da zona da guerra de Troia em busca de Ítaca, do caos em busca da harmonia cósmica, Platão, diálogo a diálogo, sai da turbulência da *doxa*, da turbulência das opiniões dominantes em circulação na cidade, e busca uma verdade consistente, uma verdade que seria tranquilizadora e que corresponderia à harmonia de Ulisses em Ítaca. Perceba que, da mesma maneira que, para Homero, Ulisses sai do caos em direção ao cosmos, Platão nos convida a sair das aparências de verdade, ou das verdades aparentes, em busca de algo racionalmente consistente que possa pairar sobre as múltiplas impressões de circunstância.

Para Platão, somos constituídos de corpo e alma. Nosso corpo é esse que você conhece, é esse que você vê. Ele tem certa duração, é finito, deseja e tem sentidos que permitem ter algum contato com o mundo. A alma, entre outras funções, seria responsável pelo pensamento, pela inteligência, pelas ideias.

Na verdade, Platão acreditava que nossas almas já tivessem contato com a verdade das coisas antes do nascimento, ou seja, que já tivéssemos conhecido essa verdade quando a alma ainda estava sem corpo, essa alma que é eterna, que não morre junto com o corpo. Existe um momento da vida da alma em que ela é acompanhada do corpo, o que Platão denomina de aprisionamento. Imagine o seguinte: a alma está lá, somente ela, em contato com as verdades. Então, por alguma razão estranha, essa alma acaba encapsulada, aprisionada por um corpo qualquer — como o seu, por exemplo — e tem que conviver com esse corpo até que ele se deteriore, que é quando finalmente a alma retomará sua liberdade, isto é, uma vida sem corpo, uma vida de carreira solo.

Mas, se a alma já estava em contato com as ideias verdadeiras, então, quando nascemos, já sabemos tudo.

Pois é. De fato, as almas que nos constituem têm grande familiaridade com a verdade, mas, no nascimento, passam por uma espécie de esquecimento. E o que nos toca fazer durante a vida? Tentar relembrar aquilo que sempre soubemos. A busca da verdade não é uma aventura completamente no escuro e virginal. É uma retomada de contato, a relembrança de coisas que nossa alma sempre soube muito bem. Por isso, quando nossa vida permite que nossa alma retome o contato com essas ideias, ela exulta, porque essa é a praia dela, é isso que lhe é familiar. Então, nossa vida é boa porque a nossa alma sorri. Veja só que ideia genial.

3

A *Teogonia* de Hesíodo

CLÓVIS: Voltemos a falar sobre a saída do caos em direção ao cosmos. Ulisses que sai da guerra de Troia, de volta a Ítaca.

Vou relatar um poema superconhecido e de leitura bem difícil. Enquanto a *Odisseia* é agradável e fácil de ler — tem até versão infantil —, a *Teogonia* de Hesíodo é um poema realmente hermético. Vamos lá.

Ela fala do primeiro deus. E você tem ideia de qual é ou de quem é o primeiro deus da mitologia grega? Pois esse deus é Caos, não podia ser outro. Caos é um deus que ainda não tem cara humana. Outros deuses têm cara humana, como Zeus, por exemplo, que é personificado. Mas Caos não. Então, como imaginar um deus que ainda não tem cara de homem?

Se você quiser imaginar Caos de acordo com Hesíodo, imagine o escuro, com orvalho, aquela garoa estranha, um clima úmido. Imagine um pouco de fumaça, dessas de festa. Junte a fumaça, a umidade e o escuro. Então imagine um precipício, queda livre. E o que é mais legal: uma queda livre sem fim, que não termina nunca. E Caos encontra um segundo deus, ou melhor, uma deusa: Gaia.

Gaia é a terra firme, é o sólido, é a Terra, é onde o precipício acaba, é onde você cai depois da queda livre. Gaia é o fim do Caos. É quando o Caos queda livre vira chão para pisar. Gaia é onde você está pisando agora, é o sólido que nos dá sustentação, é a referência que faltava. Assim, já temos uma dupla: Caos, queda livre no escuro, e Gaia, onde você pisa.

De Gaia surgirá um terceiro deus: Urano. O céu. Urano, que Gaia tirou de dentro de si e que nasceu sem fecundação, foi gerado espontaneamente. Urano, apesar de ser filho de Gaia, não saía de cima dela. Ele cobria Gaia — no sentido de cobertor e no sentido de amante. Urano era voraz, não parava de fazer sexo — e, vamos combinar, quem consegue fazer sexo com a Terra inteira deve ser um cara com proporções interessantes e com uma pegada razoável. Urano fecundou Gaia várias vezes e em sucessivas levas.

Urano copula com Gaia, é obcecado por ela. E desse amor intrépido e tórrido nascem várias gerações de filhos. Os primeiros são os titãs, os primeiros deuses com cara humana. Seis homens e seis mulheres com força descomunal, de grande beleza, muito próximos cronologicamente de Caos; portanto, violentíssimos. Deuses da guerra, da Terra. Além dos titãs, o amor de Urano e Gaia gerou os ciclopes. Como já sabemos, os ciclopes só têm um olho. E esses vão fazer parte do resto da nossa história, lembre-se deles, eles voltarão. São Brontes, que significa trovão, Estéropes, o relâmpago, e Arges, que é o raio.

A terceira leva de deuses é ainda mais assombrosa. São mais fortes, mais violentos do que os titãs, mais monstruosos.

São os chamados hecatônquiros, nome que, em grego, significa "cem braços". Além de cem braços, cinquenta cabeças. São de força descomunal. Hesíodo, o autor de toda essa narrativa, chega a dizer que é melhor não mencionar seus nomes de tão perigoso que isso pode ser. Todavia, acaba citando, e os três hecatônquiros são Coto, Briareu e Giges. São os filhos do amor louco de Urano e Gaia.

Urano não saía de cima de Gaia, e por isso ela não conseguia parir seus filhos. Eles causavam desconforto em seu ventre. Gaia queria ver suas fisionomias, queria pari-los e então recorre aos próprios filhos, pedindo ajuda. Lança uma mensagem dizendo que o pai das crianças é um tirano que não permite o parto e, por isso, é preciso fazer algo. Quem se dispõe a ajudá-la é o caçula dos titãs, Cronos. Ele lança mão dos recursos que tem, dos metais que tem, elabora um instrumento cortante, segura o pênis do pai com a mão esquerda e com a direita o amputa. Urano, atravessado pela dor, recua, sai de cima de Gaia e vai parar no céu.

Entre Gaia e Urano, entre a Terra e o céu, surge o tempo e o espaço onde os filhos de Gaia podem finalmente ocupar suas posições, onde as gerações vão se suceder, o espaço que finalmente permitirá que alguma ordem um dia nele se estabeleça. Cronos lança o pênis do pai no mar. O sangue de Urano em contato com a Terra fará surgir as erínias, as deusas da vingança, mas, ao mesmo tempo, as brumas do mar em contato com os líquidos penianos de Urano farão surgir Afrodite, a deusa do amor. Do mesmo gesto de Cronos, dois resultados muito diferentes: o surgimento das deusas da vingança e da deusa da beleza e do amor.

Veja a sofisticação, complexidade e sutileza da interpretação possível. O comportamento de Cronos pode ser avaliado do ponto de vista moral sob a égide da salvação dos tormentos da mãe, mas também sob a égide da crueldade da amputação do pai. Comportamento de valor complexo que teve consequências também complexas no mundo.

Cronos toma o poder do pai e reina soberano. Mas teme seus filhos. Ora, nada mais compreensível para quem amputou o pênis do pai. Cronos adota uma estratégia curiosa para impedir qualquer ameaça a sua soberania: engole seus filhos tão logo nascem. Você deve considerar que, como os deuses são imortais — e os filhos de Cronos são deuses —, permaneciam vivos em seu ventre. Cronos teve seis filhos, engoliu cinco. O sexto teve destino diferente.

A esposa de Cronos, Reia, uma titânide, indignou-se com o comportamento do marido e resolveu proteger o sexto filho da volúpia devoradora do pai. Escondeu-o nos grotões de Gaia com a aquiescência desta. Cronos é enganado, levado a comer pedras no lugar da criança.

O último filho que cresceu protegido se tornará um deus sublime, de beleza estonteante e inteligência extraordinária. Ele é chave da nossa história, da transformação do caos em cosmos. Refiro-me a Zeus, deus dos deuses, o maior de todos. Em algum momento de sua trajetória, Zeus — que foi amamentado pela cabra Amalteia, de cujo chifre jorrava ambrosia, a comida dos deuses, de sabor e capacidade de nutrição inigualáveis — começa a se questionar sobre o motivo do isolamento, da solidão, do esconderijo e sobre o que haveria lá fora. Depois de rapidamente esclarecido por Reia, Zeus começa a perceber que, para poder viver normalmente, não lhe resta alternativa a não ser dar as caras, explicar a Cronos o que aconteceu e enfrentar o pai tirano.

Meu amigo, é nesse momento, quando Zeus encara Cronos, que tem início a mais espetacular passagem da nossa história: a guerra dos deuses. A guerra entre Cronos e seus irmãos, os titãs, contra Zeus. Zeus liberta seus irmãos do ventre de Cronos, e ocorre uma luta feroz e grandiosa entre a primeira geração de deuses, os titãs, e a segunda geração de deuses, que, pelo fato de se reunirem no Olimpo, são denominados olimpianos.

A guerra dos deuses. Agora sim, a narrativa esquenta.

Cabe aqui uma observação: como os deuses não morrem, quando um deles é engolido, continua vivo e com plena saúde. Não se trata de ser mastigado como no filme *Tubarão*. No momento em que um deus é regurgitado, é devolvido mais ou menos no mesmo estado em que foi engolido.

Cronos engoliu os irmãos de Zeus, e a primeira medida deste, com o auxílio de Gaia, foi fazer com que Cronos os vomitasse, libertando a segunda geração de deuses para a Terra. O procedimento subsequente de Zeus foi tirar os ciclopes e os hecatônquiros da prisão imposta por Cronos.

Cronos, você se lembra, era um titã. Da cópula entre Urano e Gaia tinham surgido os titãs e também os três ciclopes, Raio, Relâmpago e Trovão, além dos hecatônquiros, de cem braços e cinquenta cabeças. Cronos, quando assumiu o poder, trancafiou tanto os ciclopes quanto os hecatônquiros no Tártaro. Mas Zeus os libertou. Nesse momento, já havia dois times montados para o enfrentamento: de um lado, os doze titãs, um exército praticamente invencível; de outro, os brancaleones, o grupo dos irmãos de Zeus, dos ciclopes, dos hecatônquiros e do próprio Zeus. Havia todas as condições para um enfrentamento interessante.

É preciso perceber algo nessa história: à medida que os deuses vão aparecendo, vão assumindo uma cara cada vez mais humana, vão se personificando, e isso merece interpretação. Ou seja, é com a participação de um deus personificado — inteligente e, portanto, um deus que vai se distanciando das simples forças da natureza, como Caos, Gaia e Urano — que o cosmos poderá surgir. Em outras palavras, a mitologia indica que, mesmo entre os deuses, na teogonia, no surgimento dos deuses, o caminho em direção ao cosmos passa por uma personificação e, portanto, por um ganho de inteligência, discernimento e capacidade deliberativa. É fundamental perceber isso.

Voltando ao enfrentamento. Estamos agora com os times montados. E o que acontece é a grande guerra dos deuses, descrita por muita gente. A maneira como Hesíodo conta e como outros contam é muito legal, pois é puro fruto da imaginação humana, todavia, de uma riqueza infinita enquanto produção desse imaginário. Até Max Weber, na virada do século 19 para o 20, fala da grande guerra dos deuses. Assim, tenho a nítida sensação de que você percebe que o surgimento do cosmos passa por esse enfrentamento de Zeus e seus amigos contra os titãs comandados por Cronos.

• • • • •

Zeus conta com o vômito de Cronos que devolve seus irmãos Hades, Poseidon, Deméter, Héstia e Hera. Estes tinham todos os motivos para odiar Cronos. Zeus também liberta seus tios, os três ciclopes irmãos dos titãs, nascidos da cópula de Urano e Gaia, ganhando três aliados incríveis: o Raio, o Trovão e o Relâmpago. E liberta ainda os temidos hecatônquiros, também seus tios.

Nesse momento, alguém poderia pensar que tudo isso é estratégia de guerra, reforçar o time, juntar recursos bélicos para enfrentar os titãs, força invencível e supertemida. Mas na verdade há uma interpretação que nos interessa mais, que é mais sutil e mais filosófica. É o fato de que, por conselho de Gaia, Zeus coloca todo mundo para jogar. Isso significa que, no caminho do caos ao cosmos, ninguém ficará de fora, todos estarão compreendidos e terão seu quinhão.

Quando Zeus faz Cronos vomitar seus irmãos — e na verdade Cronos vomita mais pela astúcia de Gaia e Reia do que propriamente de Zeus — e também liberta seus tios, os ciclopes e os hecatônquiros, todos os que já haviam aparecido voltam a jogar. O elenco da novela é todo perfilado para deixar claro que, na hora de construir o cosmos, ninguém ficará sem nada. O cosmos é uma organização universal que não esquece ninguém, compreende a todos. Essa interpretação é fundamental.

Zeus triunfa sobre os titãs e, vencendo-os, trancafia seu pai e seus tios definitivamente. É claro que eles não morrem. Eles continuam por aí. Quando há um *tsunami* no Japão ou na Indonésia, isso é titã de saco cheio de ficar no fundo da Terra e querendo retomar seu lugar sobre ela.

A vitória de Zeus é o ponto da mitologia que dá início à nossa aventura filosófica. Com Zeus, o cosmos será possível, a vitória sobre o caos está sacramentada e agora o que Zeus fará é distribuir o universo entre seus correligionários. E fará isso sob a inspiração de duas de suas mulheres.

Zeus toma o poder. Assim, já temos Urano, Cronos e Zeus, o terceiro detentor do poder, nessa linhagem. Zeus, no lugar de centralizar o exercício do poder, distribui pedaços do mundo entre seus correligionários. Essa distribuição é entendida como o marco zero da justiça. Zeus — que teria engolido sua segunda mulher, Têmis, a deusa da justiça — compartilha o universo, e essa divisão está na origem do cosmos. Perceba então que agredir o cosmos é agredir uma decisão e uma ação entendidas como símbolos da justiça. No final das contas, todos foram incluídos. E Zeus pôde mostrar com clareza que tudo o que se encontra no cosmos faz parte dele e é relevante para o seu funcionamento. Portanto, na ideia de cosmos não cabe nenhum tipo de exclusão.

O fato é que todos os mitos — e são tantos —, todas as alegorias, todas as histórias que a mitologia grega vai nos ensinar podem ser reduzidos a dois grandes tipos. O primeiro são as tentativas de perturbação do cosmos. São mitos que contam ações de deuses ou de humanos que, pretendendo obter algum tipo de vantagem pessoal, agem para desarmonizar o cosmos, com ou sem consciência disso. Lembre-se do rei Midas, que pretendia transformar em ouro tudo o que tocasse. Perceba que essa ação que o enriquece está diretamente ligada a suas pretensões, ambições e desejos e é comprometedora da ordem cósmica, pois Midas poderia destruir o universo tocando uma coisa depois da outra.

O outro tipo de mito são as histórias sobre a proteção do cosmos, as iniciativas para proteger a ordem cósmica e impedir sua destruição. São relatos que contam a vitória da harmonia sobre a desarmonia. *Os doze trabalhos de Hércules* são um excelente exemplo.

Bem, já sabemos de onde vem a ideia de cosmos, e isso facilitará muito na hora de encontrar o fundamento da vida boa, o fundamento da ética, da política, o fundamento de tudo aquilo que é bom na vida do homem segundo o olhar da filosofia clássica. Você entendeu que tudo que é bom, é bom porque encaixa no cosmos. É a harmonia dentro da harmonia. E tudo que é ruim assim o é porque não encontra lugar no cosmos e atrapalha o seu bom funcionamento.

4

O navio de Teseu

CLÓVIS: A mitologia é cheia de histórias. Gavetinhas, muitas gavetinhas, todas encaixadas umas nas outras.

Teseu era um jovem ateniense que acabou tendo que encarar o Minotauro. E Teseu foi vitorioso. Voltou para casa, e seu navio acabou se tornando o símbolo de seu heroísmo. E aquele navio era exibido por todos que contavam, com emoção e orgulho, a história de Teseu.

Pouco a pouco, o navio foi se deteriorando, e alguns de seus pedaços foram substituídos por outros novos. Mas a história das vitórias de Teseu continuava sendo contada. O tempo foi passando, e já não sobrava mais nada, nenhuma ripa do navio original. Tudo havia sido trocado. Então, a pergunta: será que aquele navio que continuava ali, sendo exibido enquanto se relatavam os feitos de Teseu, ainda era o seu navio? Não havia ali nenhum pedaço da madeira original. Era tudo novo. O navio era completamente outro. O que liga o atual navio ao navio de Teseu? A resposta é óbvia: a narrativa, as histórias, o imaginário, o discurso. E tudo isso está na cabeça das pessoas.

Espero que você tenha percebido aonde eu quero chegar. Sabe por quê? Porque não há muita diferença entre o navio de Teseu e o seu corpo. As células vão morrendo, outras vão surgindo, e já não há muita coisa, hoje, de tempos de outrora. Se você for vasculhar, tudo em você já é outro. Tudo já é novo.

O que será que confere unidade a você? O que será que permite continuar dizendo que você é você? Ora, tal como no navio de Teseu, o que nos confere unidade é a narrativa, a história, o discurso. É o fato de que continuamos falando de nós e apontando, com orgulho, para o nosso corpo. O que sobra de nós é mesmo uma narrativa, e isso mesmo enquanto ainda estamos vivos. Acho que depois que morremos isso fica ainda mais claro.

5

O cosmos aristotélico

CLÓVIS: Aristóteles foi um grande sábio. Viveu em torno de 350 a. C. Falou de tudo um pouco. Para ele, a essência de uma coisa, aquilo que uma coisa é, não é aquilo de que ela é feita, não são seus átomos, nem suas células. Na verdade, a essência de todas as coisas são as atividades que tipicamente realizam. São os fins que perseguem. Assim, cada coisa tem como essência a sua função. E função, em grego, Aristóteles chamava de *érgon*. Se um órgão é um coração, é porque sua função é bombear o sangue. Coração é, na essência, aquele que bombeia o sangue. Se for um rim, é porque sua função é limpar o sangue. Rim é aquilo que limpa o sangue. Quando sabemos a função de uma coisa, temos um padrão para avaliá-la. Uma coisa é boa quando realiza bem a sua função.

Se você quiser saber o valor de tudo no mundo, há um protocolo a seguir: verificar a qualidade na realização da função. Por exemplo: a função de uma faca é cortar, então faca boa é a que corta bem. A virtude ou excelência é a capacidade que permite a uma coisa realizar bem a sua função; assim, a virtude de uma faca é a afiação, já que estar afiada é a condição para cortar bem.

Aristóteles pega essas ideias sobre a função de artefatos e órgãos e as aplica aos seres humanos. Todos nós teríamos uma função. Aristóteles argumenta que os seres humanos têm uma função característica para além das funções singulares e particulares de cada um. Há uma função que nos reúne a todos: a atividade da alma de acordo com razões, isso é, você pode ser quem for, ter a particularidade que tiver, ter a especificidade que tiver, mas todos nós temos uma função comum. É assim que ele define a atividade da alma de acordo com as razões. Nós chamaremos simplesmente de racionalidade, lembrando que ela tem aspectos práticos, orientados para a ação, para discernir o que é melhor fazer, e aspectos teóricos, orientados para a avaliação abstrata de como o mundo funciona.

Pois muito bem, Aristóteles conclui que a felicidade de cada um de nós é a racionalidade de acordo com a virtude. Isso significa que, para sermos felizes na especificidade e singularidade da nossa vida, temos que ser virtuosos na razão. Em outras palavras, temos que pensar bem. Aquele que não pensar bem não conseguirá a felicidade que é comum a todos nós. Aristóteles também admite que essa felicidade não depende somente de nós, mas de fatores externos que poderão favorecer uma trajetória que nos leve a pensar melhor ou não. Assim, você que está lendo esse livro teve a sorte de pegá-lo, e eu lhe ajudo a pensar melhor. Poderia não tê-lo pego, e a sua racionalidade estaria apequenada pela circunstância de não ler essas reflexões. Não leve isso a sério, é só uma brincadeirinha.

A alegação de Aristóteles, de que a racionalidade é a função humana comum a todos, é controversa. Muitos acham que os seres humanos são por demais complexos para terem uma única função característica, comum a todos. Outros duvidam que essa função seja a racionalidade.

Ora, é preciso lembrar que Aristóteles viveu no seu tempo, no seu momento, dentro de uma maneira de pensar típica dos gregos de sua época. Sua lição é interessantíssima, pois, para ele, a felicidade comum a todos nós depende do desabrochar da nossa alma. Pense bem, pense melhor, e a vida tem mais chance de ser feliz.

Questão de concordar ou não.

• • • • •

Agora, quero mostrar ao leitor como o cosmos apresentado pela mitologia vai influenciar a filosofia de Aristóteles e, mais especificamente, a física de Aristóteles. Isso é importante, uma vez que a física de Aristóteles permanecerá inatacada até o começo dos tempos modernos. Quem descreve isso é um filósofo e historiador das ideias chamado Alexandre Koyré. Ele escreveu um livro intitulado *Do mundo fechado ao universo infinito*. E esta é a primeira característica do cosmos de Aristóteles: ele é finito, tem começo, meio e fim. Portanto, difere completamente do entendimento do universo que passamos a ter depois da modernidade. E que consequências isso nos traz?

Quando o mundo é finito, fechado, com começo, meio e fim, é uma referência absoluta para nós. Em um mundo fechado, existe dentro e fora, norte e sul, esquerda e direita, e tais referências são as mesmas para todos, são absolutas. É como se a minha posição no cosmos fosse entre a jabuticabeira e a samambaia. E isso vale para qualquer um. Quando o universo passa a ser entendido como infinito, não há dentro e fora, nem norte e sul, nem esquerda e direita. A partir de então, toda a referência deve ser um entendimento entre nós, uma combinação entre nós. Como, por exemplo, as coordenadas cartesianas: um eixo vertical e um eixo horizontal em torno do ponto zero. E por conta desse nosso entendimento conseguimos situar um ponto P.

No cosmos de Aristóteles, não precisava disso. Sendo finito e ordenado, as coisas estavam todas no seu lugar, e, para posicionar qualquer ponto, qualquer ser, bastaria ter as referências absolutamente definidas pelo próprio universo.

Essas diferenças entre pensamento grego e pensamento moderno têm consequências éticas e políticas. A vida boa, para os gregos, está relacionada a uma informação absolutamente válida para qualquer um: é o bom posicionamento no cosmos. A vida boa, para nós, tem que resultar de um entendimento, pois o cosmos já não nos fornece mais nada.

•••••

A finitude permite ao cosmos ser uma referência para todas as suas partes, como tudo o que é finito. Se você imaginar que o seu apartamento tem começo, meio e fim, a finitude permite que cada peça tenha uma posição. A partir das extremidades do apartamento você consegue situar cada centímetro dele.

Você também poderia imaginar o cosmos como uma grande sala de cinema, e seu lugar nele seria a poltrona 3-C. Você a encontra com facilidade, pois existe a primeira fileira, e as colunas estão divididas alfabeticamente. A condição de achar a poltrona 3-C é existir a 1-A. Se não houver a fileira 1 e a coluna A, não rola a 3-C. Ou seja, é a partir de uma referência de começo que você consegue encontrar a sua poltrona.

Imagine agora — depois do ano de 1600 — o universo infinito. Você pensará que teoricamente há muito mais lugar para você no mundo. É verdade. Tem tanto lugar para você, infinitos lugares, que não termina mais. Mas o que muda é que, apesar de haver mais lugar do que se o universo fosse finito, não tem como encontrar uma posição.

E por que não?

Meu amigo, novamente imagine uma sala de cinema e a sua poltrona 3-C. Você recua até a de número 1, só que aquela não é a primeira poltrona. E então você vê infinitas fileiras e infinitas colunas. Não tem início, não tem poltrona 1-A. Se não tem a 1-A, tampouco terá a 3-C. Paradoxalmente, no universo infinito, embora haja infinitos lugares para você, eles são todos indiferenciados. Você não tem posição, está à deriva. Assim somos nós no universo infinito: embora haja infinitos lugares, não estamos em lugar nenhum.

Se no cosmos você estava a um metro da porta e se situava na máquina cósmica, agora, no universo infinito, você não se situa mais. A não ser que você combine com todo mundo referências artificiais para poder se situar. Foi o que Descartes fez quando inventou as coordenadas cartesianas.

Essa mensagem é muito maluca, muito doida. E iremos daqui para pior.

•••••

A segunda grande característica do cosmos de Aristóteles, também herança da mitologia, é a harmonia. O cosmos é um espaço harmônico e o que lhe confere harmonia é a complementaridade entre as funções. Assim, o vento venta e, ventando, cumpre o seu papel. A chuva chove, a maré mareia, o sapo sapeia. Havendo harmonia não há conflito.

Por isso Zeus distribuiu e deu a cada um o que lhe cabia, contando com o aplauso de todos. Mas nesse cosmos aí tem o homem, e, você sabe, o homem quer, é desejante, ambicioso. E, se ao vento basta ventar, ao homem nunca basta. Ele quer sempre mais, e esse desejo parece não ter limites.

E não haveria entre os homens um conflito iminente? Afinal, o mundo é escasso, o desejo não termina mais, e os homens tendem, portanto, a esbarrar um desejo no outro, uma ambição na outra. Nesse caso, haveria conflito, que é o contrário da harmonia.

Por isso a ética cósmica prevê que os homens vivam cumprindo o seu papel. Assim, da mesma maneira que o vento não brigará com a chuva, se cada homem cumprir o seu papel e sendo esses papéis compatíveis entre si, não haverá conflito.

Essa ética, essa espécie de princípio de vida e conduta sobre a Terra, permite que as pessoas vivam sem ter que sair na porrada com as outras por conta de desejos desmesurados e incompatíveis. Veja que esse cosmos harmônico entre as suas partes é uma referência para a vida do homem, como ele deve agir, como deve viver. Por isso a física cósmica é a referência para uma ética cósmica, uma reflexão sobre como a vida do homem deve ser.

• • • • •

O cosmos aristotélico é uma herança da mitologia, da iniciativa de Zeus de distribuir o mundo entre os seus correligionários, dando a cada um o que lhe é devido. Cada um, com justiça, recebe aquilo que lhe cabe. Esse mundo é harmônico, as partes estão de acordo umas com as outras. Nenhum problema em um mundo harmonioso, onde o conflito desaparece em nome da justiça.

Além de uma referência sobre como devemos viver e como devemos agir — uma referência ética, portanto —, esse mundo também garante ao homem uma referência de beleza. Cada coisa que o homem encontra no mundo será bela na exata medida em que estiver adequadamente posicionada no cosmos. Isso permite concluir que essa beleza não poderia ser avaliada em isolamento, em sua singularidade isolada, mas sim na integração com o resto, de tal maneira que poderíamos pensar na beleza do Pão de Açúcar no Rio de Janeiro, da Table Mountain na Cidade do Cabo ou de qualquer paisagem que passar pela sua cabeça. Essa beleza estará garantida se e somente se enxergarmos ali um espaço cósmico, ou seja, algo inserido no todo de maneira adequada. Isso também nos permite, sendo o cosmos uma referência de beleza, um critério para a avaliação das obras de arte, isto é, a beleza daquilo que o homem produz.

Uma obra de arte sempre foi e sempre será a encarnação de uma grande ideia em um pedaço de matéria. Para os gregos, essa grande ideia é a ordem cósmica. Sendo assim, qualquer obra de arte será bela na medida em que representar essa grande ideia do cosmos quando se apresentar como um microcosmos. Uma espécie de tradução em pequeno do grande todo, ordenado e organizado.

Poderíamos fazer o caminho inverso e tentar investigar, a partir das obras de arte gregas, quais eles realmente consideravam legítimas e quais características tinham. Dessa forma, identificaríamos também as características do cosmos no imaginário dos pensadores daquele tempo.

O cosmos como referência ética, uma vida em harmonia, o cosmos como referência de beleza, a obra de arte como um microcosmos, uma pequena representação da grande ordem universal. Essas são as características, por enquanto, do cosmos aristotélico. Ele é finito, com começo, meio e fim, e harmônico, referência para a ética, referência para a beleza.

•••••

A terceira característica do cosmos de Aristóteles é a perspectiva hierarquizada.

Para entender em que medida o cosmos é constituído por partes que são umas superiores às outras e, portanto, respeitam uma hierarquia de valor e de importância, é preciso perceber que essa hierarquia de valor é simbolizada por uma posição ocupada no universo. Assim, algumas coisas foram feitas para ficar em cima; outras, embaixo; umas, à esquerda; outras, à direita. Sendo o universo finito, as posições são fáceis de encontrar. E é exatamente essa a ideia central da física de Aristóteles. Cada parte do cosmos tenderia a procurar o seu lugar natural.

A fumaça, por exemplo. Aristóteles dirá que ela sobe porque seu lugar natural é no alto, ou seja, a fumaça é dotada de características que a obrigam a ocupar um lugar no alto. Já a pedra é dotada de características que a forçam ir para o chão. Seria como se a fumaça e a pedra fossem dotadas de uma vontade. A isso chamamos de animismo. As partes do cosmos são dotadas de uma inclinação para se dirigirem ao seu devido lugar. Por isso, se o lugar da fumaça é no alto, é como se ela se dirigisse deliberadamente para o alto.

Dessa forma, Aristóteles explica o movimento como uma tendência natural da vontade das partes do cosmos de irem cada uma para o seu canto. Todo o movimento seria uma busca de harmonia com o cosmos e, portanto, uma perseguição do lugar onde essa harmonia é mais provável.

Agora você compreende a física aristotélica, que é bizarra, pois sabemos que a fumaça sobe, mas não porque tenha vontade de procurar o seu lugar. Aprendemos desde cedo a lei da gravidade e as razões pelas quais a ciência de hoje explica o movimento dos corpos.

E você, diante dessa explicação rica de imaginário do pensamento de uma época, deve estar se perguntando onde fica o homem nessa parada toda. Será que o movimento do homem no universo também obedeceria à lógica de procurar seu lugar no alto ou embaixo? Será que a natureza de cada homem já indicaria o seu lugar? Será que haveria homens-fumaça, ou seja, naturalmente dotados para ficar no alto, e homens-pedra, naturalmente dotados para ficar embaixo?

O homem tem uma natureza que deveria levá-lo a um determinado lugar. Ou não. Ele pode deliberar ir contra a sua natureza. O homem que naturalmente teria que ir para cima pode decidir ir para baixo. Aquele que naturalmente deveria ficar embaixo pode teimar em ficar em cima. Espere para ver a diferença: enquanto na natureza tudo acaba dando certo, entre nós pode não dar. Encontrar o nosso lugar natural, ir para a direção certa, respeitar a nossa natureza é uma entre infinitas opções possíveis. Portanto, somente nós podemos viver errado, só nós podemos viver na contramão do cosmos, em desarmonia, na tristeza. Enquanto para o vento é fácil, é só ventar, no nosso caso, o caminho da natureza e o pleno desabrochar da própria essência são uma possibilidade descoberta pela razão em relação a outras tantas possíveis que passam pela nossa cabeça o tempo inteiro.

E você? É fumaça que sobe ou é pedra que cai? Será que respeita a sua natureza, recursos e talentos? Ou é um teimoso que rema contra a maré e acaba tentando viver fora do seu lugar? Pergunta clássica de Aristóteles para você responder.

•••••

Para facilitar a compreensão do leitor, vamos nos servir de algumas alegorias. Imaginemos aquela brincadeira do cabo de guerra, na qual dois grupos de pessoas puxam a corda, um de cada lado. Todos que puxam a corda do mesmo lado desempenham a mesma atividade. Estão todos fazendo força para que a corda se desloque para o seu lado. Há uma diferença de valor entre os membros da equipe, que é a mera comparação entre a força exercida sobre a corda por cada um deles. Neste exemplo, é fácil fazer a comparação: o objetivo é puxar a corda, e quem consegue deslocá-la para o seu lado com mais eficácia é o melhor.

Outro exemplo mais sofisticado é o jogo de futebol. Em campo, os onze jogadores têm uma finalidade, que é o gol, a vitória. Porém, cada um desempenha um papel diferente. Neste caso, a comparação é menos tranquila. É um pouco diferente do cabo de guerra, no qual todos fazem a mesma coisa. Em um time de futebol há os que impedem que o outro jogue, impedem que o outro faça gol. Há os responsáveis por trazer a bola para o ataque, por fazer jogadas pelas laterais do campo, por jogar a bola dentro do gol. Fica muito mais complicado fazer uma comparação de qual vale mais. Como posso comparar um atacante responsável por fazer gol e um defensor responsável por não deixar o outro jogar? Certamente também podemos propor que alguns jogadores são mais decisivos do que outros para o time ganhar e, portanto, melhores do que outros. Ainda que eu não possa comparar a função de Romário, por exemplo, com a de algum jogador mediano de defesa que trabalha para impedir que o outro jogue, é inegável que Romário é mais fundamental para que a bola entre no gol. Podemos estabelecer uma hierarquia de valor em função da finalidade geral do grupo.

No universo acontece mais ou menos isso. Cada um tem o seu papel e a sua natureza, que facilita o desempenho da sua função. Mas alguns papéis, algumas competências, são mais decisivos para o cosmos funcionar do que outros. É por isso que essas pessoas, ou essas partes do cosmos detentoras desses recursos, são superiores às outras. Assim, tal como no cabo de guerra, uma vaca que dá mais leite do que a outra é superior. As duas dão leite, mas uma dá mais leite.

Há também a possibilidade de avaliar recursos diferentes. Poderíamos nos perguntar, entre um indivíduo que pensa bem e outro capaz de fazer maravilhas com a bola nos pés, qual colaborará mais decisivamente para a ordem cósmica? A resposta do pensamento aristotélico é clara: o grande talento, o grande recurso natural do homem é o pensamento. Aqueles que pensam melhor são superiores aos demais, são mais decisivos para que possa haver gol, para que o homem cumpra o seu papel.

• • • • •

O cosmos é finito, harmônico, hierarquizado. Resta-nos uma última característica: é um espaço regido por funções.

Vamos supor que você cogite sobre a função de um colírio, e eu desafie você a responder essa pergunta sem usar a palavra "olhos". Sem os olhos, não temos a finalidade do colírio. Assim, o colírio encontra sua função plena nos olhos; portanto, fora de si.

Pensando que a finalidade de algo está sempre fora de si, podemos pensar em termos de causa final. Desse modo, a causa de uma coisa estaria na sua finalidade, ou seja, fora de si. Assim, o vento venta, e a causa do ventar do vento está na sua finalidade, que é a refrescância daquilo que não é ele próprio. Portanto, o colírio está para os olhos assim como tudo aquilo que o vento refresca está para o vento. Aristóteles acreditava que a finalidade das coisas é a sua principal causa, isto é, as coisas movem-se no universo para alcançar essas finalidades, como se fossem dotadas de um projeto pessoal, devidamente orquestrado com todas as outras partes do cosmos, para o seu perfeito funcionamento.

Sabemos hoje que as causas são eficientes e que, se o vento venta na direção que venta, não é para cumprir a sua finalidade, mas porque algo de material faz com que o ar se desloque de um ponto ao outro. Neste caso, o algo de material é uma diferença de pressão atmosférica.

Perceba que a passagem do pensamento aristotélico grego para o pensamento moderno implica abrir mão de uma crença na causalidade final e aceitar uma causalidade eficiente. Talvez a mesma perspectiva possa ser aplicada à nossa vida. Se alguém disser que dou aula para cumprir minha missão, estará nostalgicamente ressuscitando o pensamento aristotélico. Se alguém disser que, dadas as minhas condições materiais, dadas as possibilidades de exercício profissional, todas causas bem materiais, o que me sobrou foi isso mesmo, ser professor, estará citando uma causa eficiente, matéria determinando matéria em estrita inexorabilidade.

Para Aristóteles, o universo é um espaço de finalidades. Tudo se desloca para cumprir o seu papel, e isso implica a existência de um todo ordenado, de preferência ordenado de fora, uma instância transcendente que tenha estabelecido o lugar, o papel e a finalidade de cada um para que tudo possa rodar harmonicamente.

Essa instância transcendente é Zeus, que, logo após vencer a primeira geração de deuses, colocou ordem na casa. Graças a ele, cada coisa tem o seu lugar, tem a sua função, portanto, blasfemar contra a sua finalidade é agredir o cosmos e enfrentar a vontade de Zeus.

• • • • •

Se você perguntasse às pessoas na rua o que é, hoje, uma cidade justa, seria muito provável que elas lembrassem que em uma cidade alguns exercem o poder e outros a ele se submetem. Rapidamente, algumas perguntariam por que quem exerce o poder são uns e não outros, onde está o fundamento do exercício do poder, por que temos que aceitar que alguns deliberem, enquanto outros apenas se submetam a essa deliberação. Muito provavelmente a resposta seria: "Olha, o nosso esquema aqui é o seguinte: existe uma vontade da maioria, e para isso realizamos eleições. Quem tem o maior número de votos ganha, e certamente o eleito é aquele que contou com o apoio da maioria. Assim, é justo que governe e exerça o poder".

Essa conversa tão óbvia seria muito estranha para Aristóteles. O fundamento do exercício do poder na cidade, para esse pensador grego, é um fundamento de natureza. Uma cidade justa não é aquela cujas decisões são tomadas pela maioria, mas a que imita a ordem cósmica da melhor maneira possível. Você lembra que na ordem cósmica existem aqueles que por natureza devem estar no alto, como a fumaça, e outros que por natureza devem estar embaixo, como a pedra. Também entre nós existem aqueles que por natureza são bem-dotados e outros que por natureza são carentes de recursos. Nesse sentido, é normal que os bem-dotados exerçam o poder e o façam porque ocupam uma posição hierarquicamente superior aos demais.

Toda vez que refletimos sobre isso, pensamos na escravidão. Aristóteles era completamente favorável à escravidão. Para Aristóteles, há o escravo por natureza, naturalmente inferior. Sendo naturalmente inferior, não tem plenas condições intelectivas para saber o que é melhor para si. Portanto, é bom para ele ser escravo, é bom que a sua vida seja decidida por outro. Loucura, não é?

Há também o escravo de guerra, e Aristóteles acha que nesse caso a escravidão pode não ser necessariamente justa. Mas a escravidão por natureza sim, pois alguém desprovido de excelência intelectiva não tem condições de mandar em si mesmo ou de mandar em uma cidade. Não só levará sua vida à ruína, como também a dos outros. É bom para todos que haja escravos — escravidão como consequência de uma distribuição de recursos naturais e de um exercício de poder legítimo, legitimado pela natureza.

A história da escravidão da reflexão anterior despertou manifestações de indignação, e por isso acho que vale a pena retomar; afinal de contas, meu projeto é pegar você pela mão. Então vamos dar a palavra a Aristóteles. Ele diz: "A razão mostra tão bem quanto os fatos ensinam, afinal, comandar e ser comandado faz parte não só das coisas indispensáveis, mas também das coisas vantajosas, e é desde o nascimento que uma distinção foi realizada em muitos. Uns feitos para comandar, outros, para serem comandados. Assim, uns devem comandar, e outros devem ser comandados".

Ora, meu amigo, se você tinha adoração por Aristóteles e achava que ele era um dos três maiores pensadores da história, continue tendo essa adoração e continue com essa convicção, porque ele é! Mas temos que admitir que o cenário intelectual que ele compartilhava, o paradigma que era o dele, a maneira de ele pensar as coisas já não coincidem com a maneira como pensamos hoje.

Aristóteles teria ojeriza à ideia de direitos humanos, por exemplo. A passagem é muito clara: "É imediatamente após o nascimento que tudo é determinado, tudo é decidido. Há aqueles que são bem-dotados e bem-nascidos, e há aqueles que são maldotados e malnascidos, e isso provavelmente desde um pouco antes ainda ao nascimento". Trata-se, portanto, de um dote de princípio. Não está relacionado com dedicação para correr atrás, com garra, com determinação. É algo que já vem com a pessoa. Talvez pudéssemos hoje chamar de dote genético. Por que não? Temos aí o cerne do princípio aristocrático. Há superiores, nobres por natureza, e há inferiores, escravos pela mesma natureza.

Se você quiser que eu vá mais longe, veja o que Aristóteles diz na sequência: "A mesma relação encontramos entre o homem e os animais. Há os animais selvagens e os domésticos. Para os domésticos, é melhor que haja alguém para lhes prover, decidir por eles e guiar-lhes a vida".

Acho que agora não é mais possível negar que Aristóteles tinha uma visão do homem um tanto quanto hierarquizada e marcada pela desigualdade. Até mesmo o animal doméstico serviu de comparação.

• • • • •

Aristóteles fez comparações, e quem compara não diz que é a mesma coisa. Assim, poderíamos dizer que, por natureza, o homem é superior à mulher. Pensamento de Aristóteles. Da mesma maneira, alguns homens são superiores a outros, também por natureza. Ainda pensamento de Aristóteles. E os homens são superiores aos animais, também por natureza. É exatamente essa natureza que legitima relações de poder. A cidade será justa quando for governada pelos superiores, e esse governo dos superiores será realizado no interesse de todos. É vantajoso para os inferiores não dispor da prerrogativa de governar a si mesmos, muito menos de governar aos outros.

Sendo assim, algumas inferências se fazem fundamentais. Quando um pai exerce poder sobre o filho, o fundamento desse poder está na natureza, refere-se à sua velhice. Podemos dizer também que ao longo da história do pensamento essa natureza que legitima o exercício de poder foi cedendo lugar a outro fundamento de legitimidade que é o entendimento, o contrato. No lugar do homem exercer o poder por conta de seus dotes naturais, passa a exercê-lo em função de um entendimento comum. Dessa forma, também as relações entre homem e mulher foram caminhando para uma igualdade, mesmo que continuem tão diferentes quanto eram. Mesmo as relações entre pai e filho, que um dia foram regidas por um fundamento de natureza, hoje, em grande parte, resultam de um entendimento. Assim, a superioridade de natureza do pai não autoriza violência física, agressividade verbal, humilhação.

No Brasil, temos hoje o Estatuto da Criança e do Adolescente (ECA), uma espécie de entendimento comum. O que diz, em suma, é muito simples: adultos e crianças, pais e filhos continuam tão diferentes por natureza quanto eram há dois mil anos. Mas essa diferença de natureza hoje não autoriza tudo como já autorizou um dia. Aliás, até pouco tempo atrás.

Se você quiser ir sobrevoando a história do pensamento, saiba que um dia a natureza legitimava e fundamentava todo o poder, mas, pouco a pouco, esse fundamento foi substituído por um contrato, um acordo entre todos.

• • • • •

Falamos da cosmogonia no pensamento mitológico e mostramos que muitas das características desse cosmos da mitologia foram aproveitadas na filosofia. As características do cosmos de Aristóteles são em grande medida inspiradas pelo pensamento mitológico. Mas é preciso fazer uma ressalva: Aristóteles não acreditava exatamente que um deus transcendente havia colocado tudo em ordem. É um pouco mais sutil do que isso. Muito embora as características sejam as mesmas, a explicação mitológica não é exatamente aquela que Aristóteles emprega.

A verdade é que Aristóteles repudia a ideia de um artífice ou artesão divino. Mas, é claro, isso não significa que as coisas não tenham uma ordem e que as partes do mundo não tenham uma finalidade. Aristóteles trata a relação da parte com o todo nas estruturas dos animais, por exemplo, como algo essencialmente finalista. Os animais têm as partes que têm para que sejam capazes de desempenhar as funções para as quais foram destinados.

Em alguns momentos, o recurso de Aristóteles ao caráter finalista da natureza insinua a conclusão de que a natureza tem seus objetivos em mente de forma muito consciente. Veja só o que ele diz: "A natureza, como um ser humano inteligente, sempre destina cada órgão a algo que é capaz de usá-lo. Os mais inteligentes serão capazes de usar eficientemente o maior número de ferramentas, e a mão parece não ser apenas uma ferramenta única, mas uma ferramenta de ferramentas. Assim, a natureza deu a ferramenta que é mais amplamente útil à mão, à criatura que é capaz de adquirir o maior número de habilidades, à criatura inteligente".

É impressionante como, apesar de Aristóteles não ter designado um deus para colocar cada coisa no seu lugar, ele, de fato, acredita que existe uma inteligência embutida na natureza que faz com que cada parte naturalmente vá atrás do seu espaço, do seu lugar, e desempenhe a sua atividade mais própria, mais essencial, de maneira excelente.

• • • • •

Você lembra que o universo de Aristóteles é finito e, portanto, referência para qualquer coisa que esteja dentro dele. Ele é harmônico, e, funcionando corretamente, não há conflito. É hierarquizado, pois as coisas dentro dele não têm a mesma importância. E, finalmente, você lembra que ele é cheio de finalidades. Agora vamos pensar em algumas das consequências disso.

Penso que vale a pena um pequeno esclarecimento sobre a questão da coerência interna da filosofia de Aristóteles e da relação íntima entre a física e a ética. Para Aristóteles, as coisas que estão dentro do universo movimentam-se em função de sua própria natureza, que busca posicioná-las no seu lugar certo no cosmos, no seu lugar natural. Assim, as coisas são dotadas de uma espécie de alma que as conduz para uma vida boa. Os movimentos, portanto, são resultantes da vontade que cada coisa tem de ir para o seu lugar.

Aristóteles também diz que alguns movimentos no universo são resultado de um constrangimento externo. Isso significa que você pode pegar algo e jogar longe, ou pode ver algo se movimentando e impedi-lo de continuar. Dessa forma, podemos classificar os movimentos em dois tipos: os naturais, nos quais as coisas procuram o seu lugar certo, e os constrangidos, determinados por forças externas. Esses movimentos constrangidos podem ser perturbadores da harmonia e da ordem cósmica, porque podem direcionar as coisas para outro lugar que não o devido. Poderíamos assim estabelecer uma espécie de dualidade ou até enfrentamento.

Os movimentos do bem contra os movimentos do mal. Os movimentos do bem são os determinados por nossa própria natureza. Os movimentos do mal são os determinados por fatores externos que agridem a nossa natureza. Se na física é assim, na nossa vida passa o mesmo. De tal maneira que, se deixarmos falar a nossa natureza, vamos nos colocar em movimento na boa direção, na direção da felicidade, da vida que nos satisfaz, que nos completa e que nos coloca em harmonia com o resto. Mas, tal como qualquer coisa no universo, nós também podemos ser vítimas de forças externas que determinam um movimento na contramão. Em nós também há, portanto, movimentos do bem e movimentos do mal.

Lembremos de Ulisses. Ele queria voltar para Ítaca, mas as armadilhas de Poseidon o impediam. Ulisses estava bem em Ítaca, mas a necessidade de lutar na guerra de Troia fez com que se movimentasse para longe de onde deveria permanecer. Assim, convido você a observar a própria vida e tentar identificar a pertinência das reflexões de Aristóteles em sua própria trajetória. Nos seus movimentos do bem e nos seus movimentos do mal. Claro está que, toda vez que você tem um sonho que faz brilhar os olhos, isso parece uma boa direção para o movimento do bem. E, toda vez que alguém diz que um determinado trabalho não dá dinheiro e que você tem que se adequar às necessidades do mercado e às carências da sociedade, isso parece estar na contramão da natureza e ser, portanto, profundamente do mal.

6

O estoicismo

CLÓVIS: Agora vamos falar dos estoicos. Teoria em grego quer dizer "contemplação do divino", e, para os estoicos, é o próprio conhecimento do mundo. E o mundo, para eles, é comparável a um organismo vivo. Aqui duas questões se destacam. A primeira é que todo o organismo vivo é constituído por partes, e essas partes estão agenciadas entre si para compor o todo. A segunda é que cada parte é feita do melhor jeito possível para cumprir a sua função. Então, nada mais adequado para enxergar do que o olho, nada mais adequado para digerir do que o estômago e os intestinos, nada mais perfeito para respirar do que o pulmão, e, para irrigar o sangue e fazê-lo circular pelo corpo, o coração.

Existe, portanto, uma ideia muito cara aos estoicos: a de que a natureza é uma forma de perfeição do ser com vistas a certa finalidade. E essa finalidade é a de cada parte que compõe o todo. O todo é o próprio divino. Por isso, a contemplação do divino é a contemplação do todo na sua maravilhosa perfeição.

É evidente que essa perspectiva é muito próxima daquilo que a mitologia já nos tinha legado e daquilo que Aristóteles já nos tinha ensinado; afinal, ela é atravessada por finalidades, por partes que constituem o todo e, de certa maneira, por um todo que também é finito, harmônico e ordenado. Portanto, estamos diante de uma espécie de herança aristotélica no pensamento estoico.

Insistir nisso é fundamental, porque os estoicos terão uma concepção de ética e de vida boa bastante original. Quando você pensa em estoicismo, quando alguém usa a palavra "estoico" ou "estoicamente", quase sempre refere-se a um comportamento de resignação diante da dor de suportar grandes sacrifícios, grandes sofrimentos, com vistas, evidentemente, a um bem maior. Essa ideia no senso comum da palavra "estoico" tem muito a ver com o que os estoicos recomendavam como vida boa e filosofavam em termos de existência excelente, que veremos nas próximas reflexões.

Por enquanto, basta destacar que o deus dos estoicos, o divino para os estoicos, está na própria maravilha do mundo. E sabe por quê? Porque, de certa maneira, o homem reconhece que os organismos vivos, as coisas da natureza, são maravilhosas. Não foi ele que as fez, e, portanto, elas traduzem a dimensão do divino que está impregnada na natureza.

A primeira ideia propriamente filosófica da escola dos estoicos é o radical determinismo de todas as ocorrências. O que isso quer dizer? Simplesmente o seguinte: tudo o que acontece tem causas que o determinam. Isso significa que as coisas só poderiam acontecer do jeito que acontecem. Significa também que não existe espaço para a sorte, para o azar, para o acaso, para a contingência.

Na verdade, os estoicos acreditavam que, toda vez que você pensa em sorte, em azar, em que poderia ser diferente do que é, isso resulta da ignorância das causas que incidem sobre uma ocorrência. Se você de fato conhecer as causas, saberá antecipadamente quais seus efeitos. Acredite se quiser, mas esse determinismo radical dos estoicos os leva a uma filosofia de destino, de previsão, de antecipação.

Por quê?

Veja que loucura. Parece contraditório, porque falar de determinismo, de conhecer as causas, significa que você acredita na razão como competente para explicar tudo o que acontece no mundo. É um racionalismo exacerbado.

Nossa, existe o destino e podemos saber do futuro. Isso parece coisa de picareta e de charlatão.

Mas essa contradição é apenas aparente, porque funciona bem assim. A verdade é que essa capacidade cartomântica de prever o futuro entre os estoicos é uma espécie de hiper-racionalismo, de confiança absurda na razão, pois as causas do futuro estão rodando por aqui. Se soubermos diagnosticá-las, interpretá-las, poderemos conhecer seus efeitos por antecipação. Por isso um indivíduo verdadeiramente sábio não é só aquele que não se surpreende com o mundo quando ele acontece, mas aquele capaz de antecipar aquilo que vai acontecer, diagnosticando as relações causais que determinarão o que está por vir.

• • • • •

Um dos grandes estoicos é Marco Aurélio, figura proeminente no Império Romano. Ele foi um grande governante e também filósofo.

Marco Aurélio observa que, se contemplarmos o mundo de muito perto, teremos pequenos fragmentos de mundo que poderão parecer feios, nojentos. Mas ele nos ensina que o mundo só nos parecerá feio por conta do nosso recorte, da nossa perspectiva fragmentada, da nossa incapacidade de contemplar o todo. Ele garante que, se olharmos o mundo de um pouco mais longe, perceberemos que qualquer coisa é maravilhosa. Tudo que você puder ver é maravilhoso exatamente porque está inscrito em um mundo que é ele mesmo maravilhoso.

O exemplo de Marco Aurélio é a baba do javali. Se você olhar de muito perto, a baba é nojenta, gosmenta, medonha mesmo. Mas, se for recuando e começar a entender a função da baba do javali, como o javali usa a baba para se relacionar com outros javalis, você perceberá que a tal baba não é tão feia assim. Pelo contrário. Não há nada que supere a baba do javali na hora de ajudá-lo a xavecar outro javali. A beleza do mundo tem que ser entendida a partir do todo, em função do todo. Aí então cada coisa encontrará, por conta do todo e da presença no todo, a sua beleza.

É claro que esta é uma lição de sabedoria que nos ensina algo que, para os estoicos, era muito óbvio: ou você se entende como pertencendo a uma ordem harmoniosa, bela, justa, ajustada, na qual você é uma peça e uma parte, e as partes só têm beleza enquanto partes porque fazem parte de um todo maior, ou você continuará tendo perspectivas fragmentadas do mundo, e o mundo nunca lhe parecerá nem belo, nem justo, nem harmonioso, nem bom. E aí é claro que faz toda a diferença acreditar viver em um mundo fechadinho, redondo, harmônico e belo ou acreditar viver em um mundo que é uma zona, caótico, conflituoso, feio, medonho, baboso, que cheira mal, nojento.

Veja que a sabedoria dos estoicos parte da compreensão de que o universo é maravilhoso. Essa é a teoria.

Perceba que a ciência só será boa se nos permitir entender o funcionamento do todo. Claro que a ciência estudará as partes, estudará o pequeno, estudará o fragmentado. Mas só será boa se, a partir desse estudo, ajudar a entender o todo do universo, a ordem cósmica que é o terreno em que jogamos este estranho jogo da vida.

• • • • •

A ideia de Marco Aurélio deixa alguns intrigados. A história da baba do javali desperta curiosidade intelectual. Como alguns ficam perplexos, vamos dar outro exemplo.

Se você tiver uma foto da Gisele Bündchen por aí, pegue o rosto dela e recorte somente o nariz. Você verá que, somente o nariz dela, isolado do resto, é estranho. Mas, se recuar um pouco e colocar o nariz de volta no rosto, não será mais estranho. Se recuar um pouco mais e juntar o rosto ao corpo dela, ficará tudo maravilhoso. Você percebe que, se o nariz dela não fosse como é, ela não seria tão bonita quanto é. Acho que você entendeu que a beleza da parte não se deixa capturar enquanto parte isolada do todo, mas sim enquanto integrante de um todo maior.

E qual é a graça e a importância dessa reflexão? Muito simples: é que o todo não se deixa flagrar pelos sentidos. O todo do mundo, o cosmos, só se deixa entender pela razão. O que estamos tentando dizer é que você só irá compreender e achar a baba do javali bonita se inseri-la em um todo que só tem existência para você na razão, na inteligência, na imaginação e nunca na percepção sensorial. O mundo, por mais finito que seja, com começo, meio e fim, não se deixa apreender pelos sentidos de alguém. Então, se a beleza das coisas depende do posicionamento delas no mundo, porque elas participam de um todo que é belo, justo e harmonioso, a beleza só é definitivamente capturada quando inserida em uma realidade que é pensada, cogitada, imaginada e, portanto, alguma coisa da razão.

O que estou tentando dizer é que, se você não tiver desenvolvimento de inteligência e de razão para entender o mundo como cósmico, integrado e harmônico, não terá condição de perceber a beleza das coisas que fazem parte dele, pois essa beleza só se deixa entender quando situada num todo que é ele mesmo pensado, cogitado e imaginado.

Vamos imaginar que em algum momento você me encontre. Ao olhar para mim, o que é que você vê? Um sujeito careca, pançudinho, um pouco desengonçado, corcunda. E, se você olhar só para mim, terá um desgosto. Mas Marco Aurélio me ajuda, mandando-lhe me colocar no contexto cósmico imaginado por você. Aí o mundo é lindo, eu faço parte do mundo, sem mim o mundo não existe; portanto, trate de me achar bonito. Eu não valho por mim mesmo, mas valho como parte de uma beleza universal.

Agora traremos outro grande filósofo da fase romana dos estoicos para conversar conosco: Epicteto. Contemporâneo de Jesus, era escravo, não sabia escrever, e aquilo que você lê como livro de Epicteto não foi ele quem escreveu. Ele dava aulas e tinha gente graúda que sabia escrever, que assistia suas aulas e anotava os seus dizeres, o que deu origem ao livro chamado *Manual*.

Veja que bacana: Marco Aurélio, imperador. Epicteto, escravo. Eis aí o time dos estoicos romanos.

E qual é a mais curiosa, importante e conhecida ideia de Epicteto?

Existem dois tipos de situações na sua vida, muito diferentes uma da outra: aquilo que depende de você e aquilo que não depende de você. E é muito importante saber distinguir aquilo que depende de você daquilo que não depende de você. Sabe por quê? Porque, em relação àquilo que depende de você, você tem que dar tudo, fazer o melhor possível, tem que se esmerar e gastar todas as suas energias. Agora, no que não depende de você, não adianta gastar um tostão porque realmente não depende de você.

Vamos imaginar que você esteja em um aeroporto desses estranhos, de meteorologia incerta. Pois muito bem, você sabe, o avião levanta voo somente se as condições climáticas estiverem boas, caso contrário, não tem jeito, o avião decola. O que acontece é simples: precisa ter sol, tempo aberto. Você fica angustiado, tem compromisso, o voo precisa sair no horário, mas claramente não depende de você.

Por outro lado, chegar no horário do voo, tomar cuidado para que possa antecipar algum contratempo, isso sim depende de você. Elaborar um plano B para o caso do avião não decolar depende de você. Então você rapidamente percebe que algumas coisas estão na sua mão e outras não. O clima não está na sua mão. Mas o plano B sim.

Epicteto diz que algumas coisas dependem de você. Como — veja só que coisa engraçadíssima — o desejo, por exemplo. É engraçado porque a parte do desejo que depende de você é a parte do seu objeto, porque o desejo é constituído de uma energia vital, uma espécie de inclinação para o mundo, mais alguma coisa que passa pela sua cabeça, que é aquilo que você deseja. Pois muito bem, o objeto do desejo depende de você.

Outra coisa que depende de você é a qualidade dos seus julgamentos, das suas avaliações, dos seus juízos. Também a competência para informar-se a respeito das coisas, ter conhecimento das coisas do mundo. Não sei se você começa a se dar conta, mas as coisas que dependem de você têm muito a ver com a sua cabeça, sua inteligência e sua razão.

Agora, o que será que não depende de você? Primeiro, as coisas do mundo que você não controla. Segundo, as coisas do seu corpo que você também não controla. É evidente que a parte afetiva relacionada a alegrias e tristezas em grande medida acontece sem que você possa controlar.

A lição está dada: saber identificar o que depende e o que não depende de você é jogar energia no que você pode controlar e não gastar energia, tempo e investimento com aquilo que você não pode controlar.

• • • • •

Já falamos que, para os estoicos, tudo está amarrado em tudo, tudo é necessariamente do jeito que é, no mundo não existe nada diferente do que deveria ser.

Curioso é que, para os estoicos, essa coisa de atrair-se pelo mundo ou de rechaçar o mundo, gostar e não gostar, é tudo uma escolha. Bem, fica aí, na conta dos estoicos. Você que tire suas conclusões. Eu pessoalmente nem consigo entender o que isso quer dizer. As aversões e as atrações são uma escolha. Ora, na minha concepção, tudo menos isso. Mas não importa. O que importa aqui é o que eles diziam.

Então, aquilo que passa pela nossa cabeça é resultante de uma liberdade da atividade de pensar. Mas, veja que curioso, se tudo no mundo é necessariamente do jeito que é, então, no nosso caso, temos liberdade para julgar, para pensar, para discernir e para atribuir valor. Mas que fique claro: como no mundo tudo é necessário, os estoicos dizem que essa liberdade é estritamente interior e não tem nenhuma consequência no mundo prático, no mundo fora de nós. Assim, pensamos livremente, mas agimos como só poderíamos agir para fazer parte desse encadeamento causal que é o mundo da natureza.

Meu amigo, essa é uma pirueta difícil de engolir. Afinal, se tudo no mundo é necessariamente do jeito que é — o vento venta, a maré mareia, o gato gateia — por que a nossa mente, a nossa inteligência, também não funcionaria assim? Por que a nossa inteligência não pensaria a única coisa que poderia pensar? Por que só o nosso pensamento seria diferente e sujeito a essa liberdade interior? Será que não chamamos de liberdade de pensar a ignorância que é a nossa sobre as condições do nosso pensamento, as condições materiais de produção dos nossos juízos? Será que não é a nossa ignorância que nos faz acreditar nessa liberdade?

Chupa essa manga, meu amigo. Somos livres só para pensar. Na hora de estar no mundo, também somos rigorosamente determinados pelas causalidades materiais que nos fazem ser e existir como só poderíamos ser e existir.

•••••

Para os estoicos, o belo é necessariamente também o justo e o bom. Assim, justiça, bondade e beleza são três perspectivas da mesma coisa. Não há a menor possibilidade de haver justiça na feiura ou beleza na injustiça. E por que será? Porque, no final das contas, a referência para o belo, para o bom e para o justo é a mesma. É o cosmos. Se uma coisa é justa, é porque está de acordo com o cosmos. Se é bela, é porque está de acordo com o cosmos. Portanto, o cosmos não poderia conferir bondade e feiura ao mesmo tempo.

Assim, o que seria o belo? Seria um atributo de uma coisa do mundo em harmonia com o cosmos. Se você é parte de um todo belo e está em harmonia com ele, só pode ser belo também.

E o que seria o justo? A mesma coisa. Algo ajustado ao cosmos. Claro que o justo é outro atributo, diferente do belo. Mas o que é belo é necessariamente justo e o que é justo é necessariamente belo porque os dois pressupõem harmonia com o todo universal.

Pensando desse jeito faz todo sentido. Mas, cá entre nós, será que essa afirmação da correspondência entre beleza, bondade e justiça coincide com a nossa experiência?

Normalmente, os heróis de Hollywood, os galãs bondosos, justiceiros, generosos e que reconstituem a harmonia das coisas também são muito bonitos. Esta é a nossa experiência da ficção televisiva e cinematográfica. Porém, é preciso reconhecer que, fora das telinhas e das telonas, não é bem assim. Quanta gente linda há que usa a própria beleza para iludir, para escravizar, para aterrorizar com dependências afetivas seus parceiros e seus pretendentes. Quanta gente justa, de infinita bondade, que esteticamente é dotada de extrema feiura. Gente que se apresenta malcheirosa, maltrapilha, esbagaçada, mas é capaz de um gesto de grande bondade e grande generosidade. Assim, a mesma ficção nos dá a bela e a fera. A fera medonha, monstruosa, é de infinita beleza moral, de imensa generosidade.

E no mundo da vida, fora da ficção? Aí podemos encontrar uma total falta de correspondência, um desalinhamento radical entre o que chamamos de belo e atrativo com aquilo que é justo e bom. Por essas e por outras, temos que admitir que essa referência cósmica dos estoicos já não faz nenhum sentido para nós. Mas, como aqui a palavra é deles, foi importante deixar claro que, na concepção deles, beleza, justiça e bondade são três perspectivas correspondentes da mesma coisa. A imensa referência do todo universal finito, ordenado e harmonioso.

7

O nosso papel no cosmos

CLÓVIS: Como vimos, teoria é a contemplação do divino. Para os estoicos, o divino é a maravilha do universo, o fato de tudo estar amarrado em tudo, o fato de que cada pedaço do universo tem a sua incrível função e é maravilhosamente ajustado a ela. O homem fica perplexo diante da perfeição dos ajustes e dos encaixes. Sabe que não foi ele que fez, então chama de divino.

Pare para pensar. Além da teoria, existe a moral, que é a nossa adequação a esse universo. E, se tudo é do melhor jeito — o olho é do melhor jeito possível para o homem enxergar, o joelho, para o homem agachar-se, a cerejeira para produzir a cereja e o vento para refrescar —, somos então obrigados a deduzir que nós também temos na nossa natureza o que há de melhor para cumprir nosso papel.

Portanto, precisamos investigar duas coisas para pensar como um pensador estoico: primeiro, qual é o nosso papel e, segundo, quais são os atributos da nossa natureza. Deve haver uma extraordinária vinculação entre os dois. Se eu tenho enorme talento para o desenho, é porque o meu papel no universo deve ter a ver com isso. E o que é mais incrível: esse meu talento é o melhor possível para cumprir a minha finalidade, que é desenhar. Não tem nada de bobeira nem fora de nós, nem dentro de nós. E nossos recursos são imprescindíveis e os melhores possíveis para conseguir cumprir a função que é a nossa dentro da máquina cósmica.

É muito legal essa reflexão, pois, se o joelho é perfeito para dobrar, você deve ser perfeito para alguma coisa também.

•••••

A moral sempre teve a ver com as nossas escolhas a respeito de como vamos agir, isso porque, no nosso caso, a vida sempre dá alternativas, e nossa conduta pode ser sempre uma ou outra, ou também outra. Sempre há 360 graus de caminhos a percorrer, e a nossa conduta deliberada fará jogar no lixo tantas outras que poderíamos ter escolhido, mas que, por alguma razão, decidimos não escolher, não agir daquela maneira, não viver daquele jeito.

Assim, os estoicos também tinham a sua moral. Veja o que Cícero diz sobre isso: "Não podemos ter nenhum tipo de julgamento a respeito do que é bom e do que é mau sem conhecer o sistema inteiro da natureza".

Dito desta maneira, parece enigmático, quase incompreensível. Por que será que, na hora de decidir o que vou fazer da minha vida, para poder decidir certo e não errar, eu tenho que conhecer o sistema inteiro da natureza? Não parece complicado demais para viver a vida? Afinal de contas, conhecer o sistema inteiro da natureza é um pré-requisito gigante. Mas o que estamos tentando explicar é que, para os estoicos, toda decisão a respeito da própria conduta tem que estar relacionada com o cosmos porque a conduta certa é ajustada a ele.

E como faço para me ajustar ao cosmos?

É preciso conhecê-lo. É preciso entender seu funcionamento, seus mecanismos. Somente assim poderei vislumbrar qual é e qual seria minha adequada participação nesse todo universal.

Imagine, por exemplo, que na hora de decidir que faculdade fazer os estoicos têm a natureza como referência. Qual será o melhor curso a cursar? Aquele que permite que a sua natureza cumpra o seu papel. E quando é que a natureza cumpre o seu papel? Justamente quando se encaixa na máquina cósmica, fazendo-a funcionar adequadamente. E quando isso acontece? Quando você joga o seu jogo, descobre qual é a sua praia, entende qual é o seu negócio, pois você é, como já dissemos, do melhor jeito possível para cumprir o seu papel.

Claro que alguém dirá que é para estudar direito porque há várias possibilidades de emprego, concurso público, e você levará uma vida estável numa cidade do interior. Claro também que quem diz isso sucumbe à tentação de uma comodidade oferecida pela sociedade e não está nem aí para o seu talento.

E quando você diz: "Mas o que eu queria mesmo, o que me faz brilhar os olhos, é ser professor" — nossa! Vomitarão na sua frente. Porque nossa sociedade desdenha essa escolha e a considera pífia, ridícula, indigna, tal como é o salário que cabe a um docente.

Mas você saberá o que fazer. Para os estoicos, a sua natureza e os seus recursos naturais dizem a resposta, indicam o caminho. Porque você é do melhor jeito possível para cumprir o seu papel no universo.

• • • • •

Para os estoicos, a natureza é a referência. A justiça é o ajuste da sua natureza no todo da natureza como em um quebra-cabeça. E você, buscando a excelência de você mesmo, estará assim ajustando-se à ordem cósmica. O encaixe não é estático, é dinâmico. O encaixe não é de ficar parado, mas é de ação, de movimento. E a busca da própria natureza no aperfeiçoamento de si mesmo já é o encaixe adequado no todo cósmico.

Os estoicos davam lições um pouco diferentes daquilo que temos hoje como aula de filosofia. Hoje, para fazer uma graduação em filosofia, você ouve professores, lê textos de pensadores clássicos, eventualmente propõe um texto, escreve respostas em provas, e o curso acontece em um esquema de ouvir discursos, ler discursos e produzir discursos.

Na escola estoica não era bem assim. Ela propunha cursos práticos; portanto, a filosofia traduzia-se em condutas, em comportamentos. Você era levado a agir como se estivesse em um laboratório e aprendia as coisas ensinadas pelos estoicos fazendo-as. Tal como em um curso de artes ou no laboratório de ciências.

E o que poderia atrapalhar a busca por uma vida boa? O que poderia enfrentar a natureza como referência, oferecendo uma solução equivocada para a vida?

Certamente os estoicos acreditavam que a sociedade, tal como se apresentava naquele momento — as convicções sociais, os hábitos, as regras, as distribuições de prestígio e notoriedade, tudo que existia na sociedade da época e que existe até hoje —, poderia ser profundamente perturbadora em uma escolha adequada para a própria vida. Portanto, os estoicos ensinavam a enfrentar a pressão social — ou a repressão social — e submetiam-se a situações de ridículo para ser achincalhados, agredidos, advertidos e importunados, e criar assim uma espécie de couraça que os tornaria blindados às pressões sociais.

Zenão, grande pensador e fundador da escola estoica, era aluno dos filósofos cínicos e com eles aprendeu muita coisa. Conta-se que Zenão puxava um peixe morto com uma cordinha, como se fosse um cachorro, no intuito de despertar a galhofa na sociedade e de ser mesmo ridicularizado. Assim, aprenderia afetivamente a proteger-se e a não se deixar abater pela pressão social, pela maledicência.

Isso me faz lembrar muito da minha vida social. Nunca fui tomado por alguém muito convencional e recordo que, quando era obrigado a fazer treinamentos de natação, muitas vezes comparecia à piscina de meias. Nas primeiras vezes que fiz isso, fui profundamente chacoteado por todos. Mas, depois de um tempo, cansaram, e eu percebi que havia ganho alguma coisa: não me incomodava mais com o que falavam a meu respeito. Isso é incrivelmente bacana na hora de viver porque, se você tem convicções e acaba se deixando abater pela chacota, pela maledicência e pelo ridículo que a sociedade lhe impõe, acabará fragilizando suas convicções e agindo como um robô da lógica social.

•••••

Sabemos como é agradável quando recebemos tapinhas nas costas, quando todos dizem que somos show de bola, quando todos nos aplaudem. Mas às vezes todo esse reconhecimento e toda essa glória vêm com um preço caro a pagar, que é virar as costas para si mesmo, para os próprios talentos, para a própria essência, para a própria natureza e, portanto, para a própria vida boa.

Os estoicos estavam convencidos de que, se houver choque entre a sociedade e a natureza, é preciso optar pela segunda e mandar às favas todos aqueles que pretendem nos desviar do bom caminho.

Mas há uma possibilidade nobre nessa história que raramente é mencionada: é justamente quando a sociedade aplaude o pleno desabrochar da nossa natureza. É quando a sociedade reverencia e reconhece o talento natural de cada um. Isso costuma acontecer com alguns artistas — alguns, que fique claro —, e aí existe uma espécie de combinação mágica entre viver de acordo com os próprios talentos e receber as glórias que a sociedade sabe nos outorgar quando é de seu interesse. Nesse caso, a combinação — que raramente depende das nossas forças e da nossa inteligência, mas de variáveis que não podemos controlar — parece muito legal, e acho que é condição de uma vida irretocavelmente feliz.

Eu poderia lhe dizer que, muitas vezes nessa vida que levo, passeando pelo nosso país e dando palestras em tudo que é canto, sinto que, na condição de palestrante, atuo dentro daquilo que me é mais favorável em termos de natureza, porque entendo que, no meio das imensas fragilidades de natureza que são as minhas, essa de encarar grandes públicos talvez seja uma de minhas forças. É claro então que, palestrando, estou respeitando, suponho eu, aquilo que a natureza me deu de mais forte. E a sociedade parece aplaudir. Naquele momento, essa combinação é show de bola para mim, porque tanto estoicos quanto quaisquer outros devem reconhecer que o momento é mágico. Não tenho que enfrentar nada. É só fazer o que meu corpo manda, e aí o aplauso costuma vir.

Tomara que você encontre o mesmo caminho, tenha a mesma sorte, trabalhe com o que faça luzir seus olhos — e torça para que isso seja entendido pela sociedade como merecedor de aplauso. Aí, não tem como a vida não ser legal.

• • • • •

Os estoicos estavam convencidos de que o universo é maravilhoso e fazemos parte dele. Se estamos em fina sintonia, a vida é boa, quando estamos fora de lugar, a vida é ruim.

O que seriam então a tristeza e o tédio para os estoicos? O que seriam a angústia e todas essas paixões tristes? Seriam uma espécie de sintoma, um indício de que estamos vivendo errado, no lugar errado, jogando errado, não aproveitando o que temos de melhor, blasfemando contra a nossa própria natureza e em desajuste com a ordem cósmica.

Crates, mestre de Zenão, tinha uma mulher que era um negócio do outro mundo. Hipárquia. Uma das mais lindas mulheres da história da filosofia. O que não garante muita coisa, porque a filosofia não é atravessada por beldades, mas parece que Hipárquia era espetacular. E eles gostavam de transar. Eram desses casais que se afinam, gostam um do outro, sabem dar prazer, não tem nojinho na hora de transar, aproveitam de tudo. Hipárquia gritava quando transava com Crates, não era aquela coisa miudinha, apequenada pela vizinhança, coagida pelos bons costumes, não. Hipárquia gritava porque Crates sabia cutucar no lugar certo. E Crates na hora de transar com Hipárquia abria portas, janelas, cortinas para que aquela transa fosse vista e presenciada por todos. Era a maneira de deixar claro que ele entendia que a transa legal, a transa intensa, deveria ser assistida porque era uma homenagem à natureza, à ordem cósmica, uma homenagem ao prazer que a natureza nos convida a ter, dando os instrumentos que nos dá. E quem não gostasse que se recolhesse à sua insignificância ressentida, porque Crates e Hipárquia não escondiam nada.

Quisera eu ser como Crates, quer para ser competente e proporcionar tanto prazer a uma mulher, quer para ter a coragem de sair aos gritos e de porta aberta, minha natureza prazerosa e feliz.

•••••

Um dos grandes e maiores problemas que os estoicos viam para que a vida fosse boa era como encaramos a questão da própria morte.

Em 2017, eu completo 52. Acho que quem está fazendo cinquenta e poucos anos — esse pessoal que nasceu no meio da década de 1960, como eu — e não pensa em morrer pelo menos uma vez ao dia é um perfeito idiota. Penso que, depois de certo momento da vida, a iminência da morte vai tornando a reflexão sobre ela quase que obrigatória. E, como todos queremos viver — ou, pelo menos, a grande maioria de nós —, a certeza de que morreremos é um problema. Quando você pensa que deixará de existir, esse agenciamento de matéria e alma, esse conjunto de ideias, de sensações, de corpo, de identidade que é você acaba definitivamente. Isso é talvez a coisa mais estranha que possa existir para que a vida seja boa. Lá no começo da vida, está longe, temos toda a vida pela frente. Mas aos 50 anos já não há mais tanta.

Os estoicos sabiam disso, sabiam que a coisa pode ser enroscada se você pensa em morrer e se abate com isso. E vou mais longe: na hora em que você pensa em morrer, não é somente o fato de você deixar de existir. E as pessoas que gostam de você? E as pessoas de quem você gosta? E aquelas que dependem de você, quer seja afetiva, econômica ou socialmente? Tudo isso é um obstáculo para a vida boa.

O que os estoicos tinham para oferecer na contramão disso? Eles acreditavam que vale a pena apostar nessa história de encaixar-se no cosmos, de buscar a excelência de si mesmo. Sabe por quê? Porque acreditavam no cosmos infinito e eterno. Se o cosmos é eterno e você faz parte dele, então você é eterno também. Você é um fragmento de eternidade, é um pedaço de uma coisa eterna.

Perceba que não é uma vida eterna individual, singular, só você. Isso não rola. É você enquanto parte de um todo eterno e que se torna eterno na medida em que participa desse todo. Mas a participação nesse todo eterno é estranha, porque implica a sua morte. Isso significa que você vai deixar de ser matéria animada e vai passar a ser outra coisa, vai participar de outros agenciamentos. Por exemplo, eu, quando morrer, parte de mim poderá virar adubo ou combustível, talvez vire chifre de touro, outra parte poderá virar maçaneta ou chuva. Por que não? Nessas loucas combinações da matéria, poderei estar por aí, rodando. Meio dilacerado, meio reduzido a uma zona, mas estarei por aí. O cosmos é eterno, eu faço parte dele, então sou eterno também.

8

A transição entre Antiguidade e Idade Média

CALABREZ: Vou começar com uma cronologia para que o leitor consiga situar as ideias na linha do tempo do nosso diálogo. Acredita-se que tanto a *Teogonia* de Hesíodo quanto a *Odisseia* de Homero foram compostas em torno do século 8 antes de Cristo (entre 700–800 a.C.). Platão viveu entre os séculos 5 e 4 a.C. (nasceu em 428/427 e morreu em 348/347 a.C.). Aristóteles viveu no século 4 a.C. (384–322 a.C.). Todos eles produziram suas principais ideias e obras na Grécia.

Os filósofos estoicos viveram durante o século 3 a.C., quando a escola estoica foi fundada em Atenas por Zenão de Cítio (334–262 a.C.). Outros notáveis estoicos foram Sêneca (1 a.C.–65 d.C.), Epicteto (50–135 d.C.) e o imperador Marco Aurélio (121–180 d.C.). A história do estoicismo, portanto, percorre tanto a Grécia quanto a Roma antigas.

Aproximadamente a partir da morte de Marco Aurélio, o pensamento estoico começou a dar lugar ao pensamento cristão. As últimas escolas estoicas foram fechadas no século 6, em 529, por ordem do imperador romano Justiniano I (que ordenou o fechamento de todas as escolas filosóficas pagãs, ou seja, não cristãs). O declínio do estoicismo acompanhou o declínio das religiões politeístas greco-romanas.

O período entre a composição da *Odisseia* e a queda do Império Romano (século 5, ano 476) é conhecido como Antiguidade Clássica. O período de transição, que começa com o declínio do Império Romano a partir do século 3, culminando com sua queda, é conhecido como Antiguidade Tardia. O fim da Antiguidade é marcado pelo início da Idade Média, que compreende o período entre os séculos 5 e 6 e a queda do Império Romano Oriental (a queda de Constantinopla em 1453).

A filosofia antiga é dominada por visões de mundo em que o elemento central é a ordem. O mundo antigo era amplamente alicerçado na ideia de um cosmos ordenado. As reflexões e descrições que os pensadores antigos fizeram da realidade são de uma sofisticação e beleza impressionantes. Considerando-se os limitados recursos que possuíam para observar o universo — essencialmente, os sentidos do corpo (olhar para o céu a olho nu, por exemplo) e a capacidade de pensar e refletir —, é no mínimo de cair o queixo o quanto foram longe, o quanto capturaram as nuances e sensibilidades da natureza em geral e da natureza humana em específico.

Ainda que os antigos falassem de deuses e deusas, de seres mitológicos e afins, seu pensamento era orientado pela busca de uma ordem, uma razão, uma lógica racional (λόγος, ou *logos* em grego) por trás dos fenômenos naturais. Considera-se que a filosofia ocidental propriamente dita inicia-se com o trabalho dos pensadores pré-socráticos, tendo como notáveis Tales de Mileto (624–546 a.C.), Anaximandro (610–546 a.C.), Pitágoras (570–495 a.C.), Heráclito (535–475 a.C.) e Demócrito (460–370 a.C.), entre outros.

É de Tales a famosa frase "todas as coisas estão cheias de deuses". O olhar descuidado pode enxergar nessa afirmação uma visão de fé espiritual ou até mesmo religiosa. No entanto, Tales defendia que todas as coisas tinham por trás de si um princípio físico, material (ἀρχή, ou *arché*, em grego). Ele acreditava que essa substância material que compõe todas as coisas era a água. Este é um princípio importante na filosofia pré-socrática, adotado por diversos outros pensadores. Tales defendia ainda que toda matéria é dotada de vida, ou seja, que existe animação em toda a matéria que compõe o universo — princípio que, como Clóvis nos mostrou, é carregado até mesmo por Aristóteles.

Anaximandro de Mileto, discípulo de Tales, merece ser mencionado. Ele foi o primeiro a descrever o cosmos celeste de forma mecânica, sem nenhuma menção aos deuses. O Sol, a Lua e os demais planetas eram para Anaximandro o fogo que emanava do buraco em rodas que percorriam os céus. Por isso, é considerado por alguns historiadores como o "pai da filosofia científica".

Tudo flui, tudo se transforma, nada permanece. Esta é a ideia central do pensamento de Heráclito de Éfeso, "o Obscuro", segundo Diógenes Laércio. As coisas mudam, e a mudança é uma alternância entre opostos: coisas quentes esfriam, coisas frias esquentam. A realidade, para ele, se dava na harmonia derivada dessa constante alternância — e teria como princípio físico (*arché*) o fogo, que sempre muda e nunca é o mesmo.

Demócrito, por sua vez, é o primeiro a propor a "teoria atômica". Segundo ele, todas as coisas são formadas por pequenas partículas — pequenas pedras minúsculas e invisíveis, os átomos. Como o próprio nome denota, os átomos de Demócrito são eternos e indivisíveis — átomo vem do grego ἄτομον, ou *atomon*, que significa indivisível, aquilo que não pode ser cortado.

Hoje, curiosamente, sabemos que tudo é composto por átomos que, apesar de divisíveis (em elétrons, prótons e nêutrons — e estes dois últimos em partículas ainda menores), estão sempre em movimento.

As ideias pré-socráticas, à primeira vista, podem ser banais.

Tudo é água? Tudo é fogo? Que besteira!

Por isso é importante situar essas ideias no momento histórico em que surgiram.

Para a época, o pensamento pré-socrático é altamente sofisticado. Pela primeira vez (em que se tem registro), o mundo ocidental buscava compreender a realidade (o mundo, a natureza, os seres vivos e tudo mais) por meio da razão e não mais com explicações estritamente religiosas. Isso se torna ainda mais evidente com o surgimento de Sócrates (470/469–399 a.C.) e de seu principal discípulo, o jovem Arístocles, que todo mundo conhece pelo apelido de Platão — do grego Πλάτων, ou *Plátōn*, que significa "o amplo", pois Platão tinha ombros largos. Sócrates e Platão influenciaram literalmente todos os pensadores posteriores. E continuam influenciando até hoje.

A filosofia antiga então é baseada no princípio de que a busca pela verdade se dá pelo uso da razão (e não da fé). Além disso, dentro das principais visões de mundo propostas pelos maiores pensadores da Antiguidade (essas visões de mundo são chamadas de "sistemas filosóficos"), o exercício da razão revelou que o universo é ordenado e coeso.

Com o declínio do pensamento estoico e das demais escolas clássicas de filosofia, concomitante com a ascensão do cristianismo no mundo ocidental, o princípio de uso da razão para buscar as verdades é progressivamente substituído pelo princípio da fé.

No pensamento estoico, a ordem cósmica (*logos*) é representada pela composição ordenada e maravilhosa de todas as coisas. Clóvis nos mostrou que essa composição harmônica é o divino, é deus. É muito importante perceber que o deus estoico não é um deus pessoal, preocupado com os seres humanos e suas mazelas. Ele não é bondoso ou maldoso, piedoso ou cruel. Ele não tem intenções, vontades ou planos para os seres humanos — ele não tem personalidade. O deus estoico é absolutamente impessoal e, exatamente por isso, indiferente. Ele é, na verdade, a totalidade da natureza, o conjunto de coisas naturais que compõem o universo.

Isso inclui uma série de regras impessoais, tais como as leis naturais, por exemplo. Afinal, o tempo é inexorável, e isso significa que envelheceremos. Os seres vivos morrem, e isso é igualmente inexorável. As doenças não ligam para nós, elas simplesmente acontecem. E o cosmos não está nem aí se achamos isso bom ou ruim — essas coisas simplesmente fazem parte do funcionamento do universo. Sendo assim, o tempo, a morte e as doenças, para um estoico, são parte de deus. Deus, afinal, é a natureza e o universo em sua totalidade, com suas regras e características naturais. Essa totalidade é maravilhosa, justamente porque expressa, para o estoico, uma grande ordem, *logos*, do universo.

Na Idade Média, o *logos*, a ordem cósmica, a ordem harmoniosa do universo, é encarnada em uma figura pessoal, excepcional e divina: o Cristo de Deus.

Teoria, como Clóvis explicou, é a contemplação do divino. Para os estoicos, isso se dava pelo uso da razão, para compreendermos a harmonia do universo. Com o cristianismo, isso muda radicalmente. A teoria para os cristãos se dá por meio da fé no verbo divino (a palavra de Deus, trazida a nós pelo Cristo). Ou seja, a harmonia do universo agora é encarnada em um Deus único e pessoal. O Deus cristão tem personalidade, vontades, intenções e preocupações para com os seres humanos. E o caminho para a salvação é a fé. Compreender o universo é conhecer e ter fé na palavra de Deus. O mundo é visto como obra da vontade de Deus.

O pensamento cristão foi muito influenciado pelo pensamento antigo. Os princípios cosmológicos da Antiguidade e da Idade Média eram fortemente baseados em dois grandes modelos de compreensão do cosmos: os modelos de Aristóteles e Ptolomeu.

Clóvis já nos explicou três grandes características do universo aristotélico: ele é finito, harmônico e hierarquizado. Essas características permanecerão vivas no pensamento cosmológico da Idade Média. Mas a harmonia e a hierarquia agora são obras de Deus e refletem sua perfeição.

Há outras características importantes, que explicarei a seguir. Algumas destas características foram aprimoradas matematicamente por uma série de pensadores que viveram entre Aristóteles e a Idade Média. Em especial, o modelo geocêntrico de Ptolomeu (100–170 d.C.), contemporâneo dos estoicos, que seguiu amplamente adotado e utilizado séculos após sua morte.

A primeira característica é a imutabilidade do universo celeste. Tanto para os gregos quanto para os cristãos, os corpos celestes (os pontinhos de luz que aparecem no céu durante a noite) eram eternos e imutáveis. Essa imutabilidade era uma grande prova da ordem maravilhosa do universo, pois indicava sua perfeição harmoniosa — afinal, o cosmos era perfeito e nada poderia mudá-lo. Para os cristãos, essa imutabilidade representava a perfeição de Deus.

O segundo é o geocentrismo. A ideia de que a Terra, nosso planeta, seria o centro imóvel do universo. Ou seja, os demais astros (eternos e imutáveis) circundavam a Terra, enquanto ela permanecia sempre no mesmo lugar, como centro de tudo. Ainda que houvesse motivos religiosos por trás da adoção do geocentrismo pela Igreja, a principal razão para isso era o fato de que esse modelo cosmológico era amplamente aceito pelos cientistas da época.

Veja então que o cosmos para os pensadores da Idade Média — e isso inclui a grande maioria dos cientistas, inclusive os físicos — era finito, harmônico (ordenado), hierarquizado, com corpos celestes imutáveis que revolviam ao redor de um centro imóvel: a Terra.

9

A revolução copernicana

CALABREZ: Todo mundo já ouviu falar dessa história: Nicolau Copérnico propôs a ideia revolucionária de que a Terra não era o centro imóvel do universo — para ele, o centro era o Sol (uma visão conhecida como heliocentrismo). Ninguém acreditou. Aí veio Galileu Galilei, que adotou o modelo de Copérnico e adicionou um fator importante: observações com o telescópio — uma engenhoca inventada pelo próprio Galileu, que permitia uma observação mais precisa dos corpos celestes. Com suas observações, Galileu teria destruído a cosmologia anterior (geocêntrica) e instaurado uma cosmologia atualizada (heliocêntrica).

Este foi o relato que o professor de história fez para a minha turma lá atrás, quando eu era pré-adolescente. Não quero dizer que seja incorreto. Mas é um jeito no mínimo incompleto de contar a história da revolução copernicana. Omite detalhes fundamentais sobre um dos momentos mais importantes da história da humanidade. Afinal, revoluções não são simples em lugar nenhum — inclusive na ciência.

Para compreender a revolução copernicana, devemos antes responder a uma pergunta:

Como funciona a ciência?

Para isso, vou dividir com o leitor as observações de um dos pensadores mais influentes do século 20, Thomas Kuhn. Ele era um físico que, por uma série de questões profissionais e pessoais, acabou dedicando boa parte da sua carreira ao estudo da história da ciência. O livro no qual publicou seus estudos se chama *A estrutura das revoluções científicas* e é uma das obras mais importantes do século passado.

Vamos então conhecer essa tal estrutura das revoluções científicas.

Na maior parte do tempo, a ciência funciona de acordo com o que Kuhn chama de ciência normal.

A ciência normal é a pesquisa científica baseada em uma ou mais realizações científicas passadas. Ela é focada em resolver problemas baseando-se em uma série de pressuposições que não são questionadas. Essas pressuposições são fruto das realizações científicas passadas nas quais a ciência normal está se baseando.

Devido a isso, as realizações nas quais a ciência normal se baseia têm sempre duas características. Em primeiro lugar, são modelos científicos que tiveram realizações sem precedentes o suficiente para atrair um grande número de partidários, afastando-os de outros modelos. Em segundo lugar, são modelos científicos abertos o suficiente para que diversos outros problemas científicos possam ser resolvidos a partir desse modelo anterior.

Esse conjunto de pressuposições é chamado de paradigma por Kuhn. Os paradigmas governam primeiramente *os tipos de pergunta que são levantados*. Em segundo lugar, *como tais perguntas são investigadas*. Finalmente, *como os resultados são interpretados*. Daqui em diante, toda vez que usar o termo paradigma, estarei me referindo a isso.

Calma, leitor. Sei que essa descrição puramente técnica é difícil de entender. Então vamos dar um exemplo. Depois de entender o exemplo, você pode voltar à descrição técnica — e aí compreenderá perfeitamente o que Kuhn quis dizer.

Vamos lá.

Um perfeito exemplo de paradigma é a cosmologia aristotélica. Veja que ela tem os dois elementos que mencionei. Em primeiro lugar, foi uma realização científica sem precedentes, capaz de angariar uma verdadeira legião de seguidores. Em segundo lugar, é aberta o suficiente para que muitos outros problemas científicos sejam resolvidos.

Outro exemplo é a já mencionada cosmologia de Ptolomeu. Alguns historiadores e físicos inclusive defendem que a cosmologia de Ptolomeu é uma adição ao paradigma aristotélico, chamando-os conjuntamente de modelo aristotélico-ptolomaico.

Se o sucesso de um paradigma for medido pelo tempo em que foi dominante, o paradigma aristotélico-ptolomaico é um dos mais bem-sucedidos da história. O campeão é a biologia de Aristóteles (que só perdeu dominância após as ideias de Charles Darwin no século 19). É seguro dizer que Aristóteles foi o pensador ocidental que influenciou o mundo por mais tempo em praticamente todos os campos do conhecimento.

A dominância dos paradigmas aristotélicos (cosmologia e biologia) durou mais de dois mil anos.

Agora fica mais fácil entender a descrição técnica que fiz anteriormente da ciência normal e do conceito de paradigma.

Voltemos ao raciocínio.

A ciência normal, na maioria do tempo, ocorre sem grandes problemas. No entanto, diz Kuhn, todo paradigma encontra eventualmente anomalias. Anomalias são resultados ou observações científicas que não conformam ou não podem ser explicadas imediatamente pelo paradigma atual.

Na maior parte das vezes, tais anomalias não trazem grandes problemas, de modo que podem ser corrigidas e superadas dentro do próprio paradigma. Por exemplo: uma anomalia pode ser fruto de um experimento mal desenhado, de um instrumento calibrado de forma incorreta ou de uma variável que não foi considerada. Após essas correções, o paradigma segue dominante sem grandes alterações.

Acontece que, em raras ocasiões, as anomalias trazem um problema real ao paradigma. Em outras palavras, não conseguem ser explicadas pelo paradigma atual. Mas Kuhn observa que, apesar disso, o que geralmente acontece é que tais anomalias são ignoradas, deixadas de lado (com alguma desculpa aparentemente plausível, como "investigaremos futuramente") ou relegadas a outra disciplina ("isso é uma questão para a química e não para a física", por exemplo).

Faço um breve parêntese aqui para ressaltar o quanto essa atitude científica é *propriamente humana* e o quanto está alinhada ao princípio de manutenção de consistência cognitiva que mencionei anteriormente. Imagine um cientista que construiu sua carreira em cima de um paradigma. Pense nesse cientista olhando no espelho e admitindo para si próprio: "Meus anos de pesquisa serão jogados no lixo agora que essa anomalia surgiu".

Isso é motivo de grande inconsistência psicológica. Como já deixei claro, nossa mente odeia inconsistências.

O que fazer então?

Ora, se esse cientista passar a acreditar que aquilo não é um grande problema ou que será resolvido depois, sua mente seguirá consistente.

Mas voltemos às anomalias.

As anomalias (as que trazem um problema real ao paradigma) muito raramente começam a se acumular. Ou seja, outros cientistas, em outros laboratórios e universidades, em outros lugares do mundo, começam a chegar a resultados igualmente anômalos.

Há um momento em que as anomalias acumulam-se a um ponto em que não há mais como ignorá-las: "Não tem jeito, tem algo errado nessa história".

Cientistas começam a admitir e divulgar publicamente a existência da anomalia. É aqui, segundo Kuhn, que a ciência normal entra em crise.

As crises são tipicamente resolvidas no contexto da ciência normal. Ou seja, eventualmente um cientista ou grupo de cientistas encontra dentro do paradigma uma resposta para a anomalia.

Neste ponto, é importante ressaltar um aspecto crucial da ciência, de acordo com Thomas Kuhn: mesmo se a ciência normal estiver em crise, essa crise pode durar anos ou até décadas. Crises não se resolvem necessariamente de maneira rápida. Muito pelo contrário. Isso porque a comunidade científica geralmente prefere manter-se afiliada ao paradigma, até mesmo a um paradigma anômalo e fraco, a não possuir paradigma algum. Em outras palavras, os cientistas mantêm-se baseados em um paradigma "ruim" para não ficar sem nenhum paradigma no qual basear suas pesquisas.

A mudança de paradigma só ocorre quando um modelo alternativo é proposto: um modelo mais robusto, capaz de responder às anomalias e dar seguimento à ciência normal. Ou seja, um paradigma só é derrubado pelo surgimento de um novo paradigma.

Como fizemos antes, vamos a um exemplo que tornará essas ideias mais concretas.

Vimos que o modelo aristotélico-ptolomaico foi um paradigma perfeito. Ele conciliava a ordem do cosmos (*logos*) da Antiguidade com a perfeição de Deus, tão importante aos pensadores da Idade Média. Só há um universo, eterno e imutável. O centro do universo é a Terra. Os planetas revolvem ao redor da Terra em um plano celeste. As estrelas residem em outro plano celeste, imóveis e eternas.

O astrônomo italiano Nicolau Copérnico (1473–1543), ao observar os astros, realizou cálculos e ficou convencido de que o modelo geocêntrico (a Terra é o centro do universo) estava incorreto. Seus primeiros escritos foram muito influenciados por outros pensadores da época, que também discordavam do modelo geocêntrico. Ou seja, ao contrário do que se costuma acreditar, ele não foi o único a criticar o modelo. Copérnico aprofundou e refinou seus cálculos, que culminaram em um livro importantíssimo, chamado *De Revolutionibus Orbium Coelestium* (*Da revolução dos orbes celestes*). O livro foi publicado imediatamente após sua morte e influenciou muitos pensadores posteriores.

Giordano Bruno (1548–1600), um filósofo e místico italiano, foi o primeiro a propor uma ideia radical: o Sol é apenas uma estrela entre infinitas outras estrelas, ao redor das quais diversos planetas (como a Terra) revolvem. Tais planetas, para Bruno, tinham vida e complexidade como a Terra possui. Em outras palavras, o cosmos de Giordano Bruno era infinito, com infinitas estrelas e infinitos planetas ao redor dessas estrelas — planetas tão vivos e reais quanto o nosso. Ainda que não fosse um cientista, acredita-se que Bruno foi influenciado pela recém-publicada cosmologia de Copérnico. Outros pensadores contemporâneos de Bruno, como os ingleses Thomas Digges (1546–1595) e William Gilbert (1544–1603), também propuseram a ideia de infinitas estrelas.

No ano de 1600, Giordano Bruno foi queimado vivo pela Inquisição, com uma ponta de metal perfurada em sua língua e um aparato impedindo que ele movesse a mandíbula. As razões para sua condenação não estavam estritamente ligadas à sua visão cosmológica — ele havia questionado diversos dogmas da Igreja Católica, inclusive a divindade do Cristo. Mas certamente sua ideia de cosmos não ajudou na defesa.

O modelo cosmológico de Copérnico não apresentava cálculos precisos o suficiente para sugerir anomalias consideráveis no paradigma aristotélico-ptolomaico. Devido a isso, foi amplamente rejeitado pelos pensadores da época (com razão, na visão de Thomas Kuhn). Quaisquer anomalias por ele apontadas eram explicadas dentro do próprio paradigma.

No entanto, alguns importantes pensadores ficaram intrigados com o trabalho de Copérnico. Um deles foi um nobre dinamarquês que também era astrônomo: Tycho Brahe (1546–1601). Ele fez duas importantíssimas observações que levantaram anomalias no paradigma dominante.

Em primeiro lugar, em 1572, Brahe observou o surgimento de uma nova estrela na constelação Cassiopeia, que brilhou por dezoito meses nos céus sem mudar de posição. A região das estrelas, no modelo aristotélico-ptolomaico, era imóvel, eterna e imutável. O surgimento de uma nova estrela era uma grande anomalia. Hoje sabemos que o que Brahe viu foi uma supernova, ou seja, uma explosão estelar que ocorre ao final da vida de uma estrela. Os efeitos restantes dessa supernova são estudados até hoje.

Em segundo lugar, ele observou, em 1577, um cometa atravessar os céus. Baseado em seus cálculos, ele concluiu que o cometa atravessou a região celeste dos planetas. Essa região, de acordo com o paradigma aristotélico, só tinha movimentos circulares em esferas sólidas. Era impossível, portanto, que um cometa passasse por ela. Brahe concluiu que tais esferas não existiam, levantando sérios questionamentos ao modelo aristotélico e abrindo para pesquisa posterior a questão da órbita dos planetas.

Durante o restante de sua vida, Tycho Brahe fez enormes contribuições para a astronomia, realizando cálculos muito mais precisos sobre os movimentos celestes em relação aos cálculos anteriores. No entanto, seu modelo cosmológico reteve a ideia do geocentrismo. Este é um bom exemplo da tentativa de resolução de anomalias dentro do próprio paradigma.

Nessa mesma época, um outro cientista começava a questionar o paradigma aristotélico-ptolomaico: o alemão Johannes Kepler (1571–1630), que havia trabalhado como assistente de Tycho Brahe. Após a morte de Brahe, Kepler utilizou as observações do dinamarquês para realizar grandes avanços na astronomia. Além disso, foi o primeiro astrônomo, desde a morte de Copérnico, a adotar abertamente seu modelo cosmológico — ou seja, Kepler defendeu o heliocentrismo. Mas ele foi além, sendo o primeiro a propor que o movimento que os planetas realizam ao redor do Sol não é circular, mas elíptico. Apesar de hoje sabermos que Kepler estava correto, ele não foi capaz de realizar os cálculos que explicassem devidamente a física por trás da ideia.

Foi Isaac Newton quem demonstrou, décadas depois, que as leis que regem o movimento dos astros de fato aproximam-se do modelo de Kepler. Esses e outros muitos avanços na astronomia fazem de Kepler um dos maiores nomes da revolução copernicana — e de toda a história do pensamento. Uma curiosidade: Kepler foi o primeiro a usar o termo "satélite", tão conhecido por todos nós nos dias atuais.

Eis que entra em cena, novamente na Itália, um cara chamado Galileu Galilei (1564–1642). Sujeito brilhante, é considerado o pai da astronomia observacional moderna. Alguns dizem que ele inventou o telescópio. Outros, que apenas o aperfeiçoou. O fato é que o telescópio de Galileu permitia uma magnificação de 30 vezes. Hoje em dia, qualquer telescópio que compramos pela internet consegue mais. Na época de Galileu, no entanto, isso era muito superior a qualquer outro equipamento (chame ou não de telescópio). Com esse equipamento, ele conseguiu fazer algumas observações críticas para a crise do paradigma aristotélico-ptolomaico.

Galileu observou que a Lua tinha uma superfície imperfeita. Além disso, verificou a existência de manchas solares. Essas observações contrariavam a ideia dos corpos celestes eternos e perfeitos. Ele também observou que Júpiter era rodeado por luas que orbitavam ao seu redor. Isso contrariava a ideia de que todos os corpos celestes revolviam a Terra. Finalmente, ele observou diferentes fases em Vênus, o que indicava que seu movimento era diferente daquele proposto pelo modelo aristotélico-ptolomaico.

As anomalias se acumulavam, e cada vez mais cientistas percebiam os grandes problemas do cosmos ordenado e perfeito de Aristóteles e Ptolomeu. No entanto, a mudança de paradigma ocorreu somente com os trabalhos do grande cientista britânico Isaac Newton (1643–1727), que unificou o modelo de Kepler e Galileu sob uma revolucionária teoria física capaz de explicar com precisão matemática os movimentos celestes de acordo com um modelo heliocêntrico, no qual os planetas revolvem ao redor do Sol em forma elíptica.

Quero dar um exemplo da genialidade desse sujeito.

Alguns historiadores apontam que, aos 24 anos de idade, Newton viu uma maçã cair da macieira. Isso o levou a fazer uma pergunta:

Se uma maçã cai, a Lua também cai?

À primeira vista, parece uma pergunta boba e inocente. Quase algo que uma criança perguntaria. Nós, adultos, temos o hábito de ignorar perguntas feitas pelas crianças, acreditando que são ingênuas e inconsequentes. O olhar infantil, no entanto, muitas vezes revela questões profundas. Não esqueça, leitor, que Newton foi um dos maiores gênios da humanidade. Sua pergunta é brilhante. Ela carrega muitos dos questionamentos necessários para derrubar a cosmologia aristotélico-ptolomaica.

A resposta, para ele, era "sim". Ele sabia que a aceleração de um objeto aumenta progressivamente conforme ele cai... No entanto, não existia um processo matemático que permitisse saber a posição e velocidade do objeto em qualquer momento no tempo.

O que ele fez?

Inventou o cálculo.

Sabe aquela matéria na qual muita gente é reprovada na faculdade? O cara inventou para responder à pergunta sobre a Lua. Alguns dizem que a história da maçã é uma lenda. Não duvido. Mas também não duvido que a inspiração de

Newton tenha vindo de observações cotidianas. A ciência muitas vezes caminha dessa forma.

Obviamente Newton não inventou o cálculo e resolveu o problema dos movimentos celestes da noite para o dia. O resumo de suas ideias a esse respeito foi publicado quando ele tinha 40 anos de idade no famoso livro *Philosophiæ Naturalis Principia Mathematica* (*Princípios matemáticos da filosofia natural*).

Eu gostaria de frisar para o leitor que Isaac Newton foi um gênio. A contribuição desse cara para a compreensão do cosmos foi uma das maiores contribuições que um único ser humano já fez para o conhecimento da humanidade. A mecânica newtoniana é a base de toda a física clássica, estudada até hoje nas escolas. Hoje é possível enviar uma sonda espacial até uma lua de Júpiter usando as leis desenvolvidas por Newton. Sem ele, não teríamos chegado à Lua ou construído a Estação Espacial Internacional. Sem ele, não haveria Einstein e sua relatividade. Sem ele, não haveria a teoria quântica, tão importante atualmente.

Mas o próprio Newton foi humilde o suficiente para admitir: "Se eu enxerguei mais longe, foi por estar em pé sobre os ombros de gigantes". A ciência é uma construção progressiva, na qual novos paradigmas surgem a partir do acúmulo de anomalias encontradas em paradigmas anteriores. Sem Aristóteles, não haveria Newton. Sem Platão, não haveria Aristóteles... Eu, particularmente, sou muito agradecido a todos esses gigantes.

Na física após Newton, houve novas mudanças de paradigma. A relatividade de Einstein é um exemplo. Atualmente, a teoria quântica já é capaz de superar o paradigma einsteiniano em uma série de questões — e muitos acreditam que será capaz de superá-lo totalmente no futuro.

10

O cosmos (des)ordenado: Renascença, Modernidade e Humanismo

CALABREZ: A revolução copernicana trouxe uma radical mudança na visão que o ser humano tinha do cosmos. A ordem (*logos*) dos antigos, interpretada pelos pensadores da Idade Média como a perfeição e divindade de Deus, não é mais observada no universo. Não existe uma perfeição *a priori*, ou seja, uma noção de ordem cósmica que antecede todas as coisas existentes e sobre a qual todas as coisas (incluindo a física) devem basear-se e, no plano ético, adequar-se. O cosmos ordenado desmoronou. Não há mais sua harmonia para nos inspirar, não há mais sua hierarquia — natural ou divina — à qual devemos nos adaptar.

Não quero aqui ser reducionista: houve uma série de mudanças econômicas, sociais e culturais durante o período da revolução copernicana que certamente contribuíram muito para esse desmoronamento. A revolução foi um dos diversos elementos que compuseram o período iniciado no século 14, culminando no fim do século 17 com o que chamamos de Modernidade. Esse período de transição, essa ponte histórica entre a Idade Média e a Modernidade, é conhecida como Renascimento, ou Renascença.

"Renascimento de quê? O que renasceu?", o leitor pode perguntar.

A resposta é bem sabida: renascimento dos valores clássicos amplamente presentes na Antiguidade. Em especial, o progressivo retorno da racionalidade como elemento guia da vida humana — em vez da fé, tão presente e fundamental durante a Idade Média.

No entanto, os antigos enxergavam no cosmos uma harmonia (*logos*) a ser compreendida e na qual deveríamos nos inspirar para viver da melhor forma. O desmoronamento da ordem cósmica torna isso impossível. Tente imaginar, leitor, viver em um mundo onde não há mais um grande sistema filosófico, científico ou espiritual no qual basear-se para viver. Onde aquilo em que acreditamos durante milênios desmoronou. Onde o universo não é mais finito, perfeito, harmonioso e hierárquico. O novo paradigma deixa claro que o universo é imperfeito, caótico, não hierárquico, regido por forças naturais (como a gravidade) e talvez infinito (como proposto por Newton).

Se a ordem não é dada *a priori*, se a harmonia não é uma característica intrínseca ao universo, como contemplar o divino? Como construir uma teoria? Afinal, a própria noção de "contemplar" o divino carregava dentro dela a ideia de harmonia e perfeição do cosmos. Contemplá-lo era compreender sua ordem. Era, de forma um tanto passiva e submissa, adequar-se à sua perfeição. No entanto, ao contemplá-lo agora não há ordem — ao contrário, há caos.

Surge uma necessidade. Se não há harmonia e coerência, se não há ordem no universo, para conseguir compreender o mundo e encontrar a melhor forma de viver no mundo, não podemos ser passivos. Não podemos meramente contemplar e nos adequar. Devemos duvidar de tudo o que veio antes para construir, com nossas mãos, uma compreensão da realidade (teoria) e um conhecimento sobre como viver e conviver nessa realidade (ética).

Inicia-se um grande movimento que coloca nas mãos do ser humano a responsabilidade pela construção de uma nova visão de mundo. Isso significa que o movimento renascentista é sobretudo um movimento humanista. O desmoronamento do cosmos ordenado leva o ser humano ao palco central do universo. Só haverá ordem por meio do trabalho, da elaboração ativa, da construção de uma melhor visão de mundo e de leis que adéquem o mundo a uma ordem construída por nós. Leis naturais (nas ciências) e sociais (na cidade) derivadas de um esforço humano e não de uma contemplação passiva do cosmos.

Esse movimento culmina com o Iluminismo no século 18 — o século das luzes, no qual a racionalidade humana atinge um ponto alto. A ciência passa progressivamente a adotar o "método experimental" como principal abordagem para a resolução de problemas. O método experimental é ainda hoje o principal motor dos avanços científicos. Ele consiste em manipular variáveis, testando-as sob diferentes condições a fim de isolar a causa de um fenômeno específico. Trata-se, portanto, de não simplesmente contemplar a realidade. A ciência agora manipula ativamente as coisas do mundo, extraindo delas as leis que auxiliarão o progresso do conhecimento e, portanto, o controle que a humanidade exerce sobre a natureza.

Como Clóvis explicou, a cosmologia aristotélica era teleológica, ou seja, baseava-se no estudo das finalidades, das causas finais das coisas. Agora, a cosmologia e todas as demais ciências passam para uma perspectiva de "causa" mais próxima do que coloquialmente é entendido como "causa" nos dias de hoje. Causa, para nós, é o conjunto de circunstâncias que levam a um determinado efeito. Neste sentido, a ciência (e o pensamento de maneira geral) passa a ser mais causal — e menos finalista.

Isso traz muitas mudanças, inclusive nos planos sociais e econômicos. Perspectivas aristocráticas, em que um ser humano nascia onde nascia pois essa era sua finalidade no cosmos ou porque aquela era a vontade divina, deixam de fazer sentido. Aristocracia dá lugar à meritocracia. Somos iguais, pois não há posições pré-definidas em um cosmos harmônico e perfeito. Aquilo que somos é fruto de nossa livre escolha.

A escravidão começa a deixar de fazer sentido. É nesse contexto que ocorre a Revolução Francesa entre 1789 e 1799, culminando com a publicação da Declaração dos Direitos do Homem e do Cidadão, popularmente conhecida como

Declaração dos Direitos Humanos. É nesse contexto que se desenvolve aquilo que hoje chamamos de sistema econômico capitalista. Ressalto novamente que houve uma série de fatores econômicos e sociais por trás disso tudo. Mas houve também o desmoronamento de visões de mundo que reinaram absolutas por milênios.

O Iluminismo marca uma visão que eleva o ser humano a um patamar acima dos outros animais. Diferente da racionalidade dos outros bichos, a racionalidade humana permite que a sociedade "evolua". Na visão iluminista, uma sociedade de seres humanos hoje é muito mais complexa do que era milhares de anos atrás. Ou seja, os seres humanos são capazes de se aperfeiçoar (melhorar) ao longo do tempo, de evoluir enquanto sociedade. Comparativamente, uma sociedade de abelhas ou cupins é essencialmente a mesma que era milhares de anos atrás. Essas observações são centrais ao trabalho do filósofo iluminista Jean-Jacques Rousseau (1712–1778). A capacidade de se aperfeiçoar ao longo do tempo é chamada por ele de "perfectibilidade".

A mensagem central do Iluminismo é a liberdade humana. Somos livres. Não somos determinados por um cosmos, seja ele natural ou divino. Nossa liberdade não deve ser usada para tentarmos nos adequar a uma perfeição cósmica, pois essa perfeição não existe.

Além disso, não somos determinados por uma animalidade, por uma bestialidade, por uma *natureza* — tal como os outros animais são. Como disse o filósofo Jean-Paul Sartre (1905–1980), um humanista do século 20, quase replicando as palavras de Rousseau: "A existência precede a essência". Em outras palavras, a essência humana não é fruto de uma natureza animalesca com a qual nascemos. Isso é coisa dos outros bichos. Os seres humanos, ao contrário, são livres. Essa liberdade implica que tudo aquilo que somos (nossa essência) é fruto de nossas escolhas. Primeiro existimos (escolhendo livremente). Aquilo que somos (essência) vem depois, como consequência.

Esta ideia já era encontrada na "tábula rasa" do filósofo John Locke (1632–1704). Para ele e muitos outros pensadores da época, o ser humano nasce como uma folha em branco. Não há conteúdos mentais pré-inscritos em nossa natureza. Não há uma psicologia inata. As livres escolhas é que preencherão essa folha. Nossa mente, nossas ideias e conhecimentos são fruto de percepção e experiência. A experiência é que construirá nossa essência. E a experiência humana é, por definição, livre.

11

A desconstrução do Humanismo

CALABREZ: Não é surpreendente, então, a revolução ocorrida na transição entre os séculos 19 e 20 com o trabalho de três grandes pensadores, cada um em um campo diferente de atuação. Friedrich Nietzsche na filosofia. Charles Darwin nas ciências naturais. E Sigmund Freud nas ciências da mente.

Lembre-se da visão iluminista. Para ela, a grande causa daquilo que o ser humano é, e também a causa do que ele faz, é sua liberdade e o bom exercício das faculdades da razão. Os ideais de humanismo, racionalidade e liberdade governam a visão iluminista. Sendo assim, o ser humano é diferente de todos os outros animais — e sua superioridade é possível justamente devido a esses grandes ideais.

Os pensadores que mencionei acima irão desconstruir tais ideias, cada um à sua maneira.

Nietzsche (1844–1900), filósofo alemão, põe em cheque a ideia de que a racionalidade humana é essa coisa libertadora que os pensadores antes dele afirmavam. Para ele, substituímos os velhos ídolos (o cosmos, o *logos*, Deus e a autoridade religiosa) por novos ídolos.

Mas quais novos ídolos?

Justamente os ideais de liberdade, racionalidade, ciência, humanismo, etc. O problema, para Nietzsche, está na *idealização* dessas visões. Ao idealizar visões de mundo, criamos valores transcendentais — valores considerados superiores a tudo. Sua filosofia tratará de desconstruir essa idealização. A proposta é que, ao colocar ideais acima de tudo, ao situar certos valores num patamar transcendental, estamos situando-os acima da vida. Sendo assim, seguimos "crentes" em novos ídolos. Ídolos superiores à única coisa que de fato existe: a vida.

Contemporâneo de Nietzsche, o naturalista inglês Charles Darwin (1809–1882) propôs uma ideia. Uma "ideia perigosa", nas palavras do filósofo norte-americano Daniel Dennett. A ideia de Darwin, assim como as ideias dos demais pensadores que estou citando aqui, teve um enorme número de ramificações e um gigantesco impacto em todo o pensamento posterior. Sua ideia é o perfeito exemplo de um novo paradigma, tal como defini anteriormente. Os avanços de hoje no campo da genética são possíveis devido à ideia inicial de Darwin, de que todos os seres vivos derivam de um mesmo ancestral comum e se modificaram ao longo de um processo contínuo que ele chamou de "seleção natural".

Já Freud (1856–1939), médico neurologista austríaco, propõe uma ideia radical — contrariando toda uma tradição de pensadores que afirmava que o pensamento humano é consciente, livre e racional.

E qual é essa ideia?

É uma das mais conhecidas popularmente: a ideia de que a imensa maioria de nossos processos psicológicos na verdade é inconsciente. Em outras palavras, não tomamos conhecimento, ou seja, não sabemos da maioria das coisas que motivam nossos pensamentos, afetos e comportamentos.

Todos esses modelos teóricos são revolucionários, cada um em seu campo. Mas todos têm uma característica em comum: desconstroem a ideia de que o ser humano é especial, livre senhor de seu destino. Não somos anjos caídos, mas sim primatas que se ergueram e hoje andam eretos. Não temos pleno conhecimento do que nos motiva e das causas que nos rodeiam. Somos muito mais bichos, animalescos, muito mais determinados, muito menos livres, muito menos *tábula rasa* do que gostariam os pensadores iluministas.

12

Filosofia estoica x filosofia contemporânea

CLÓVIS: Os estoicos entendiam a filosofia como uma grande preocupação da inteligência, cujo objetivo é permitir a qualquer um viver melhor. A distância em relação à filosofia de hoje é enorme.

A filosofia hoje é um conjunto de textos, um conjunto de ideias e escritas, de livros e tratados, cursos, e tudo isso se materializa em discurso, discurso que gera mais discurso, que enfrenta discurso em forma de debate, e a verdade é que quem hoje se interessa por filosofia está confinado a pensar sobre algumas ideias e mostrá-las por meio de palavras.

Para os estoicos, filosofia tinha tudo a ver com prática. A inteligência estava a serviço de uma vida de carne e osso mais feliz, menos amedrontada, menos angustiada. E uma das coisas que eles achavam que perturbava demais a nossa vida é dar bola para os outros e para o que pensam de nós. É impressionante como os estoicos tentavam nos preparar contra os comentários a nosso respeito, contra aquela fofocada da qual sempre somos objeto, e, para treinar, provocavam essas situações e, enfrentando-as, iam perdendo o medo e tornando-se resistentes.

A grande pergunta é: se a filosofia clássica tinha essa preocupação com a vida de carne e osso, o que aconteceu para que a filosofia se tornasse esse compêndio de textos, tratados e ideias que pouco ou nada têm a ver com o nosso cotidiano e com a nossa vida vivida no dia a dia? Aqui vai uma grande observação: entre os estoicos e nós, passamos por séculos e séculos de pensamento dominado pelos discípulos que reivindicavam a discussão sobre a vida para eles, para a teologia, para os ensinamentos de Deus e dos profetas. Pois esses discípulos tiraram da filosofia a reflexão. Se isso é bom ou se é ruim, não me pergunte. Mas a filosofia perdeu essa prerrogativa e foi limitada a uma discussão conceitual, distante da felicidade, distante da vida boa, da salvação — distante, portanto, de todas as preocupações que antes eram estritamente filosóficas.

13

Naturalismo poético

CALABREZ: Antes de prosseguir, gostaria de fazer um comentário. Desde que comecei a falar da transição entre Antiguidade e Idade Média, fiz aqui um grande resumo. Omiti intencionalmente uma série de pontos-chave em todo esse processo histórico. Simplifiquei o pensamento de autores complexos. Deixei de falar de muitos pensadores fundamentais. Pulei importantes ideias para chegarmos aqui.

Um leitor atento pode dizer: "Você falou de Iluminismo sem mencionar Kant! Isso é quase uma heresia!".

Tendo a concordar, mas explico: este diálogo não é um registro histórico perfeito do pensamento humano ao longo dos séculos. Meu objetivo é didático, ou seja, levar o leitor à compreensão de um certo "fio da meada", uma certa lógica na progressão do pensamento antigo até o que compreendemos hoje como cosmos.

Nas recomendações de leitura ao final do livro damos muitos caminhos para aqueles que desejem aprofundar-se.

Aos leitores mais experientes, já conhecedores da história do pensamento, peço que compreendam essa escolha. Por uma questão de tempo e espaço, tive de me restringir àquilo que acredito ser mais fundamental dentro dessa complexa — e fantástica — história. Tudo para que conseguíssemos chegar finalmente aqui.

E onde é "aqui"?

Aqui é hoje. O mundo contemporâneo. Quero dividir com você, leitor, uma visão cosmológica contemporânea. Não é a única, obviamente. Mas é uma que, em meu entendimento, reúne de forma elegante o momento em que nos encontramos hoje.

• • • • •

Há aqueles que, ao ler como os pensadores antigos enxergavam deuses nas coisas, podem dizer: "Que bando de idiotas! Chamar o sol de deus! Sabemos que o sol é um astro, uma estrela. Sabemos suas características físicas e químicas. Quanta baboseira!".

O mesmo pode ser dito em relação ao fervor com que os pensadores da Idade Média se apegavam aos modelos astronômicos geocêntricos, e por aí vai...

Eu gostaria então de deixar claro que não há na natureza algo chamado "conhecimento".

Veja bem o que quero dizer: não existe no universo um negócio chamado "conhecimento", que possui substância própria ou é composto de substâncias que têm um lugarzinho na tabela periódica. O conhecimento não tem matéria, não tem energia, não tem realidade física. O conhecimento não está em algum lugar do universo esperando que os seres humanos o capturem, aprisionem e compreendam. O conhecimento é uma construção. O conhecimento é uma produção humana. Ele não é um dado *a priori* do mundo.

Prótons, nêutrons e elétrons, *quarks* e o campo de Higgs, por exemplo, são todos exemplos de dados *a priori* do mundo, de fundamentos da natureza (de acordo com o que sabemos hoje). Conhecimento é a maneira como descrevemos esses dados e os integramos em uma ou mais visões de como o mundo funciona.

Como toda produção humana, o conhecimento será fortemente influenciado por tudo aquilo que é genuinamente humano. Ganância, medo, inveja, preguiça, raiva e tantas outras coisas.

Um exemplo: não faltam casos de fraude na história do pensamento. Cientistas — às vezes renomados — pegos falsificando dados para que os resultados se encaixassem em suas hipóteses. Outro exemplo: é comum na história da ciência a relutância em abandonar um paradigma. Como vimos, carreiras são construídas em cima de certos paradigmas — e a derrubada deles significa quase sempre a derrubada (ou, no mínimo, o retrocesso) das carreiras construídas a partir deles. Devemos lembrar sempre que essas carreiras são vidas. Pessoas que querem prestígio, que têm vergonha e que precisam alimentar suas famílias. Seres humanos.

Isso obviamente não serve para justificar quaisquer comportamentos. Devemos repudiar com veemência o cientista que frauda, devemos criticar fortemente o cientista que se agarra a paradigmas superados. No entanto, situar a produção de conhecimento como empreendimento humano nos permite entender melhor por que essas coisas ocorrem.

Elas ocorrem porque são coisas humanas.

Apesar disso tudo, apesar da imperfeição e falibilidade inerentes a todo empreendimento humano, é preciso lembrar de algo fundamental. Os pensadores da Antiguidade, da Idade Média, da Renascença e da Modernidade, os pensadores contemporâneos (que alguns chamam de pós-modernos), todos eles, mesmo com esse monte de limitações humanas, foram orientados por uma grande intenção: explicar como as coisas funcionam.

Até hoje esta é a grande intenção que nos orienta. Eu na psicologia e neurociências. Clóvis na filosofia. Nós dois em sala de aula, como professores.

Perceba o termo que usei: explicar. Significa que o pensamento humano sempre irá *falar sobre as coisas*. Criar discursos. Criar formas de falar sobre as coisas do mundo para explicá-las.

Esses jeitos de falar sobre as coisas são múltiplos. Sempre foram, e há quem diga que sempre serão. Mas são regidos, pelo menos na história do pensamento racional, por algumas grandes regras. Sem elas não teríamos chegado até aqui. Sem essas regras, não seríamos capazes de substituir os jeitos antigos por jeitos "melhores" de explicar as coisas (ou seja, jeitos que explicam o mundo de maneira mais coerente com seu funcionamento de fato).

A primeira regra é a noção de que nem todos os jeitos de falar sobre o mundo são iguais. Há jeitos melhores e há jeitos piores.

Mas o que os torna melhores ou piores?

Os jeitos melhores são úteis — e isso significa que são consistentes entre eles e consistentes com o mundo.

Em contrapartida, os jeitos piores são não úteis. No jargão científico, dizemos que são "errados" ou "falsos". Significa que não são consistentes com os jeitos melhores e não são consistentes com o mundo.

A segunda regra é a ideia de que nossos propósitos *no momento da explicação* determinam o melhor jeito de falar sobre o mundo.

Vamos nos aprofundar nisso, pois pode parecer esquisito à primeira vista. Como temos feito desde o início, usaremos um exemplo.

O exemplo será o mesmo que usei antes: a revolução copernicana.

Antes da revolução, havia um jeito de falar sobre o mundo. Esse jeito de falar sobre o mundo era o modelo aristotélico-ptolomaico. Naquele mundo (ou seja, naquele *momento da explicação*), todas as formas de conhecer o mundo (observação astronômica, cálculos matemáticos, etc.) eram relativamente coerentes entre si e eram coerentes com aquilo que se observava no mundo. Eram, portanto, o melhor jeito de explicar aquele mundo.

Com a revolução, surgiu um novo jeito de falar sobre o mundo. Houve avanços tecnológicos em telescópios e o desenvolvimento de cálculos matemáticos mais precisos, que culminaram com a mecânica newtoniana. Com isso, o jeito anterior de falar sobre o mundo não era mais coerente — nem com esse novo modelo, nem com o mundo agora observado. O modelo aristotélico-ptolomaico tornou-se um modelo não útil ou, em outras palavras, um modelo errado, um modelo falso. O novo modelo newtoniano mostrou-se coerente com todos os demais modelos que por sua vez eram coerentes com as observações do mundo naquele momento.

Séculos depois, surge o modelo de Albert Einstein. Ele introduz novas formas de falar sobre o mundo. Essas formas são coerentes entre si e coerentes com o mundo naquele momento. Exatamente por isso tornaram-se um jeito melhor de falar sobre o mundo. A mesma coisa vem acontecendo com a teoria quântica mais recentemente.

Enxergamos os mesmos movimentos na biologia.

A biologia aristotélica, paradigma dominante nas ciências naturais por dois milênios, era o melhor jeito de explicar as diferentes formas de vida na Terra. Quando surge Darwin e as ideias de ancestrais comuns e seleção natural, bem como as primeiras teorias genéticas (que começam com Gregor Mendel), a biologia aristotélica passa a ser um jeito não útil de explicar o mundo biológico, dando lugar à biologia evolutiva (que permanece até hoje, com os devidos aprimoramentos e extensões, um dos paradigmas mais relevantes dentro das ciências biológicas).

No entanto, veja que esses dois bons jeitos de falar sobre o mundo — teoria quântica e biologia evolutiva — são fundamentalmente diferentes.

Se eu perguntar para um físico o que é um cérebro, ele pode perfeitamente responder: "Nada mais do que uma coleção de partículas elementares que obedecem às leis naturais e imutáveis da física".

Ele está errado? Claro que não.

Mas, neste contexto, neste *momento da explicação*, este não é o melhor jeito de falar sobre o mundo. Aqui é mais útil (mais coerente) falar:

O cérebro é um órgão que funciona como centro do sistema nervoso em todos os animais vertebrados (e muitos dos invertebrados), operando como uma máquina biocomputacional que evoluiu de acordo com o processo de seleção natural, sendo selecionado para que os organismos respondam de formas biologicamente mais vantajosas (garantindo maior probabilidade de sobrevivência e procriação) aos desafios impostos pela natureza.

Nota-se assim que a biologia evolutiva é mais coerente com nosso objetivo neste momento da explicação.

Podemos dizer que esta é uma perspectiva *poética* de entendimento do mundo, pois admite múltiplas formas de falar sobre ele. Formas que serão mais ou menos úteis dependendo do contexto, do momento da explicação.

•••••

Além disso, com os progressivos avanços científicos desde a Modernidade até os dias atuais, acumulam-se evidências cada vez mais contundentes daquilo que é conhecido como "naturalismo".

Essa não é uma visão nova. Ela começa na filosofia. De certa maneira, alguns pensadores pré-socráticos podem ser considerados os primeiros naturalistas do Ocidente. Aristóteles apresenta fortes características de naturalismo em seus pensamentos. O estoicismo é talvez a escola filosófica da Antiguidade que mais se aproxima do naturalismo tal como o entendemos hoje. Muitos defendem que, após a Idade Média, no século 17, o pensamento do grande filósofo Baruch Spinoza é um exemplo de naturalismo. Na pós-modernidade filosófica, Nietzsche pode ser considerado um naturalista.

Mas o que significa "naturalismo" hoje?

Por naturalismo quer-se dizer essencialmente três coisas.

Em primeiro lugar, que só somos capazes de compreender um mundo: o mundo natural. Em segundo lugar, que o mundo evolui de acordo com padrões inquebráveis: as leis da natureza. Em terceiro, que a única forma confiável de aprender sobre como o mundo funciona é observando seu funcionamento. Essa observação do mundo, no entanto, não é meramente passiva — muitas vezes, exige posturas extremamente ativas, tais como a construção de intricados experimentos para demonstrar a existência de partículas elementares, por exemplo.

Muitos grandes cientistas adotam uma perspectiva naturalista para a compreensão do mundo. As ideias de Albert Einstein, Carl Sagan, Lawrence Krauss, Leonard Mlodinow, Michio Kaku, Neil deGrasse Tyson e Stephen Hawking são, entre muitas outras, exemplos de perspectivas naturalistas.

Recomendo enfaticamente que o leitor procure textos, vídeos e livros desses grandes pensadores. Com exceção de Einstein, cujo trabalho é extremamente difícil de compreender, todos os demais são capazes de explicar de maneira não tão complexa — mas extremamente elegante e profunda — algumas das descobertas mais fantásticas, inacreditáveis e surpreendentes da cosmologia contemporânea.

Recomendo também que assistam à série de TV chamada *Cosmos*. Há uma versão antiga, apresentada por uma das figuras mais carismáticas da história da ciência, o astrofísico e cosmólogo Carl Sagan, e uma atualizada, igualmente excelente, apresentada pelo célebre Neil deGrasse Tyson, também astrofísico e cosmólogo.

Essa perspectiva de entendimento do mundo (o naturalismo), portanto, aliada à já mencionada perspectiva poética dos muitos possíveis jeitos de falar sobre o mundo, compõe uma postura filosófica chamada "naturalismo poético".

O termo naturalismo poético foi proposto pelo físico e cosmólogo norte-americano Sean Carroll. As ideias que descreverei aqui podem ser encontradas, em maior detalhe e profundidade, em sua obra chamada *The Big Picture*, lançada em 2016, e infelizmente ainda sem tradução para o português.

Alguns leitores podem estar pensando que o naturalismo poético é uma visão necessariamente ateia, ou seja, que exclui totalmente a possibilidade de Deus ou deuses.

Não é verdade.

Ainda que haja muitos naturalistas ateus, há aqueles que não acreditam em interferências sobrenaturais em nosso universo (ou seja, o universo é estritamente regido pelas leis naturais), mas que acreditam na existência de uma força superior por trás dessa complexidade absurda e maravilhosa que rege o cosmos. Esta é uma postura conhecida como deísmo.

Há aqueles, aliás, que não conseguem encontrar outra explicação para tamanha complexidade a não ser em um Deus criador. À primeira vista, visões naturalistas e fé em Deus parecem mutuamente excludentes. No entanto, existem exemplos, tanto na ciência quanto fora dela, de indivíduos que integraram ambas em suas vidas. Galileu Galilei e Isaac Newton são dois pensadores que fizeram isso.

14

O demônio de Laplace

CALABREZ: O naturalismo poético tem implicações importantes em como enxergamos o mundo. Afinal, se o mundo natural é regido por regras inquebráveis (as leis da natureza), isso significa que, conhecendo todas as leis naturais, seremos capazes de conhecer o cosmos por completo.

O matemático e físico francês Pierre-Simon, marquês de Laplace (1749–1827), propôs um experimento mental que leva essa ideia ao extremo. Segundo Laplace, se houvesse uma inteligência, um intelecto vasto o suficiente, capaz de compreender todas as leis naturais e ainda de conhecer todas as variáveis que determinam o estado do universo no momento presente, esse intelecto seria plenamente capaz de prever com exatidão os estados futuros desse universo.

Os contemporâneos de Laplace acharam o nome "vasto intelecto" muito sem graça e preferiram chamá-lo de demônio — o demônio de Laplace.

Sei que pode ser difícil apreender a ideia, então vou usar um exemplo mais palpável. O demônio de Laplace poderia ser entendido como um supercomputador. Imagine um computador capaz de resolver todas as equações existentes. Você digita uma informação (o completo estado matemático do universo neste instante). O computador faz um cálculo (a partir das leis da física). Um resultado é gerado (o estado do universo no momento seguinte, ou seja, no futuro).

Se o leitor assistiu ao filme *Matrix*, deve lembrar que o mundo dentro da Matrix era determinado por regras matemáticas pré-programadas. No segundo filme da trilogia, o protagonista Neo encontra o Arquiteto. Ele é o criador da Matrix e conhece todas as suas regras de funcionamento, todas as variáveis que determinam seu estado presente. Com isso, é capaz de fazer previsões exatas sobre tudo o que ocorrerá no futuro da Matrix. O Arquiteto é uma versão moderna do demônio de Laplace. Se o leitor não assistiu à trilogia *Matrix*, recomendo que assista — é excelente e suscita questões filosóficas intrigantes. O diálogo entre Neo e o Arquiteto é muito interessante.

Quero deixar uma coisa clara: ninguém em sã consciência, nem o mais célebre físico, nem Stephen Hawking, afirma que conhecemos todas as leis naturais — e muito menos que conhecemos todas as variáveis que determinam o estado presente do universo. Há muitas coisas que não sabemos. Há questões que *nós sabemos que não sabemos*. Provavelmente há muito mais questões que *nós nem sabemos que não sabemos*.

Sendo assim, o demônio de Laplace é um experimento mental, ou seja, um raciocínio lógico sobre um experimento impossível de realizar na prática, mas com consequências que podem ser exploradas pela imaginação (com o auxílio das ferramentas científicas que possuímos).

O demônio de Laplace nos ensina uma grande lição, amplamente aceita pelos cosmólogos contemporâneos, pois é perfeitamente alinhada aos modelos matemáticos que explicam o mundo no nível das leis fundamentais da física.

Eis a lição: o universo é determinado por leis naturais e, se conhecermos essas leis, saberemos o que determina os estados do universo. Conhecendo as variáveis que determinam um estado presente, saberemos tanto qual era seu estado anterior (precedente) quanto qual será seu estado posterior (procedente).

Essa é uma perspectiva conhecida como "determinismo", que costuma acompanhar visões naturalistas. A filosofia de Spinoza, por exemplo, é naturalista e determinista.

Determinismo significa apenas que o estado presente de um sistema é determinado pelo seu estado anterior. Conhecer o estado presente, portanto, permite conhecer tanto o estado precedente (anterior) quanto o estado procedente (posterior). A cosmologia contemporânea em geral considera que o cosmos funciona de maneira determinista.

Neste momento, muitos podem pensar duas coisas.

Primeiro: determinismo significa que não há livre-arbítrio. Falaremos sobre liberdade na terceira parte do livro.

Segundo: o determinismo busca identificar causas e efeitos do universo? A resposta é sim e não.

A ideia de causa e efeito, tão importante para a ciência (aristotélica e pós-aristotélica) não faz muito sentido hoje em dia — pelo menos não em um plano físico fundamental, ou seja, no plano das leis naturais fundamentais que regem o universo em um nível microscópico.

"Como assim, a ideia de causa e efeito não faz mais sentido? Tudo tem uma causa!"

Eu sei que essa é uma ideia um tanto difícil de engolir. Vou tentar explicar isso da forma mais didática possível. E, se você acha que a coisa até aqui está muito complicada, prepare-se: fica bem pior.

15

A direção do tempo

CALABREZ: Primeiramente, vamos definir "direção". Quando dizemos que o tempo tem uma direção, queremos dizer o seguinte: *o tempo sempre segue para a frente, nunca para trás.*

Com isso, estamos afirmando duas coisas.

Primeiro, que o passado é diferente do futuro. Direção, neste caso, implica uma diferença entre dois pontos (passado e futuro), baseando-se em uma referência (o presente).

Segundo, que essa diferença é assimétrica e irreversível. Em outras palavras, nada no futuro é capaz de mudar o passado, pois é o passado que determina o futuro. O passado tem maior influência sobre o futuro do que o futuro sobre o passado.

Vamos aplicar o conceito de direção (diferença, irreversibilidade e assimetria) ao espaço.

Imagine que você é um astronauta flutuando no vácuo do espaço, muito distante de qualquer planeta, estrela ou outro corpo celeste. Nesse lugar não há direção. Em outras palavras, não há "acima", "abaixo", "atrás" ou "à frente". É fácil aceitar essa ideia. Só haverá direção do espaço se houver um ponto de referência. "Acima *do quê*?" Como não há ponto de referência no vácuo do espaço distante, não existe uma direção pré-fixada do espaço. Sendo mais direto: flutuando no espaço, qualquer direção para a qual você apontar terá igual teor. Todas as posições são simétricas. Você não será capaz de dizer "ali é para cima, aqui é para baixo".

É óbvio que isso não acontece quando pensamos no tempo. Todos que possuem um cérebro saudável concordam sobre qual direção do tempo é "ontem" e qual direção é "amanhã". Um ótimo exemplo é a memória. Lembramos do que aconteceu ontem, mas não lembramos do que acontecerá amanhã. O futuro pode ser previsto (como fazem meteorologistas), mas não pode ser lembrado. Ir do presente para o passado é um movimento totalmente diferente de ir do presente para o futuro.

Agora vem a parte cabeluda dessa história.

Em um plano microscópico de leis fundamentais da física (como as leis de Newton, Einstein e a teoria quântica de campos), *o tempo não tem direção*. Em outras palavras, de acordo com essas leis, não existe diferença, assimetria e irreversibilidade entre passado e futuro. As leis da física tratam a direcionalidade do presente para o passado exatamente da mesma forma que tratam a do presente para o futuro.

Vamos entender essa história.

Imagine dois sistemas simples, que você provavelmente estudou na aula de física da escola: o movimento de um pêndulo e o movimento da Terra ao redor do Sol.

Ambos os sistemas são regidos por leis físicas. Apesar de invisíveis, essas leis são capazes de prever com perfeição o movimento do pêndulo e a translação da Terra. Se eu gravar um filme desses movimentos e mostrá-lo a você, garanto que você não saberá diferenciar se o filme está sendo reproduzido de frente para trás ou de trás para frente. A direcionalidade do tempo não importa para as leis que regem esses movimentos!

"Mas Pedro, é claro que existe uma direcionalidade. O pêndulo e a Terra têm uma direcionalidade. Só porque eu não consegui discerni-la ao ver o filme, não significa que não exista. Significa apenas que eu não consegui identificá-la!"

Se você pensou isso, fique tranquilo. Foi a mesma coisa que eu pensei ao deparar com essa ideia. Mas a física também tem uma resposta para isso.

Se olharmos as equações que regem os movimentos do pêndulo e da Terra, veremos que são *reversíveis*. Se revertermos a velocidade da Terra na equação, ela realizará um movimento *exatamente reverso e simétrico* em relação ao movimento contrário. Não há assimetria, não há diferença, não há irreversibilidade entre frente e trás, passado e futuro, nessas equações. E isso não acontece apenas nessas equações, mas em todas as equações da física — com apenas uma exceção.

Resumo da ópera: no nível fundamental das leis físicas invisíveis que regem o universo microscópico, *o tempo não tem uma direção*. Como eu disse, há apenas uma exceção, que estudaremos a seguir.

16

O cosmos tende à desordem

CALABREZ: Agora precisamos conciliar essa ideia radical com o que observamos em nossa vivência no mundo. Se no plano microscópico das leis fundamentais da física o tempo não tem direção, como podemos explicar o fato de que, no plano macroscópico do mundo observável em que vivemos, o tempo obviamente tem uma direção (diferença, assimetria e irreversibilidade entre passado e futuro)?

Como eu disse, a direcionalidade do tempo não existe nas leis da física. Com apenas uma exceção: a segunda lei da termodinâmica.

Esta lei observa que, em um sistema isolado, a entropia total do sistema sempre permanecerá a mesma ou aumentará ao longo do tempo. No entanto, não existem sistemas perfeitamente isolados na natureza — todos os sistemas naturais interagem em maior ou menor grau.

O único sistema isolado seria o próprio universo — se considerarmos que nosso universo não interage com outros universos, coisa que muito físico diz que acontece. Não vou entrar nessa discussão, senão fica muito complicado. Vamos aceitar, para nossa reflexão, que nosso universo é um sistema isolado.

Sendo assim, a segunda lei da termodinâmica pode ser descrita da seguinte forma: a entropia total do universo sempre permanecerá a mesma ou aumentará ao longo do tempo.

"Não entendi nada! O que diabos é entropia?"

Entropia é sinônimo de desordem*.

"Mas o que é desordem?"

Vamos seguir com um exemplo.

Quando olhamos as características macroscópicas de um sistema, sabemos que não são uma representação perfeita das características microscópicas. Muitos arranjos microscópicos diferentes entre átomos podem resultar no mesmo fenômeno observado macroscopicamente.

Para entender isso, imagine um copo com café. No plano microscópico, existem diversos arranjos possíveis entre os átomos que compõem as moléculas de café. Muitos desses arranjos irão resultar na mesma coisa quando observamos o mundo macroscópico: um copo de café. No entanto, são arranjos fundamentalmente diferentes no nível microscópico.

Em outras palavras, *uma mesma observação macroscópica pode ser fruto de muitos arranjos microscópicos diferentes entre átomos e moléculas.*

---

* Nota de Pedro Calabrez: alguns pesquisadores criticam o uso de "entropia" como sinônimo de "desordem". Uma alternativa seria "incerteza" – que também é alvo de críticas. Optei pelo termo original de Ludwig Bolztmann, que propôs a segunda lei da termodinâmica. "Desordem" é também o termo usado por Sean Carroll, autor da visão cosmológica aqui exposta.

O que é então a entropia (desordem)? É o número de arranjos microscópicos que resultam na mesma observação macroscópica. Na verdade, é o logaritmo desse número, mas isso não importa para nossa reflexão.

Pois bem, dizemos que um sistema é pouco entrópico (pouco desordenado) quando notamos que sua observação macroscópica tem um pequeno número de possíveis arranjos microscópicos entre átomos. Ao contrário, um sistema é muito entrópico quando notamos que sua observação macroscópica tem um grande número de possíveis arranjos microscópicos entre átomos.

Voltemos à segunda lei da termodinâmica: a entropia total do universo sempre permanecerá a mesma ou aumentará ao longo do tempo. Agora você entende o que isso significa: em nosso universo, o número de possíveis arranjos microscópicos que geram os mesmos fenômenos macroscópicos tende a aumentar.

Uma observação: é possível diminuir a entropia de um sistema dentro do universo. Um perfeito exemplo disso é quando esfriamos a temperatura dentro da geladeira. Mas a consequência natural é um aumento de entropia geral do universo — no caso da geladeira, será produzido calor na parte de trás, altamente entrópico.

Sei que essa ideia pode parecer abstrata e inútil. Mas ela é grandiosa, importantíssima e tem implicações radicais para como entendemos o cosmos hoje.

Vamos a essas implicações.

PRIMEIRA IMPLICAÇÃO: o cosmos está fadado ao "caos".

Caos aqui é sinônimo de "grande desordem", que, por sua vez, é sinônimo de "grande entropia".

Se a entropia em nosso universo nunca diminui, apenas permanecendo ou aumentando, isso significa que o universo, em algum momento futuro, chegará ao estado máximo de entropia. Quando o universo atingir esse nível máximo de entropia, entrará em um estado que os físicos chamam de equilíbrio. No estado de equilíbrio, não há mais aumento de entropia. Lembre-se: só há direcionalidade do tempo na segunda lei da termodinâmica. Ou seja, só há direcionalidade do tempo quando há aumento de entropia. Devido a isso, quando o universo atingir seu estado máximo de entropia (equilíbrio), *o tempo não terá mais direção*.

Hoje os dados científicos sugerem que é justamente esse o caminho que o universo está percorrendo. Obedecendo a segunda lei da termodinâmica, o universo está se expandindo e diluindo no espaço. Eventualmente, daqui a muitos bilhões de anos, todas as estrelas morrerão. Algumas se tornarão buracos negros, e todos os buracos negros (como propôs Stephen Hawking) irão evaporar. O que restará do cosmos será um grande vazio por todos os lados.* Não haverá mais aumento de entropia. Não haverá coisas. Não haverá tempo. Não haverá consciência.

* Nota de Pedro Calabrez: não estou considerando aqui a teoria dos multiversos. No entanto, é importante ressaltar que, ainda que o nosso universo tenda ao vazio, existe a possibilidade de novos universos surgirem a partir dele.

SEGUNDA IMPLICAÇÃO: o cosmos deriva de um momento de baixíssima entropia.

Se no estado de máxima entropia (equilíbrio) não existe direção do tempo, isso significa que vivemos em um universo com entropia relativamente baixa.

"Relativamente" a quê?

A um estado anterior, em que a entropia era ainda menor. E antes disso, a entropia era ainda menor...

Podemos continuar essa regressão até chegar a um momento inicial, há cerca de 13,7 bilhões de anos, quando o universo existia em um estado de baixíssima entropia. Esse momento é o Big Bang. Um momento de grande ordem (baixa entropia), mas também de grande instabilidade.

TERCEIRA IMPLICAÇÃO: é isso que possibilita que o universo, tal como conhecemos e experienciamos hoje, exista.

É graças a essa característica do universo (o aumento progressivo de entropia) que existe o fenômeno que chamamos de "tempo", tal como o percebemos no dia a dia. Ou seja, é graças a ela que o tempo tem uma direção.

Voltando à analogia anterior: aqui na superfície do planeta, conseguimos identificar perfeitamente a assimetria entre as direções espaciais "em cima" e "embaixo". Isso é possível porque vivemos próximos a um objeto de grande influência: a Terra.

De maneira análoga, só sabemos as diferenças na direcionalidade do passado e do futuro porque estamos próximos a um evento de grande influência: o Big Bang.

Como vimos, um astronauta no vácuo não terá mais noções de direção espacial. Todas as direções têm o mesmo teor, todas são simétricas. Seguindo a mesma analogia, um estado de equilíbrio não permite uma noção de direção do tempo. Passado e futuro não existem em um universo sem aumento de entropia.

Sendo assim, toda mudança física irreversível que depende da direção temporal, tal como a evolução do universo, a formação das galáxias e sistemas, o surgimento da vida, cérebros, o fato de não conseguirmos "desquebrar" um ovo quebrado... Enfim, tudo que chamamos de mundo ou de realidade — tudo isso é um processo que só pode ocorrer por estarmos em um estado de entropia progressivamente crescente, porém baixa o suficiente para permitir a complexidade do universo.

QUARTA IMPLICAÇÃO: ordem e complexidade são coisas diferentes.

O leitor pode questionar as ideias anteriores, dizendo: "Se o universo está progredindo rumo ao caos, rumo à desordem, por que existe vida? Por que existe consciência? Por que existem estrelas e sistemas solares e galáxias? Em outras palavras, por que existe tanta complexidade? Complexidade não depende de ordem?".

Já expliquei detalhadamente o que é ordem e desordem. Ordem é quando um baixo número de arranjos (combinações) entre átomos é capaz de produzir a mesma realidade macroscópica. Desordem é o oposto, quando um alto número de arranjos produz a mesma realidade macroscópica.

Complexidade é outra coisa. Entendemos por simples um sistema que requer pouca informação para ser descrito. Ao contrário, um sistema complexo é um sistema que requer muita informação para ser descrito. Ou seja, complexidade é o grau de dificuldade (quantidade de informação necessária) para descrever um sistema.

Vamos voltar ao copo de café. Suponha que eu coloque leite sobre o café, com muito cuidado, devagarinho, de modo que o copo fique dividido exatamente ao meio. Na metade de cima, leite. Na metade de baixo, café.

Vamos pensar nos rearranjos de átomos que posso fazer nesse sistema. Se eu mudar os arranjos entre as moléculas do café, ele continuará sendo café. Se eu mudar os arranjos entre as moléculas do leite, ele continuará sendo leite. Somente se eu mudar os arranjos de moléculas do café, trocando por moléculas do leite, terei uma mudança macroscopicamente visível. Por isso, esse é um sistema de baixa entropia, pois somente um pequeno número de arranjos entre átomos (trocar leite por leite, ou café por café) gera o mesmo fenômeno macroscopicamente observável (leite em cima, café embaixo). Dizemos também que é um sistema simples, pois não é difícil descrevê-lo: é uma distribuição simétrica de leite em cima e café embaixo.

Suponha agora que eu coloque uma colher no copo e comece a mexer, misturando leite com café. O que mudou? Ainda temos leite em cima e café embaixo. Mas no meio formam-se nuvens líquidas de café com leite se misturando. Continuo podendo mudar os arranjos entre moléculas de leite no topo, exatamente como antes. Também posso mudar os arranjos entre moléculas de café no fundo, também como antes. Mas agora surge algo novo. Dentro dessas nuvens líquidas onde o leite se mistura com o café, se eu mudar os arranjos, trocando moléculas de café por moléculas de leite (ou vice-versa), não fará mais tanta diferença. Em outras palavras, a entropia do sistema aumentou, pois agora existe um número maior de arranjos que resultam no mesmo fenômeno macroscopicamente observável (leite em cima, café embaixo, café com leite no meio). O sistema também se tornou mais complexo, pois para descrevê-lo eu precisaria explicar exatamente como as ondas e redemoinhos de café com leite se misturam e se diferenciam umas das outras.

Se eu continuo misturando o café com leite, a entropia continua crescendo, ou seja, o número de arranjos de moléculas que resultam no mesmo fenômeno macroscópico continua aumentando. Quando termino de misturar, o líquido fica uniforme, com a tonalidade amarronzada que todos conhecemos. Esse é o estado máximo de entropia desse sistema, pois, se eu rearranjar quaisquer moléculas de café, trocando-as pelas de leite em qualquer lugar do copo, não fará mais diferença — o fenômeno macroscópico observável continuará o mesmo (café com leite). Esse é o estado de equilíbrio do sistema. Perceba, no entanto, que o estado de equilíbrio faz com que o sistema volte a ser simples, pois precisamos de pouca informação para descrevê-lo: é uma mistura homogênea de café com leite.

Esse é um padrão observado pela física: conforme a entropia cresce, a complexidade também cresce. No entanto, quando a entropia atinge certos níveis, apesar de continuar crescendo, a complexidade começa a diminuir. É o que acontecerá com o universo.

Temos a sorte de viver em um momento onde os níveis de entropia no cosmos são baixos o suficiente para que a complexidade do sistema seja alta. Galáxias, sistemas solares, planetas, vida, cérebros, consciência e autoconsciência só são possíveis em níveis não muito altos de entropia. Vivemos na era em que o café com leite está começando a se misturar.

Conforme a entropia do nosso universo crescer, chegará o momento em que sua complexidade diminuirá, culminando com um caos altamente entrópico, mas terrivelmente simples: a vastidão vazia onde não há tempo ou quaisquer sistemas complexos. Um dia, o café com leite se misturará por completo, tornando-se homogêneo.

QUINTA IMPLICAÇÃO: causa e efeito só existem no mundo macroscópico.

Se você entendeu tudo o que eu expliquei até aqui, agora ficou fácil (ou menos difícil) entender aquilo que eu disse lá atrás: causa e efeito não fazem sentido no mundo microscópico das leis imutáveis e invisíveis da física. Afinal de contas, nesse mundo não existem causas ou efeitos. A única coisa que existe são padrões.

Um ótimo jeito de compreender essa ideia é pensar em uma sequência de números: 1, 2, 3, 4, 5 e por aí vai. Sabemos que o 3 vem depois do 2. E que o 1 vem antes do 2. Mas isso não significa que o 2 é *causa* do 3. Nem que o 1 é *causa* do dois. Nem que o 2 é *efeito* do 1. Acho que você entendeu a ideia. São padrões, são regras universais e imutáveis que regem o universo.

Causas e efeitos só existem no mundo macroscópico. Se você chegar em casa hoje e encontrar um cabrito no meio da sala, imediatamente pensará nas possíveis causas que levaram um cabrito à sua sala. Afinal, cabritos não aparecem espontaneamente nas salas de apartamentos e casas.

Suponha que, depois de encontrar o cabrito, você ligue para um amigo físico e pergunte qual foi a causa do cabrito estar na sua sala. Seu amigo responde: "A causa são as leis imutáveis e invisíveis da física".

Ele está errado? No sentido geral, não. A não ser que você acredite em algum espírito ou coisa parecida — uma entidade sobrenatural que tenha um enorme tesão em colocar cabritos na sala das pessoas. Do contrário, o que levou o cabrito à sala certamente obedeceu às leis da física.

Mas essa é uma resposta pouco útil para o momento da pergunta. No mundo macroscópico, no mundo observável em que vivemos, causas e efeitos são importantes. No mundo macroscópico, causas são descrições das circunstâncias que levaram um fenômeno a ocorrer.

Quando ocorre um crime, buscamos o criminoso — a causa do crime. Quando ocorre um erro, buscamos a causa do erro. No mundo observável em que vivemos, é perfeitamente natural (e útil, de acordo com nosso naturalismo poético) falar em causas e efeitos.

Por isso, para diversas ciências, tais como psicologia e sociologia, causas e efeitos seguem sendo jeitos úteis e adequados de falar sobre o mundo. Fenômenos psicológicos e sociológicos, por exemplo, dependem da direção do tempo.

Quando falamos sobre as leis físicas invisíveis que regem o nosso universo em um nível microscópico, causas e efeitos já não fazem mais sentido, pois não há direção do tempo. Apenas padrões. Inclusive, alguns desses padrões são, para usar o termo de Spinoza, "causa de si mesmos" — ou seja, a natureza desses padrões não pode ser concebida senão como existente.

Um exemplo clássico é a velocidade da luz. Pelos cálculos de Einstein, sabemos que nada pode viajar em uma velocidade maior do que a velocidade da luz. É matematicamente impossível. Aí, você vira e fala: "Ah, Pedro, mas essa sua matemática aí, esses números e equações e leis que os físicos descobrem... Isso aí é tudo no papel. Na realidade, a coisa é diferente!".

Pois bem, para isso existe a física experimental. Acontece que, em experimentos realizados nos grandes aceleradores de partículas que existem hoje em dia, os cientistas conseguem acelerar partículas até 99,997% da velocidade da luz — mas não mais do que isso.

Esse é um forte indicativo de que Einstein estava correto, de que esse é um padrão inquebrável do cosmos. Mas não há uma causa para isso. É simplesmente como as coisas são. Não há como demonstrar uma causa para os padrões universais inerentes ao funcionamento e à relação entre as coisas no mundo regido pelas leis microscópicas da física.

Podemos, é claro, descobrir novos padrões que explicam melhor os outros padrões. Mas, ainda assim, em seu nível mais fundamental, o universo é determinado por uma série de padrões naturais imutáveis — as leis da natureza.

•••••

Caro leitor, se você chegou até aqui e compreendeu todas as ideias, fica para trás o momento mais difícil do livro. A partir daqui as coisas serão um pouco menos complicadas.

Talvez você tenha ficado bravo com o uso dos termos "ordem/desordem", "caos" e "equilíbrio". Nesse caso, não fique bravo comigo — fique bravo com os físicos.

Tentei explicar conceitos altamente complexos da forma mais simplificada possível. Sei que para alguns essas ideias podem parecer duras, difíceis, fechadas demais. Infelizmente, não há como torná-las mais simples na forma escrita — se fizermos isso, corremos o risco de deturpá-las. Como já dito, ao final do livro há leituras recomendadas para cada seção. Vale a pena conferir.

Ainda teremos algumas ideias difíceis até o final da Parte 2. Mas, na minha opinião, nada comparado à ideia de que o tempo pode não ter direção. Então vamos lá.

17

Um pálido ponto azul

CALABREZ: O caminho que traçamos até aqui foi uma breve introdução às grandes cosmologias — concepções e visões do cosmos — da Antiguidade até hoje. Os mais importantes cosmólogos do mundo atual são físicos. A maioria das pessoas conhece nomes como Stephen Hawking e Neil deGrasse Tyson.

Por que eles são importantes? O que os torna importantes?

Considero "importância" aqui o impacto de suas pesquisas e de seus ensinamentos para a sociedade em geral e para a ciência em específico.

Descrevi há pouco uma visão naturalista do cosmos. O mundo natural evolui de acordo com padrões inquebráveis: as leis da natureza. A única forma confiável de aprender sobre como o mundo funciona é observando seu funcionamento.

Concorde ou não, o naturalismo é hoje o *modus operandi* padrão da ciência. Com isso quero dizer que *todos* os grandes paradigmas científicos que se encontram ativos são naturalistas. Sem exceção. Todas as revistas científicas de alto impacto (como *Nature* e *Science*) abordam o mundo de forma naturalista. Todos os cosmólogos importantes que mencionei apresentam visões naturalistas.

Isso incomoda muita gente. Muitos pensam que com isso a ciência está dizendo que a religião ou a espiritualidade são desnecessárias. Existem de fato cientistas que defendem essa postura.

Mas isso não me parece verdade.

O que aprendi com o naturalismo é que, ao buscar as melhores formas de falar sobre o mundo, devemos nos esforçar para que essas formas sejam coerentes entre si e coerentes com o que é observado no mundo.

Para isso, é preciso duvidar. Duvidar de tudo.

Imagine um mundo sem a postura de dúvida. Sem motivação investigadora. Sem a intenção constante de entender melhor as coisas. Sem abertura para jogar fora ideias obsoletas, adotando ideias melhores.

Sem tudo isso, ainda acreditaríamos que o Sol é o deus Rá, como fizeram os egípcios. Ou Hélios para os gregos, Tonatiuh para os astecas, e por aí vai.

Não estou banalizando a importância dos mitos. Caracterizar o Sol como um deus já foi um dia o melhor jeito de falar sobre o mundo. Os mitos dizem muito sobre quem somos e especialmente sobre quem já fomos. No entanto, falar de um deus Sol nos dias de hoje não é mais a melhor forma de explicar como o mundo funciona. Não é coerente com as observações que fazemos do mundo com as ferramentas da ciência. O Sol não é um deus. É uma estrela. Sabemos o que são estrelas, do que são feitas e como nascem e morrem.

A postura científica não busca trazer verdades absolutas. As verdades científicas são provisórias. São a melhor explicação que temos para aquele fenômeno naquele momento. Pode ser que haja explicações melhores. Se as encontrarmos, mudaremos nossa maneira de falar sobre o fenômeno. Se não as encontrarmos, continuaremos procurando.

Vivemos em um universo *repleto* de mistérios.

Os exemplos são muitos.

O universo está em expansão acelerada, e não sabemos ao certo os porquês disso. Existe uma "energia escura", ou "energia fantasma", acarretando essa expansão. Existe também um tipo de matéria que não conseguimos identificar com nenhum dos nossos recursos científicos atuais. Só sabemos de sua existência devido às "pegadas" que essa matéria deixa: a gravidade que ela exerce em outros tipos de matéria. Os cientistas chamam-na de "matéria escura". Um detalhe interessante: a energia escura e a matéria escura, somadas, representam 95% da massa/energia do universo observável.

O que ocorre dentro de buracos negros?

O que veio antes do Big Bang?

O que exatamente foi o Big Bang?

Estes e outros muitos mistérios são de deixar qualquer um perplexo. Há tantas coisas que não sabemos, tantas coisas que talvez nunca saibamos. O terreno de possibilidades aberto pela ciência é muito vasto.

Gosto muito da alegoria da "ilha do conhecimento" proposta pelo físico Marcelo Gleiser. Para ele, vivemos em uma ilha onde o conhecimento se acumula progressivamente. O oceano ao redor da ilha representa nossa ignorância. A ilha tende ao crescimento, pois acumulamos cada vez mais conhecimento conforme o tempo passa. Nosso conhecimento é cada vez maior. Consequentemente, a ilha é cada vez maior.

Acontece que, quanto maior ficar a ilha, maior será o tamanho de suas fronteiras. E isso aumentará o contato da ilha com o oceano de ignorância. Em outras palavras, o aumento de conhecimento acarreta um necessário aumento da *consciência que temos de nossa própria ignorância*. E não há fim para esse processo: nunca haverá o momento em que construiremos um computador com as capacidades do demônio de Laplace.

Talvez, quando você estiver lendo estas páginas, tenham se passado anos desde a publicação deste livro, e alguns mistérios tenham sido desvendados. Se isso tiver acontecido, estou seguro de que muitos novos mistérios terão surgido. Estamos fadados ao mistério e precisamos encontrar conforto dentro desta ideia: não somos capazes de saber tudo. Isso não é derrotismo. Admitir nossa ignorância só é triste para aqueles que têm pretensões delirantes de grandiosidade. Admitir nossa ignorância nos permite a humildade para virar a página e recomeçar, abandonando visões de mundo obsoletas ou admitindo que estávamos errados desde o princípio.

Somos limitados. Primeiramente pelas ferramentas, instrumentos e teorias do momento em que vivemos. Mas somos limitados sobretudo pela própria aparelhagem cognitiva humana. Nosso cérebro é uma máquina. Inevitavelmente há coisas que ele não será capaz de compreender.

Devemos ser humildes sempre.

Nosso Sol, fonte de nossa energia e da vida, é apenas uma entre cem bilhões de estrelas que ocupam nossa galáxia, a Via Láctea. Até 2016, os cientistas estimavam que o universo observável continha entre 100 e 200 bilhões de galáxias. Hoje, após novas observações do telescópio Hubble, esse número aumentou para 2.000.000.000.000. Isso mesmo: dois trilhões de galáxias. Lembre-se: isso é o universo observável. Há partes do universo que ainda não somos capazes de enxergar.

Mas vamos com calma, pois em 2018 será lançado o telescópio espacial James Webb — sucessor do Hubble. É incrível imaginar quais serão as novas descobertas.

Em meio a essa imensidão indescritível, em uma galáxia dentre dois trilhões de galáxias observáveis, próximo a um dos cem bilhões de estrelas desta galáxia, existe um pequeno planeta azul. Nosso jovem planeta, com 4,5 bilhões de anos. Afinal, o Big Bang ocorreu há 13,8 bilhões de anos. Nesse planeta, em um momento específico do cosmos, quando havia direção do tempo e complexidade... Naquele momento, devido a uma série de eventos altamente improváveis, surgiu algo chamado "vida". É um momento fugaz, pois um dia não haverá mais vida. Não haverá mais passado e futuro. Estrelas morrerão, e buracos negros evaporarão. Mas, nesse momento especial e passageiro, a vida é possível. Mais do que isso, a vida inteligente é possível. Consciência e autoconsciência são possíveis. Eu e você somos possíveis.

Seres humanos — uma espécie que tem duzentos mil anos. Parece muito. Mas imagine a existência do universo. Imagine todo o período de existência do universo encaixado dentro de um só ano. Um calendário cósmico. O Big Bang ocorre no primeiro minuto de 1º de janeiro. O momento em que escrevo este livro ocorre à meia-noite de 31 de dezembro. A Via Láctea é formada em 16 de março. Nosso sistema solar se forma em 2 de setembro. Sabe quando surge a humanidade? Às 23h52 de 31 de dezembro.

Duzentos mil anos parecem muita coisa para quem vive míseros cem anos. Mas são quase nada perante a vastidão do cosmos.

Em 14 de fevereiro de 1990, a sonda espacial Voyager 1 havia completado sua missão primordial: estudar Júpiter e Saturno. Em 2012, ela saiu do sistema solar. A primeira aeronave humana a entrar no espaço interestelar. Mas, em 1990, ela tirou uma foto. Uma *selfie* no espaço. Uma das mais famosas fotos da história: uma imensidão escura. Lá no meio, difícil de ver, um pontinho. Um pálido ponto azul: a Terra, fotografada a seis bilhões de quilômetros de distância.

> A essa distância, a Terra pode não parecer muito interessante. Mas para nós é diferente. Considere novamente esse ponto. É aqui. É o nosso lar. Somos nós. Nele estão todos aqueles que você ama, todos aqueles que você conhece, todos de quem você já ouviu falar, todos os seres humanos que já existiram, todos que já viveram suas vidas. A totalidade de nossas alegrias e sofrimentos, milhares de confiantes religiões, ideologias e doutrinas econômicas, todos os caçadores e coletores, todos os heróis e covardes, cada criador e destruidor de civilizações, cada rei e plebeu, cada jovem casal apaixonado, cada mãe e

cada pai, cada criança esperançosa, cada inventor e cada explorador, cada professor de ética, cada político corrupto, cada "superstar", cada "líder supremo", cada santo e cada pecador na história da nossa espécie viveu ali — nesse grão de poeira suspenso num raio de sol.

A Terra é um palco muito pequeno numa vasta arena cósmica. Pense nos rios de sangue derramados por todos aqueles generais e imperadores para que, em glória e triunfo, eles pudessem ser mestres momentâneos de uma fração de um ponto. Pense nas infinitas crueldades cometidas pelos habitantes de um canto desse pixel contra seus iguais de outro canto. Pense em quão frequentes foram os desentendimentos entre eles, em quão sedentos eles estavam para matar uns aos outros, em seus ódios fervorosos. Nossas atitudes, nossa autoimportância imaginária, o delírio de que temos uma posição privilegiada no universo são desafiados por esse ponto de luz pálida. Nosso planeta é uma manchinha solitária na grande escuridão cósmica que nos envolve. Em nossa obscuridade, em toda essa vastidão, não existe qualquer indício de que a ajuda virá de outro lugar para nos salvar de nós mesmos.

A Terra é o único mundo que conhecemos, até agora, capaz de abrigar a vida. Não há outro lugar, pelo menos num futuro próximo, para onde a nossa espécie possa migrar. Visitar? Sim. Assentar-se?

> Ainda não. Goste você ou não, no momento, a Terra é onde temos de armar morada.
>
> Já foi dito que a astronomia é uma experiência de humildade e formação de caráter. Talvez não exista uma demonstração melhor da tolice das vaidades humanas do que essa imagem distante do nosso pequeno mundo. Para mim, ela reforça a nossa responsabilidade de sermos mais gentis uns com os outros e de preservar e valorizar o nosso pálido ponto azul, o único lar que já conhecemos.

Essas foram as palavras de Carl Sagan em uma conferência pública na Cornell University, em 1994. *Pale Blue Dot* (*Pálido ponto azul*), além disso, é o título de um livro de Sagan. Uma recomendação: procure o vídeo na internet para ouvir esse belíssimo texto na voz do autor. Um gigante cujo ombro serve de apoio para que todos nós enxerguemos mais longe.

•••••

Em meio a tudo isso, eis que estamos aqui. Eu escrevendo, você lendo. Nós dois refletindo sobre todas essas coisas incríveis.

Você tem ideia de quão raro e especial é isso? Nascemos com um cérebro capaz de apreciar toda a elegância do cosmos. Um cérebro capaz de contemplar e compreender a vastidão complexa do universo. Um cérebro que consegue filosofar sobre a existência e pensar sobre si próprio, tentando entender como nós mesmos funcionamos. Um cérebro que permite, acima de tudo, que sejamos capazes de construir um mundo amanhã melhor do que este que temos hoje.

Devemos ser humildes sempre. Mas, além de humildes, devemos ser agradecidos. Isso é uma dádiva que nos foi dada pela natureza. Uma bênção — talvez a maior das bênçãos que é possível receber dentro da natureza atual. Alguns irão agradecer a Deus, outros aos deuses, às deusas ou à própria natureza. Independentemente disso, seja agradecido, leitor. Pois você está vivo e possui um cérebro que, sem qualquer sombra de dúvida, é a máquina mais complexa do universo conhecido. Se isso não é sagrado, não sei o que seria.

Eis que chegamos ao maior mistério do cosmos: como uma máquina biológica com cerca de 1,3 quilograma é capaz de fazer tudo isso?

18

Cérebro: um cosmos dentro do cosmos

CALABREZ: O estudo do sistema nervoso dos seres vivos em geral e do cérebro em específico é realizado por uma série de campos científicos que se reúnem sob o nome de "neurociências". Neurociência afetiva, neurociência cognitiva, neurociência computacional, neurobiologia molecular, biopsicologia e tantos outros.

Estudar o cérebro humano é algo que faz parte da minha rotina diária há anos. Apesar disso, toda vez que paro para pensar sobre o cérebro, volto a ficar maravilhado — da mesma maneira que fiquei quando abri um livro de neurociências pela primeira vez.

Caso segurasse um cérebro humano em suas mãos, eu garanto: você não ficaria impressionado.

Eis que temos um bolo de carne cuja massa varia entre 1,2 e 1,3 quilograma. Ou seja, pouco mais do que uma caixa de leite que compramos no supermercado. Além disso, não é muito grande: cabe na palma da mão. A textura é esquisita e difícil de descrever. Meio gelatina, meio esponja. Parece uma espécie de queijo tofu, porém muito mais firme.

Nada impressionante, certo?

Agora, pense: apesar do cérebro compor em média 2% da massa corpórea de um ser humano, ele consome cerca de 25% de sua energia. Isso significa que, apesar do seu pequeno volume e massa, o cérebro realiza algo muito importante para nós — afinal, consome 1/4 daquele que é um de nossos recursos mais preciosos, a energia.

Como todo aparelho biológico, o cérebro é composto por células. Diversos tipos de célula constituem o cérebro, mas as maiores responsáveis pelas funções cerebrais são as células chamadas neurônios.

Cada cérebro possui em média 86 bilhões de neurônios. Este é um número recente, obtido graças a estudos realizados por pesquisadores brasileiros. Antes disso, acreditava-se que o cérebro possuísse cerca de cem bilhões de neurônios. Era o número que eu usava em aulas e palestras. É o bacana da ciência: aprendemos coisas novas e abandonamos ideias obsoletas.

Os neurônios são células que recebem e transmitem informações entre elas; portanto, realizam conexões. Cada neurônio realiza em média entre um mil e dez mil conexões com outros neurônios. Essas conexões ocorrem em pontos de contato microscópicos chamados sinapses.

Vamos calcular quantas sinapses existem em cada cérebro humano. São 86 bilhões de neurônios e de um mil a dez mil sinapses por neurônio. O resultado: *entre 86 e 860 trilhões de sinapses em cada cérebro humano*. Lembra do número de galáxias no universo observável que mencionei anteriormente? Dois trilhões de galáxias, de acordo com as estimativas mais recentes. Ou seja, existe um número maior de conexões no cérebro humano do que galáxias no cosmos.

• • • • •

É comum você ver fotos de cérebros por aí. A maioria das pessoas sabe hoje como é a aparência de um. No entanto, dificilmente as pessoas param para apreciar e respeitar a foto de um cérebro.

É graças ao funcionamento do seu cérebro que você está lendo estas palavras e compreendendo o que significam. Seus pensamentos, planos e sonhos para o futuro, assim como seus afetos, memórias e experiências — tudo emerge de padrões elétricos, químicos e magnéticos fantasticamente complexos que ocorrem no cérebro. Quando seu cérebro é alterado, você é alterado.

O uso de álcool e outras drogas é um perfeito exemplo cotidiano. Há exemplos mais contundentes: uma pequena lesão cerebral é capaz de mudar totalmente sua personalidade. Isso não ocorre se você danificar qualquer outra parte do corpo. Se você já desmaiou ou passou por anestesia geral, pergunte a si mesmo: o que era o mundo durante essa experiência? Você sabe a resposta. Não havia mundo. Você teve a experiência de um mundo que se "desligou". Porque, de certa forma, a aparelhagem que produz sua experiência consciente de mundo foi "desligada". A atividade do seu cérebro é responsável por quem você é. Isso inclui a construção da realidade em que vivemos.

O mundo não é triste. Mas também não é alegre. O mundo não é difícil, belo, estressante ou amedrontador. *O mundo simplesmente é.* Uma coleção de matéria e energia dançando com a música que chamamos de "leis naturais". Os valores do mundo são produção nossa. Produção de nosso cérebro.

Um dia, saindo do trabalho, o mundo estava estressante. Depois de duas cervejas, eis que o mundo se tornou menos estressante. Veja bem: o mundo continuou o mesmo. O que mudou foi o cérebro.

Gostaria que você, leitor, da próxima vez que deparar com a foto de um cérebro humano, fizesse uma reflexão.

Aquele cérebro foi uma vida. Como a minha e a sua, repleta de altos e baixos. Houve amor, mas também houve ódio. Momentos alegres, sorrisos e risadas de doer a barriga. Tristezas, angústias, lágrimas e dias em que não dava vontade de sair da cama. Preguiça de ir ao trabalho, empolgação com uma notícia boa, saudade do abraço de alguém. Algumas certezas e muitas dúvidas. Curiosidade, reflexões profundas e indagações existenciais. Tudo isso contido em 1,3 quilograma que cabe na palma da sua mão.

Tudo o que sabemos sobre o cosmos, todas as visões de mundo que já existiram, desde a Pré-história e os mitos antigos até a física quântica contemporânea, foram produzidos por cérebros humanos. Todos os grandes pensadores dos quais falamos aqui devem suas ideias ao funcionamento dessa espetacular máquina biológica.

Nosso pequeno cérebro é um gigantesco cosmos dentro do cosmos.

Ou seria o contrário? Afinal, não existiria a ideia de cosmos se não houvesse cérebros humanos. Sendo assim, poderíamos dizer que na verdade é o universo que vive dentro desse cosmos fantástico chamado cérebro. Entendê-lo é compreender a nós mesmos. Passear pelo cérebro é visitar as raízes de quem somos. Jornada importante. Talvez essencial para uma vida plenamente humana.

19

Nascer e crescer

CALABREZ: Uma girafa consegue ficar em pé pouco depois de nascer. Os filhotes de zebra são capazes de correr 45 minutos após o nascimento. Golfinhos já nascem nadando. Em contrapartida, os seres humanos nascem frágeis. O cérebro humano nasce incompleto. O bebê da espécie humana é o mais frágil dos filhotes entre todos os mamíferos. Levamos um ano para conseguir andar. Mais cerca de três anos para articular pensamentos que permitam uma comunicação mais ou menos eficiente entre nós. Muitos outros anos mais até que possamos nos reproduzir e viver por conta própria. Nascemos totalmente dependentes das pessoas ao nosso redor. Tem gente, aliás, que leva isso muito a sério e permanece na casa dos pais por muito tempo depois dos cabelos brancos começarem a surgir.

À primeira vista, parece uma enorme desvantagem para nós.

Imagine só, nascer com o cérebro "pronto", como os outros bichos. Ou pelo menos "semipronto"! Seria incrível!

Vamos com calma.

Essa vantagem primária que as outras espécies têm sobre nós traz consigo uma tremenda desvantagem. Um cérebro que nasce "pronto" ou "semipronto" sem dúvida é capaz de se virar sozinho mais rápido. Para isso, deve ser um cérebro pré-programado, que já nasce com uma série de programações pré-inscritas.

Isso é ótimo para a sobrevivência do animal no nicho ecológico no qual ele nasce. Mas tem um preço enorme: adaptabilidade. Tire o animal desse nicho, e ele terá grandes dificuldades de se adaptar e sobreviver.

Quando foi a última vez que você viu um urso polar na floresta? Ou uma zebra nas montanhas nevadas da Noruega? Ou um caribu vivendo no deserto?

Em contrapartida, seres humanos têm uma grande capacidade de adaptação. Conseguimos sobreviver nos mais variados ambientes ecológicos. Desde ambientes terrivelmente frios, como o Ártico, até ambientes terrivelmente quentes, como desertos. Sobrevivemos na secura do cerrado e na extrema umidade da floresta amazônica. Em pressões altas, próximos ao mar (e até mesmo dentro dele), e baixas, no topo de montanhas.

Isso só é possível porque nascemos com um cérebro "incompleto" — que vem com menos coisas pré-programadas, permitindo moldar-se de acordo com as experiências às quais é submetido.

Faço um alerta.

Isso pode levar alguns leitores a lembrar da ideia de tábula rasa de John Locke. A ideia de que nascemos como uma folha em branco. Sem uma natureza, sem uma essência *a priori*.

Essa ideia é incorreta. Como todos os animais, temos uma natureza. Temos pré-programações biológicas. Somos profundamente influenciados por nossos genes. O psicólogo Steven Pinker, professor de Harvard, escreveu um livro chamado *Tábula rasa: a negação contemporânea da natureza humana*. Obra essencial para entender essa questão.

Hoje sabemos que nada é derivado somente da experiência. Assim como nada é derivado somente da biologia. Tudo é resultado da relação entre biologia e experiência.

Pense em um pianista. Ele está tocando uma belíssima sonata. Você chega para ele e pergunta: "Essa música vem de você ou do piano?".

Notamos rapidamente que a pergunta não faz sentido. A música é fruto da relação entre piano e pianista. Ambos são necessários.

A mesma coisa pode ser dita sobre os seres humanos. Nada é fruto exclusivo da nossa natureza, da nossa biologia, dos nossos genes. Por outro lado, nada é fruto exclusivo das nossas escolhas, das experiências que vivemos, do ambiente (social, cultural) no qual nascemos. Tudo é uma relação entre biologia e experiência.

Apesar de termos sim uma natureza, somos diferentes dos outros animais nesse quesito. Temos uma maior janela de flexibilidade para nos adaptarmos ao ambiente onde nascemos e nos desenvolvemos (e às experiências por ele proporcionadas). Isso envolve obviamente nossas escolhas. Somos mais livres nesse sentido. Algo que Rousseau, à sua maneira, já tinha dito.

• • • • •

Os neurônios no cérebro do bebê humano são dispersos e desconexos. Há bilhões de sinapses já formadas, é claro. Mas uma transformação está ocorrendo. Durante os primeiros dois anos de vida, os neurônios do bebê começam a estabelecer novas conexões em uma velocidade estonteante. São formadas cerca de dois milhões de novas sinapses a cada segundo no cérebro de um bebê. Aos dois anos de idade, uma criança tem aproximadamente o dobro do número de sinapses encontrado no cérebro de adultos.

Nesse momento, essa explosão de novas conexões dá lugar a um processo chamado "poda sináptica". Tal qual quando podamos uma planta, deixando-a mais enxuta, esse processo reduz o número de sinapses.

Mas quais sinapses são podadas e quais permanecem?

Sinapses que são úteis, ou seja, que participam de fato de circuitos cerebrais, são mantidas e reforçadas. Em outras palavras, tais conexões se tornam mais fortes. Sinapses não utilizadas são descartadas.

De certa forma, o cérebro que temos hoje foi lapidado a partir de possibilidades que já se encontravam nele quando tínhamos alguns poucos anos de idade. Do ponto de vista do cérebro, aquilo que somos hoje é, em grande medida, definido pelo que foi removido — e não pelo que foi adicionado, como se costuma imaginar.

Ao longo de nossa infância, nosso cérebro adapta-se para interagir de forma mais eficiente com os aspectos fundamentais do ambiente no qual crescemos. Um exemplo disso é a linguagem. Conforme somos expostos a diferentes sistemas linguísticos, nosso cérebro se adapta ao sistema linguístico predominante no ambiente. Nada impede, inclusive, que seja mais de um sistema linguístico.

Por exemplo: o cérebro de um adulto nascido no Japão e exposto ao longo dos primeiros anos de vida exclusivamente ao idioma japonês terá dificuldades para discernir os sons de "r" e "l" — que nós distinguimos facilmente no português. Isso ocorre porque esses sons não são distintos no idioma japonês.

O princípio aqui é simples. Ao nascer no Japão ou no Brasil, uma criança ouvirá e responderá igualmente aos sons de ambos os idiomas, japonês e português. Com o passar do tempo, a habilidade de ouvir sons particulares ao idioma nativo será aprimorada, enquanto a habilidade de ouvir sons diferentes do idioma nativo se tornará pior.

Mas nada impede que aprendamos novos idiomas mesmo depois de adultos. E isso não se aplica só a idiomas, mas a *qualquer tipo de aprendizado*. Existe uma grande maleabilidade no cérebro humano. Nosso cérebro é capaz de refinar suas conexões — criando, reforçando, afrouxando e abandonando sinapses ao longo de toda a vida. Essa característica de maleabilidade é chamada de "neuroplasticidade". Costumamos dizer que o cérebro é plástico. Isso quer dizer que o cérebro nunca para de se desenvolver, até nosso último dia de vida.

No entanto, há períodos mais críticos de plasticidade, quando o cérebro está mais maleável; portanto, mais sujeito a alterações e influências do ambiente. O cérebro é extremamente sensível nos três primeiros anos de vida (que incluem o período intrauterino). A partir daí, continua altamente maleável durante a infância. Na adolescência, essa maleabilidade é reduzida e, entre os 20 e 25 anos de idade, o cérebro atinge seu estágio maduro — com seus menores níveis de plasticidade, que permanecem relativamente estáveis durante o restante da vida adulta.

• • • • •

Acabamos de ver que o cérebro "incompleto" com o qual nascemos traz uma enorme vantagem em termos de adaptabilidade. Essa incompletude neural é acompanhada por duas grandes características da espécie humana.

PRIMEIRA CARACTERÍSTICA: somos um animal altamente social.

Um famoso psicólogo chamado Abraham Maslow publicou em 1943 um artigo científico no qual descrevia uma *hierarquia das necessidades humanas*. Ou seja, apontava as necessidades mais fundamentais e como as menos fundamentais se construíam somente depois que as mais básicas estivessem atendidas.

Essa hierarquia de necessidades ficou muito famosa e até hoje é utilizada por alguns professores e livros. Ela é tipicamente apresentada na forma de uma pirâmide colorida, conhecida como pirâmide de Maslow.

Para Maslow, o nível primário de motivação humana é a satisfação de necessidades fisiológicas (água, ar, alimentação, sono, descanso).

Após satisfazer as necessidades fisiológicas, o ser humano focará nas necessidades de segurança. Isso envolve segurança pessoal, segurança financeira, saúde, bem-estar, segurança contra acidentes e doenças.

Atendidas as necessidades de segurança, o ser humano guia-se para as necessidades de amor e pertencimento. Para Maslow, isso envolve amizades, intimidade, família.

Se as necessidades de amor e pertencimento estiverem devidamente atendidas, então o ser humano buscará satisfazer as necessidades de estima — que envolvem autoestima e autorrespeito.

Finalmente, quando todas as necessidades anteriores estiverem plenamente atendidas, o ser humano se dedicará a satisfazer as necessidades de autorrealização. Nesse nível, o indivíduo buscará ser o melhor que é capaz de ser, buscará expressar o seu potencial máximo. Esse potencial varia entre indivíduos e pode ser atingido nas mais diversas áreas da vida, como artes, negócios, família, etc.

O uso da pirâmide de Maslow é frequente para demonstrar as necessidades e motivações humanas. Acontece que, apesar da fama, esse modelo hierárquico apresenta um grande problema.

O problema deve-se ao fato de que somos mamíferos — e todos os mamíferos nascem relativamente incompletos. Ao nascer, mamíferos são incapazes de cuidar de si. São incapazes, inclusive, de cuidar das necessidades fisiológicas mais básicas, como alimentação e segurança.

Isso é verdade para todos os mamíferos, mas é especialmente sério para a criança humana. Como vimos, o bebê da espécie humana é um dos mais frágeis filhotes da natureza. Sem o cuidado dos pais e da família, a criança não é capaz de se alimentar e proteger-se. Não é capaz de atender às necessidades mais fundamentais da pirâmide.

Ou seja, o grande erro da hierarquia de Maslow é esquecer que, como mamíferos, *nossa principal necessidade é social*. Precisamos de pessoas para sobreviver, precisamos de apoio, carinho e segurança que só outros seres humanos podem oferecer. E não precisamos disso por capricho, por mero desejo. É uma necessidade de sobrevivência. Sem isso, morremos nos primeiros dias de vida.

A grande necessidade humana primária, a maior das nossas necessidades, é a necessidade de apoio social. Este é um fator-chave de sobrevivência — e significa que será uma grande prioridade de nosso cérebro.

Sabemos hoje que a maior prioridade do cérebro humano é pensar sobre outras pessoas. Você pode testar isso agora: tente calcular a porcentagem dos seus pensamentos que envolvem outros seres humanos todos os dias. Rapidamente você enxergará a nossa grande prioridade: a vida social.

Tudo isso está diretamente atrelado à nossa sobrevivência. Não temos chifres ou garras. Não somos fortes. Não corremos particularmente rápido. Parecemos um bicho muito meia-boca, se observarmos nossas proezas físicas.

Mas as grandes proezas humanas não são físicas: são mentais. E, como falei antes, a mente é o que o cérebro faz. Uma mente complexa só é possível a partir de um cérebro complexo.

Em termos de sobrevivência, o ser humano é fisicamente meia-boca? Sim.

Apesar disso, temos uma força: conseguimos nos unir e, por meio de uma união altamente flexível e adaptável (que naturalmente requer uma grande inteligência), resolver problemas inimagináveis para qualquer outra espécie.

• • • • •

O cérebro é formado por camadas de neurônios. A camada superior, que encobre as camadas mais profundas, é chamada de córtex cerebral. As estruturas do córtex, ou seja, as estruturas corticais, são largamente responsáveis por processos cognitivos como linguagem, pensamento abstrato e planejamento racional. São os processos que fundamentalmente diferenciam-nos de outros animais, inclusive de outros primatas.

Existe uma fina camada que encobre o córtex. É a camada mais superior de neurônios no cérebro, chamada de neocórtex, novo córtex (do grego νέος, ou *néos*). Trata-se da estrutura mais recente, evolutivamente, no cérebro dos animais. Só mamíferos possuem neocórtex.

Estudos comparativos entre primatas (incluindo o ser humano) sugerem que uma das principais razões para o aumento do neocórtex dos primatas ao longo da evolução foi justamente a necessidade de acomodar os primatas em sociedades maiores e mais complexas.

Vamos entender isso com um exemplo.

Imagine uma sociedade de primatas milhões de anos atrás. Essa sociedade, por quaisquer motivos, sobreviveu de forma eficiente. O número de membros do grupo aumentou, tornando a sociedade populosa, com uma grande quantidade de indivíduos. Os indivíduos que, por mutações genéticas aleatórias, nasceram com um maior volume de neocórtex, foram capazes de lidar de forma mais eficiente com a complexidade do ambiente — e, assim, capazes de sobreviver e procriar com maior eficácia. Esse traço (neocórtex mais volumoso) foi então transmitido para as gerações futuras. Progressivamente, um neocórtex maior foi garantindo maior sobrevivência em ambientes cada vez mais complexos.

Acontece que não há nada mais complexo do que o mundo social. Interagir com outros seres inteligentes, saber quem é amigo e quem é inimigo, aprender a conquistar aliados por meio da comunicação...

Ao que tudo indica, a vida social foi uma das principais razões pelas quais os cérebros de primatas (em especial o córtex e o neocórtex) tornaram-se progressivamente maiores ao longo da evolução. Conviver em sociedades complexas é um fator-chave de sobrevivência — mais importante na natureza atual do que atributos como força e velocidade.

Não é à toa que nenhum outro animal faz isso tão bem quanto o ser humano. Afinal, somos o animal mais inteligente da natureza observável. Atividades sociais ocupam a vasta maioria do dia a dia dos seres humanos.

Somos o animal mais social do planeta.

• • • • •

Agora que você entendeu a primeira característica humana fundamental (nossa natureza social) que acompanha um "cérebro incompleto", vamos à segunda — que é muito séria e pode ser muito triste.

SEGUNDA CARACTERÍSTICA: os primeiros anos de vida são determinantes — para o bem ou para o mal.

Em 1965, Nicolae Ceaușescu encontrava-se na posição de secretário-geral da Romênia, líder máximo do país de regime comunista. Um ano após assumir o cargo, Ceaușescu instaurou leis que baniam o aborto e quaisquer formas de contracepção em toda a Romênia. O motivo? Aumentar a população e a força de trabalho. Um "imposto de celibato" era aplicado a famílias que tinham menos de cinco filhos. Mulheres com mais de dez filhos recebiam o título de *mães heroínas*, outorgado pelo estado. Agentes especiais do governo, ginecologistas conhecidos como "polícia menstrual", inspecionavam mulheres em idade fértil para garantir que estivessem produzindo o máximo possível de filhos. Além disso, foram instauradas duras leis para dificultar o divórcio — casamentos só eram dissolvidos em casos excepcionais.

Resultado: a taxa de natalidade explodiu.

Famílias pobres, sem condições de cuidar dos filhos, abriam mão da guarda das crianças, que eram enviadas para orfanatos públicos. Conforme o número de crianças órfãs crescia, o governo construía mais e mais orfanatos.

Ceaușescu foi deposto em 1989, ano em que os orfanatos romenos acumulavam 170 mil crianças abandonadas. Nos anos 1990, a mídia ocidental teve acesso a alguns desses orfanatos. Fotos das condições desumanas em que as crianças viviam estamparam jornais pelo mundo inteiro. Os bebês tinham apenas alguns minutos de contato humano por dia, somente no momento da alimentação. O restante do dia ficavam sozinhos nos berços, sem qualquer estímulo para o cérebro. Os cuidadores eram orientados a não brincar e interagir com as crianças — acreditava-se que isso as deixaria mimadas. Quando cresciam, viviam uma vida mecanizada. Vestiam as mesmas roupas, tinham o mesmo corte de cabelo, faziam fila para usar potes de plástico como banheiro.

Esse cenário não era novidade na Europa nos anos 1960. Especialmente após o fim da Segunda Guerra Mundial, em 1945, devido ao grande número de mortes de adultos, centenas de milhares de crianças que ficaram órfãs viviam em condições semelhantes ou piores. É importante notar: milhões de crianças, mundo afora, ainda hoje são submetidas a esse tipo de realidade.

Essas crianças, com grande frequência, apresentam sérios problemas de desenvolvimento — que se estendem para a vida adulta. Os problemas envolvem principalmente o desenvolvimento social e afetivo. Um comportamento comum apresentado por crianças nessas condições é uma postura "indiscriminadamente amigável" — pulam no colo, abraçam, beijam e se apegam facilmente a pessoas totalmente estranhas. À primeira vista, parece bonitinho — mas sabemos hoje que é um mecanismo de compensação comum em crianças negligenciadas, que costuma acompanhar sérios problemas nas relações afetivas da vida adulta. Mas não para por aí: o Q. I. de crianças submetidas a essas condições é frequentemente muito abaixo da média. Estudos cerebrais demonstram que elas apresentam uma atividade neural consideravelmente reduzida.

Espero, leitor, que você tenha entendido a seriedade disso. Ao contrário do que muitos pensam, não são somente os abusos físicos que causam sérios males ao desenvolvimento de uma criança. Diversos estudos demonstram que abandono afetivo e negligência afetiva também estão associados a elevados riscos de a criança desenvolver transtornos psiquiátricos, tais como depressão e ansiedade.

Quando digo que o contato social é uma necessidade, não estou sendo leviano no uso da palavra. Significa literalmente que é necessário. Em psicologia, a "teoria do apego" (ou "teoria da vinculação") vem demonstrando desde os anos 1950 que um recém-nascido precisa desenvolver um relacionamento próximo (que envolve contato, carinho, amparo físico e afetivo) com pelo menos um cuidador primário. Sem isso, seu desenvolvimento social e emocional não ocorre normalmente.

É biológico, está inscrito em nossa natureza. Não somos tábula rasa. Dividimos essa característica com outros mamíferos — em especial os primatas.

O cuidador primário frequentemente é a mãe biológica. Mas não necessariamente. Nosso desenvolvimento cultural permite remodelarmos as estruturas familiares. Muitos têm cuidadores primários que não são a mãe, tais como pais, avós, tios. E também aqueles sem nenhum vínculo genético.

Crianças que são adotadas e removidas de orfanatos, passando a receber carinho e apoio de forma saudável, tendem a se recuperar em diferentes graus. Quanto mais nova for a criança, melhor a recuperação. Lembre-se das janelas de neuroplasticidade que expliquei anteriormente. A mais crítica, sem dúvida, é durante os três primeiros anos de vida. Não é à toa que crianças de até dois anos de idade que vivem em situações de negligência, quando acolhidas por uma família, tendem a se desenvolver normalmente. A partir daí, o tamanho do dano está associado à idade: quanto mais tarde a criança for acolhida, pior.

Mas esses casos ocorrem com crianças já nascidas. E antes disso? Qual é o papel do desenvolvimento intrauterino?

•••••

O ano era 1944. A Segunda Guerra Mundial aproximava-se do fim, e a Europa vivia um de seus momentos mais sombrios.

Durante o outono, soldados alemães bloquearam a Holanda ocidental, impedindo a entrada de combustível e alimentos. Após o bloqueio nazista, veio o inverno — um dos mais duros já vividos no país. O frio congelou a água dos canais. A comida tornou-se escassa. As pessoas sobreviviam com uma dieta de sopas ralas, ingerindo cerca de quinhentas calorias por dia. Para que você tenha uma medida de comparação, um Big Mac tem 490 calorias.

Em maio de 1945, o bloqueio foi suspenso, e a Holanda, liberada pelas tropas aliadas. Estima-se que, durante esse período, conhecido como "inverno da fome", cerca de vinte mil pessoas tenham morrido — em sua maioria idosos. Dezenas de milhares adoeceram.

Mas houve outro grupo que sofreu terrivelmente o impacto do inverno da fome: as cerca de quarenta mil mulheres que estavam grávidas naquele período. Os fetos que se desenvolviam em seus úteros não escaparam ilesos das condições a que as mães foram expostas.

Alguns dos efeitos foram imediatos: houve um significativo aumento no número de abortos espontâneos, fetos natimortos, complicações de parto e deficiências derivadas da privação de nutrientes.

Só que os efeitos não pararam por aí.

As crianças que sobreviveram até a vida adulta apresentaram maiores taxas de obesidade, diabetes e problemas cardíacos. Eram homens e mulheres com maior tolerância à glicose (precursora de diabetes), pressão arterial elevada e problemas com colesterol. O risco de transtornos psiquiátricos, como esquizofrenia, transtorno de personalidade esquizoide/esquizotípica e transtornos afetivos (depressão, por exemplo) teve aumento significativo.

O que aconteceu com esses fetos? Por que a privação de nutrientes trouxe tantos problemas na vida adulta?

A resposta em um primeiro momento é óbvia: fetos estão em um período crítico de desenvolvimento e precisam de plenos nutrientes e calorias para que esse desenvolvimento ocorra da melhor forma.

Mas existe, além da constatação óbvia, uma realidade que poucos conhecem a respeito do desenvolvimento intrauterino.

Problemas como disfunções cardiovasculares e obesidade derivam tipicamente de excessos contínuos. Sabemos bem disso: o mundo que hoje se alimenta de *fast-food* vê os índices desses males aumentarem perigosamente.

Acontece que os adultos que nasceram durante ou imediatamente após o inverno da fome não necessariamente cometiam excessos. Sem viver em excessos, tais males ainda assim surgiram. Por quê?

Ao que tudo indica, o período intrauterino é um período em que o corpo do bebê — e isso inclui o cérebro — está se adaptando ao mundo em que nascerá. A ideia é nascer o mais adaptado possível para a sobrevivência.

E como o bebê faz isso?

Capturando informações do corpo da mãe e se adaptando a elas.

Quando pensamos em desenvolvimento intrauterino, geralmente nos vem aquela ideia de colocar fones de ouvido na barriga da mãe para que o filho ouça Mozart. Mas a coisa é muito mais profunda e visceral do que isso.

Se a mãe estiver desnutrida e ingerindo baixas quantidades de calorias, o feto se desenvolverá de modo a viver da melhor forma possível em um mundo carente de nutrientes e calorias.

As crianças do inverno da fome, apesar de terem se desenvolvido em úteros famintos e desnutridos, nasceram em um mundo de abundância. O que para nós é uma quantidade saudável de calorias e nutrientes era excesso para elas, para seus corpos.

Resultado: indivíduos que viviam de maneira relativamente saudável apresentaram problemas de saúde tipicamente encontrados em pessoas que vivem em excessos contínuos.

A importância do período intrauterino de desenvolvimento é crítica. Todos sabem mais ou menos sobre o prejuízo acarretado pelo consumo de drogas — incluindo cigarro e álcool — durante a gravidez. Mas repito: a questão é profunda e visceral. *Tudo o que ocorre no corpo da mãe é vivido em alguma medida pelo feto.*

Sabemos que estresse, depressão e ansiedade durante a gravidez aumentam o risco de uma série de problemas para o desenvolvimento neurocomportamental do feto — que, por sua vez, acarretam um risco aumentado de prejuízos para a saúde ao longo da vida da criança e do adulto que será formado.

Os primeiros anos de vida são fundamentais para aquilo que seremos na vida adulta. E o período que passamos na barriga de nossa mãe não está apenas incluso nessa janela de desenvolvimento — ele é absolutamente fundamental.

• • • • •

Vimos a importância do desenvolvimento nos primeiros anos de vida.

Antes de prosseguir, quero fazer um alerta.

Cuidar de crianças não é fácil. Muito pelo contrário: é um processo chato, pentelho, cansativo. Mas tem um jeito supersimples de fazer uma criança pentelha ficar quieta: coloque um *tablet* na mão dela e dê um pacote de biscoito recheado, chocolate ou salgadinho.

Dar alimentos com açúcar para uma criança antes dos três anos de idade, do ponto de vista do cérebro, deveria ser considerado crime. O mesmo pode se dizer para sódio (sal) artificialmente adicionado aos alimentos. Depois disso, até os oito anos, mais ou menos, ainda é altamente recomendado que você não alimente crianças com açúcar artificial ou alimentos que o contenham.

Mas isso é impossível! Todos os amiguinhos da escola comem besteira!

Aqui eu lembro das palavras do meu grande amigo e médico neurologista Fabiano Moulin: "O mundo de hoje confunde o comum com o normal".

É comum crianças comerem açúcar, serem sedentárias e passarem a maior parte do tempo olhando para telas de celulares, *tablets* e computadores. É comum, mas não é normal.

A normalidade, para nosso corpo, é deturpada pela rotina atual em que vivemos.

Devido a isso, estamos criando uma sociedade doente. Os índices de obesidade infantil aumentam perigosamente. Estudos demonstram uma associação entre o uso excessivo de redes sociais e transtornos psiquiátricos como a depressão. Já existe inclusive um termo acadêmico para isso: *Facebook depression*, "depressão de Facebook". Outro exemplo: acumulam-se evidências que sugerem potenciais efeitos problemáticos para o cérebro, bem como aumento no risco de transtornos mentais, derivados do consumo excessivo de pornografia.

Lembre-se: o comum não é necessariamente normal.

Cuide do seu filho. Isso inclui carinho, amparo emocional e material. Inclui também proporcionar a ele um desenvolvimento saudável — altamente potencializado por uma alimentação adequada, atividade física regular, sono de qualidade, tempo para descansar, brincar, explorar o mundo e uma vida social ativa.

Implica também impor limites. Saber falar "não". Saber estabelecer acordos e cumpri-los. Muitos pais sentem culpa por não passar muito tempo com seus filhos. Devido a isso, são altamente permissivos. Imagine uma criança que nunca ouviu "não", que nunca teve limites impostos e exigidos, que nunca teve que postergar um prazer imediato para conquistar algo maior no futuro. Essa criança crescerá achando que o mundo lhe deve obrigações. Acreditará ser especial e melhor do que os outros seres humanos. Não suportará a dureza do mundo quando sua cara inevitavelmente bater contra um chão metafórico.

Nunca devemos esquecer que é importante cair para aprender qual é a melhor forma de levantar e seguir em frente. E só caímos quando o mundo frustra nossos passos e expectativas, colocando buracos e obstáculos em nosso caminho. Educar implica também lembrar nossos filhos dessa dura verdade.

20

Amadurecer

CALABREZ: Anos se passam. A infância e suas delícias, os mundos que cada nova interação com a realidade nos revela são deixados para trás. Desaparece a passagem lenta, muito lenta, do tempo — e com ela vão-se os dias que, quando adulto, serão lembrados como longos, compridos, duradouros. Ser criança é experimentar uma sucessão de surpresas espetaculares a cada interação com coisas que na vida adulta consideraremos banais.

Conforme crescemos, parte do mundo se apequena, pois nossa imaginação é apequenada. Em grande medida por uma educação castradora. Mas também por um cérebro que se desenvolve. Memórias são formadas mediante novidades, quebras de expectativas e eventos emocionalmente marcantes. Tudo isso é cada vez mais raro ao adentrarmos a maturidade. Conforme crescemos, outra parte do mundo se abre, e a tão sonhada liberdade nos acolhe, fria e amedrontadora, trazendo-nos também sopros de leveza e encanto.

Crescemos.

Chegamos àquela fase terrível da vida humana: a adolescência. Terrível primeiramente para os pais. Os estudos mostram que essa é a fase que dá mais trabalho. Não só isso: é na adolescência dos filhos que despencam os níveis de satisfação do casal em relação ao casamento.

O pai ou a mãe de um adolescente provavelmente responderia: "Não preciso ser cientista para saber disso!".

Imagino.

Mas, além de angustiar os pais, a adolescência é um período muito difícil também para os jovens.

Impõe-se a nós uma questão: o que diabos acontece no cérebro dos adolescentes para que eles sejam... ora, para que sejam tão *adolescentes*?

Perceba, leitor, que adolescente virou adjetivo. Mas não estou falando do seu uso para designar uma fase da vida. Não, adolescente serve para designar um certo tipo de comportamento — um conjunto de atitudes, uma certa postura perante o mundo e as pessoas.

"Você está agindo como adolescente!", diz a esposa ao marido que, por quaisquer motivos, cometeu uma imprudência.

Vamos entender essa história.

• • • • •

Quando entra na adolescência, o corpo do jovem passa por um período de grandes mudanças. Enxurradas de hormônios alteram sua aparência, construindo progressivamente as características do corpo adulto. No cérebro, mudanças invisíveis marcam um momento de transformações de considerável importância. Tais mudanças alteram de forma contundente quem somos e nossas relações com o mundo e outros seres humanos.

O início da puberdade traz um segundo desabrochar de novas células e sinapses, criando novas estradas pelo cérebro. Esse momento é seguido por cerca de uma década de uma nova poda sináptica — na qual o cérebro reforça as estradas úteis e descarta as conexões fracas e pouco utilizadas. Tais mudanças ocorrem especialmente no córtex pré-frontal, já mencionado. Devido a isso, o volume do córtex pré-frontal diminui cerca de 1% ao ano durante a adolescência.

A primeira consequência é o surgimento de uma nova experiência de *self*, de *eu psicológico* no adolescente e, com isso, uma experiência cada vez mais profunda de autoconsciência.

As estruturas mediais (do meio) do córtex pré-frontal (CPFm) tornam-se ativas quando pensamos sobre nós mesmos, especialmente quando pensamos na significância e impacto emocional de uma situação perante nós. Ao nos tornarmos adolescentes, o CPFm fica cada vez mais ativo diante de situações sociais, com os níveis máximos em torno dos 15 anos de idade.

O resultado é conhecido por todos que já foram adolescentes: nesse período, as situações sociais têm um enorme peso emocional, com respostas de estresse marcadamente intensas quando somos expostos a outros seres humanos — especialmente aos que admiramos ou que são importantes em nosso grupo.

Isso deriva de uma experiência nova e impactante do "eu psicológico", que leva o adolescente a uma grande preocupação com o que os outros pensam dele. O cérebro adulto, adaptando-se a esse "eu psicológico", tende progressivamente a preocupar-se menos com o olhar de terceiros. No adolescente, no entanto, isso é uma novidade, tomando grande importância.

Além disso, as estruturas de recompensa (motivação e prazer) apresentam um aumento de ativação no cérebro adolescente — uma ativação equivalente à dos adultos. No entanto, as estruturas dorsolaterais (à frente e ao lado) do CPF, necessárias à capacidade de controlar impulsos e frear emoções, demoram a amadurecer, estando "adultas" somente aos vinte e poucos anos de idade. Em outras palavras, o adolescente tem um sistema de recompensa (prazer e motivação) adulto que convive com uma capacidade infantil de frear impulsos e emoções. Como resultado, o comportamento adolescente tende a ser mais arriscado, especialmente perante coisas que proporcionam prazer — como drogas, sexo e aventuras.

Empresas de seguro automotivo não precisaram da neurociência para perceber isso. Os custos de seguro para jovens são há décadas mais elevados do que para adultos.

Finalmente, estudos mostram que, no cérebro adolescente, estruturas envolvidas em considerações de ordem social (como o CPFm) estão mais fortemente conectadas com outras circuitarias cerebrais responsáveis por transformar motivações em ações (o corpo estriado e seus circuitos). Isso tem levado pesquisadores a sugerir que é por isso que o comportamento de risco de adolescentes tende a ser mais provável quando eles estão próximos dos amigos e especialmente de membros relevantes do grupo social.

O amadurecimento do cérebro adolescente só se dá por completo entre os 20 e 25 anos de idade. Tenho certeza de que muitos adultos que estão lendo estas palavras já pensaram: "Quando era adolescente, eu era meio idiota...".

Agora já sabe: sim, você era — e eu também!

Brincadeiras à parte, acho errado chamar de idiotice. Afinal, não se trata de uma livre escolha, mas de um cérebro que se desenvolvia e nos inclinava a certos padrões de tomada de decisão marcadamente diferentes daqueles tipicamente apresentados por adultos.

Não quero com isso dizer que adolescentes não são livres para escolher os caminhos que percorrem na vida. Como já disse: nada é só biologia. No entanto, é impossível compreender a adolescência sem entender as características biológicas do cérebro nesse estágio de desenvolvimento. É seguro dizer que, em média, um adolescente não tem as mesmas faculdades decisórias de um adulto. Haverá exceções, é claro. No entanto, por definição, exceções não compõem a maioria dos casos.

• • • • •

Muitos pensam que, após os 25 anos, quando as revoluções neurais que marcaram a adolescência chegam ao fim, o cérebro está "pronto". Com isso acreditam que não haverá mais alterações durante a vida adulta. Esta foi uma perspectiva adotada inclusive por cientistas décadas atrás.

Hoje sabemos que o cérebro permanece mudando e tomando novas formas ao longo de toda a vida. Isso é fundamental para compreendermos as mudanças da vida adulta e sobretudo para a compreensão de que nunca ficamos "prontos". Como veremos, isso tem sérias implicações para nosso bem-estar e saúde.

Em 2006, um estudo investigou o cérebro de motoristas de táxi em Londres. Ao leitor que nunca visitou Londres é importante ressaltar que, apesar de ser uma cidade interessantíssima, suas ruas são um verdadeiro labirinto. Trata-se de uma das coleções de vias urbanas mais complexas do Ocidente.

Para receber a licença para trabalhar como taxista, os candidatos devem passar por um rigoroso teste chamado *Knowledge of London* (conhecimento de Londres). Para você ter uma noção de quão difícil é esse teste, o treinamento preparatório dura quatro anos. Os aspirantes a taxista devem memorizar as vias de Londres e todas as suas combinações — cobrindo 320 rotas diferentes pela cidade, 25 mil ruas e avenidas e 20 mil pontos de interesse, como patrimônios históricos, hotéis, delegacias, etc.

O resultado do estudo não é de surpreender. O cérebro dos taxistas apresentou maior volume (em relação a não taxistas) em uma estrutura chamada hipocampo. Sabemos há bastante tempo que o hipocampo é muito importante para o sistema de memória do cérebro — e isso inclui a chamada memória espacial, ou seja, nossa capacidade de lembrar de lugares no espaço, como endereços e a localização do carro no estacionamento do *shopping*.

Este é apenas um exemplo de como nosso cérebro cria novas estradas ao longo da vida. Os aspirantes a taxista começam a jornada de conhecimento das ruas de Londres na vida adulta — e ainda assim notamos alterações profundas em seus cérebros.

•••••

Isso me leva ao ponto mais importante desta discussão: a forma como conduzimos a vida.

Conforme amadurecemos, nosso corpo muda. O metabolismo é progressivamente reduzido, e isso faz com que comer uma pizza inteira, como fazíamos na adolescência, tenha consequências mais sérias e possa acarretar aquilo que os cientistas chamam de "aumento da pança".

Nossas responsabilidades aumentam e com elas o número de atividades entre as quais temos que distribuir nosso tempo. O aumento de estresse surge como uma consequência.

As mudanças ocorrem também no cérebro. A vida adulta traz uma redução considerável de novidades. Com isso, o tempo parece passar mais rápido. Olhamos para trás e dizemos com frequência: "Nossa, já estamos em dezembro, nem vi o tempo passar!".

Com o peso das responsabilidades da vida adulta e a redução dos hormônios que nos mantinham enérgicos, vigorosos e cheios de vitalidade na juventude, vem uma grande preguiça — de tudo. Preguiça especialmente de encarar coisas que nos desafiem, que nos obriguem a gastar energia.

Dois exemplos óbvios: aprender coisas novas e praticar atividade física regular.

Para explicar o grande problema disso tudo, vou usar o exemplo da doença de Alzheimer, tão conhecida e temida. Doença fatal e extremamente difícil, não só para o paciente, mas também para as pessoas que assistem ao esvaziamento gradativo da personalidade, das memórias, das tomadas de decisão e, finalmente, da vida de um ente querido.

Observe este dado com muita cautela, leitor:

Um grande estudo realizado pela organização Alzheimer's Disease International estimou que, entre 2015 e 2050, o aumento proporcional do número de pessoas que sofrem com demências em seis dos sete países que compõem o G7 (Alemanha, Canadá, Estados Unidos, Itália, França e Reino Unido) será de 104%. Nos países que compõem o G20 (que inclui o Brasil) esse aumento será de 196%. No resto do mundo, o aumento chegará a 247%. Alguns estudos sugerem que em países desenvolvidos (não necessariamente os mais ricos), como Escandinávia e Japão, o número de casos diminuirá no futuro.

O que isso significa?

Significa que demências, fruto de doenças como Alzheimer,* não são completamente inevitáveis. Pelo contrário: países mais ricos conseguem promover uma melhor saúde do cérebro, reduzindo a prevalência desse tipo de doença — que, infelizmente, ainda cresce proporcionalmente com o tempo.

Imagine um adulto entre os 30 e 40 anos de idade. Podemos considerá-lo jovem, obviamente. É nesse momento que começa o acúmulo de certas proteínas no cérebro. Mais

* Nota de Pedro Calabrez: a doença de Alzheimer é hoje a maior responsável pelas demências no mundo.

tarde esse acúmulo resultará em uma progressiva e irreversível morte de neurônios. A consequência é a doença de Alzheimer.

Existe sim um determinismo genético na doença de Alzheimer. Mas gostaria de lembrá-lo, leitor, do que eu disse antes: nada é somente genética e biologia, assim como nada é somente ambiente e experiências.

Parte da doença de Alzheimer é sim responsabilidade do indivíduo e também da sociedade na qual ele viveu e fez suas escolhas.

Vamos a alguns exemplos.

Aprender um segundo idioma pode retardar o surgimento da doença de Alzheimer em até cinco anos.

Por quê?

Uma segunda língua é literalmente uma ressignificação do mundo inteiro dentro do nosso cérebro. Mesa não é mais só mesa. Agora é mesa e *table*. Maçã não é mais apenas maçã. Agora é maçã e *apple* — e por aí vai.

Ser bilíngue é uma ótima forma de criar novas estradas no cérebro — e eis aqui o ponto-chave: criar novas estradas no cérebro é uma das melhores formas de mantê-lo saudável, ativo e funcionando bem.

Posso dar outros exemplos: um engenheiro que aprende poesia, um ator que aprende matemática, um neurocientista que aprende filosofia, um contador que aprende pintura...

Acho que você entendeu. Estradas novas. Linguagens novas.

•••••

Certa vez uma aluna chegou para mim e disse: "Professor, não quero mais homem que malhe o corpo! Quero um homem que malhe o cérebro!".

Virou questão de prova. Aponte o erro na frase da aluna.

O erro é tão óbvio que muita gente não percebe. O cérebro faz parte do corpo, assim como seu dedão, fígado e nariz. Temos, no entanto, uma ilusão de que corpo e cérebro são entidades separadas. Por consequência, acreditamos que o mesmo ocorre entre mente e cérebro. Este é um erro terrível para a saúde do nosso cérebro — e, por consequência, da mente — ao longo da vida. Lembre-se da frase que já foi repetida mais de uma vez neste livro: a mente é o que o cérebro faz.

O perfeito exemplo disso é a atividade física regular (pelo menos três vezes por semana). Sabemos hoje que essa prática é uma das melhores formas de prevenir episódios depressivos. Além disso, é extremamente eficiente para combater ansiedade e tantos outros transtornos mentais. Não é surpreendente saber que pessoas fisicamente ativas ao longo da vida têm uma chance reduzida em até 50% de desenvolver a doença de Alzheimer.

A dieta do Mediterrâneo, tão famosa e estudada pela ciência, que alimentou todos os grandes pensadores gregos, reduz de forma significativa, em mais de 30%, as chances de desenvolver a doença de Alzheimer.

Sabe qual é a pior dieta possível para o seu cérebro (e coração)? Aquela na qual comemos muita carne vermelha e muito carboidrato simples. Vou dar um exemplo disso: arroz, feijão, bife e batata frita. A alimentação do brasileiro é muito pouco saudável, ao contrário do que as pessoas costumam pensar.

Outra coisa importante para a saúde do cérebro e extremamente negligenciada: o sono. Sabemos hoje que dormir é crucial para a manutenção da saúde do cérebro. Dormir mal mata.

Com isso tudo, quero dizer que o amadurecimento do cérebro até o final de nossa vida está, em certa medida, em nossas mãos. Em cada *fast-food* que você come em vez de salada e legumes. Em cada bife de carne vermelha em vez de peixe ou proteínas vegetais. Em cada preguiça que o faz ficar no sofá em vez de ir correr no parque ou malhar na academia. Em cada vez que você escolhe interagir com coisas com as quais já está acostumado em vez de aprender coisas novas. Em cada noite que você escolhe ficar trabalhando em vez de deitar e descansar seu cérebro...

Um Big Mac de cada vez, uma noite mal dormida de cada vez, um dia no sofá de cada vez — e você está condenando seu cérebro a um risco muito maior de adoecer e, em última instância, de morrer.

• • • • •

"Mas eu não tenho tempo!"

Esta é uma das frases mais proferidas por adultos mundo afora.

Imagino, leitor, que você tenha 24 horas dentro do seu dia. É o mesmo tempo que eu tenho, e todos os outros seres humanos do mundo têm. A frase "não tenho tempo" é um autoengano muito comum.

Diga a verdade: "Não é minha prioridade!"

Obviamente, temos pessoas que não têm condições mínimas de dignidade e saúde. Pessoas que dependem de dois ou três empregos e muitas longas viagens em transporte público para colocar comida na mesa da família. Essas infelizmente não têm como priorizar a própria saúde — e muito menos a aquisição de conhecimento. Temos que melhorar outras condições sociais e econômicas muito mais fundamentais para dar-lhes melhores oportunidades. Não é uma questão de livre escolha.

Acontece que, curiosamente, não ouço "não tenho tempo" dessas pessoas. Quem costuma dizer isso são executivos e empresários, por exemplo. Pessoas que deliberadamente escolhem trocar a saúde e o convívio com as pessoas amadas por um punhado de dinheiro que no futuro provavelmente servirá para pagar despesas hospitalares.

Hoje é cada vez mais comum pessoas com quarenta e poucos anos de idade, essas que falam "não tenho tempo", sofrerem ataques cardíacos. Quando sobrevivem, o médico diz: "Ou você muda sua rotina, se alimentando melhor e se exercitando, ou você vai morrer".

Quando sai do hospital, no dia seguinte, a pessoa está às 7h na esteira da academia. No almoço, um pratão de salada, com muitos grãos integrais e filé de peixe.

Parece que agora ela passou a ter o tempo que antes não tinha. Mas sabemos que não é isso. A saúde apenas se tornou uma prioridade.

•••••

A morte é inevitável. O caminho que trilharemos até lá, nem tanto. Nossas escolhas esculpem um cérebro melhor ou pior para suportar o amadurecimento e os anos que se passam. Podemos viver — e morrer — com um pouco mais de saúde. Um pouco mais de dignidade e liberdade. Afinal, doenças aprisionam. Tolhem a vida e a possibilidade de ser aquilo que desejamos.

Mas a morte, ela mesma, é difícil. O que dizer sobre ela? O cérebro deixa de funcionar. Não há mais atividade neuronal.

Confesso: a morte me apavora. É meu maior medo. Por isso, busco viver. Por isso, a filosofia.

21

A morte

CLÓVIS: Eu costumo perguntar nas minhas aulas: "Você se lembra de ter sofrido antes de nascer?". E a resposta é óbvia: "Claro que não!".

Não há memória, nem de sofrimento e nem de nada, porque a memória é sempre de experiências e não há experiências antes da vida.

Ora, se é assim, por que temer a morte?

O medo da morte é sempre em vida, é coisa da vida, é coisa de quem tem medo. A morte é o nada, e no nada não há nem vida, nem sofrimento. Como temer uma situação sem sofrimento? Parece haver uma simetria entre o que havia antes de nascer e o que haverá depois de morrer. É o que sugere o filósofo romano Lucrécio, que filosofou em um lindo poema em latim, *De Rerum Natura*, que significa "a natureza das coisas". Veja o que Lucrécio diz: "Lembre-se agora e considere como as eras de eternidade que decorreram antes do nosso nascimento foram nada para nós. Aqui, então, é um espelho em que a natureza nos mostra o tempo a vir depois da nossa morte. Vê algo de terrível nele? Percebe alguma coisa sombria? Ele não parece mais sereno do que o mais profundo sono?".

Bem, o argumento estabelece uma singularidade entre a não existência pré-natal e a não existência pós-morte. Ambas são simplesmente estados em que não existimos. Lucrécio observa ainda que não tememos o tempo anterior ao nascimento — aquele em que não existimos. Assim, o tempo depois da morte justifica um afeto similar.

Meu amigo, sempre poderíamos pensar que não é exatamente igual, não é? Afinal de contas, antes de termos nascido não tínhamos passado pela vida. Então a morte é sempre o fim. Uma perda. E aí acho que não há uma comparação possível entre o que existia antes de viver — quando não sabíamos o que é viver — e o que existirá depois de morrermos. Porque, se a vida foi boa, seu fim é sempre lamentável. Portanto, continuo pensando o que sempre pensei: morrer é muito ruim quando põe fim a uma existência alegre, mas não é tão ruim assim quando põe fim a uma vida de sofrimento.

• • • • •

É muito difícil falar sobre a morte desde uma perspectiva da filosofia — quando morre alguém querido ou quando morre alguém contra quem não temos muita coisa — porque a filosofia surge para dar conta de um problema que é justamente a finitude. E o problema não é a finitude da existência, mas sim o medo dela.

Imagino que para muitos a ideia de não haver sofrimento antes do nascimento significa que tampouco deva haver sofrimento depois da morte. E, se algo há depois da morte, sobre isso nada tenho a dizer. Ou talvez o que eu tenha a dizer é que torço muito para que exista algo muito bom depois da morte, mas tenho receio de que isso coincida muito com o que eu gostaria que acontecesse. E, quando tomamos por verdadeiro aquilo que gostaríamos que acontecesse, a isso chamamos de ilusão.

Então, eu preferiria dizer que para quem morre é apenas uma interrupção que leva ao fim de uma existência e ao fim de uma consciência de si. Naturalmente que o lamento é pela vida não vivida, mas a vida não vivida não é nada para quem morre. Não há condição de refletir sobre o que poderia ter sido, mas não foi para quem morreu; portanto, a morte em primeira pessoa é simplesmente nada.

As ideias de que nunca encontramos a morte porque ou estamos e a morte não está, ou a morte está e nós não estamos — que são a reflexão clássica dos estoicos estilo Sêneca — são simpáticas do ponto de vista da poesia, mas em nada refrescam o nosso medo de morrer. Eu, pessoalmente, penso que o que aumenta muito a angústia, a tristeza diante da morte é uma individuação, uma singularização exagerada de cada um de nós. Em outras palavras, se nos considerássemos mais parte de um todo que permanece e menos uma individualidade autônoma, a morte seria menos cruel.

Imagine bonequinhos de madeira perfilados um ao lado do outro e inertes. Imagine então um saco de um pó qualquer que você espalha em cada um deles, e, à medida que espalha, os bonequinhos são dotados de uma energia de existir que lhes permite movimentar-se, pensar, falar. O mesmo pó colocado em um bonequinho também é colocado no outro e no outro, e assim talvez fique claro que a energia que me faz viver é da mesma índole, da mesma espécie da energia que o faz viver.

Poderíamos chamar esse saco com pó de Deus, se você quiser. E também poderíamos imaginar que todo o pó que estava no saco já está espalhado nos bonequinhos de madeira e também nas plantas, nos animais e em tudo que vive. Em determinado momento o efeito desse pó se esgota, e então o que há é um resgate daquilo enquanto pó que será espalhado em outras coisas, permitindo-lhes existir também. Gera-se assim uma espécie de ciclo: parte do pó está espalhado, parte está voltando para o saco para ser posto em outras coisas, e permanentemente há pó sendo distribuído para que a inércia vire vida.

Assim, o fim do pó numa determinada unidade desse coletivo é uma espécie de piscar de olhos do funcionamento do todo. É como se você estivesse assistindo televisão e, por um centésimo de segundo, houvesse uma queda de energia. É uma ligeira turbulência no andamento do todo, de tal maneira que poderíamos dizer também que o tempo todo haverá pó espalhado e pó sendo resgatado para nova colocação. Fica evidente que o pó vai e volta. Esse pó que é Deus, que é toda a energia — energia que vai e que vem, que aumenta e que diminui.

Esses bonequinhos interagem entre si, e a energia aumenta um pouco aqui, diminui um pouco lá. Às vezes, a planta morre, perdendo sua energia para que o bonequinho a coma e aumente a sua. E o animal também.

Se você pensa assim, talvez tenha expectativas mais justas sobre o que significa viver. Eu lhe recomendaria pensar sobre as condições do nosso nascimento. Você deve ter aprendido na escola que são trilhões de espermatozoides e que um deles acerta o alvo. E esse é você. Na verdade, a improbabilidade começa já na fecundação, e, não sei por que, ao longo da vida esquecemos dessa improbabilidade, a de permanecer vivo. A vida requer que um monte de coisas dê certo, mas basta que alguma delas comece a falhar e a chance de a vida acabar é muito grande.

Ao longo da vida, pela convivência com os outros, somos levados a acreditar que pelo menos até os oitenta anos vai. E essa é a desgraça, porque, quando alguém morre aos 49, pensamos que ficaram faltando 31. O erro está na expectativa, não na morte. O que é surpreendente é que o homem não tenha percebido que o erro é de estimativa, não de fim da existência. O fim da existência é um dado mais do que previsível, mais do que lógico, mais do que normal.

Na verdade, o sofrimento decorre de um erro. Se a cada dia nos convencêssemos de que continuar vivo é um mistério, uma improbabilidade, uma raridade, e que cada novo dia vivido, longe de ser uma obviedade, uma certeza, é o contrário disso, é o resultado de uma coincidência incrível de fatores que podem deixar de acontecer a qualquer momento, duas coisas: primeiro, nos surpreenderíamos menos com a morte e, segundo, valorizaríamos a vida em todos os seus instantes.

Um exemplo: no momento em que escrevíamos este livro, caiu o avião do ministro do Superior Tribunal Federal (STF) Teori Zavascki. Infelizmente não houve sobreviventes.

Eu, como todos os brasileiros, fiquei estarrecido com o fato de alguém tão guerreiro — e isso independentemente de qualquer preferência da minha parte —, tão confiante em si, tão batalhador, com família grande, morrer desse jeito. Não há como alguém como eu, nos meus 51 anos, que de um tempo para cá está a cada dia em um lugar, lutando para levar minha fala, minhas ideias e com isso tentando contribuir para a vida das pessoas, muitas vezes pegando esses bagulhos que voam de forma insegura, não se colocar no lugar dos que morreram no acidente. Mas talvez eu seja vítima do mesmo erro de expectativa que tanto denuncio. Até porque uma coisa é o discurso filosófico, outra é a nossa vida, muito parecida com a de qualquer um.

Vamos juntos então aproveitar cada reflexão, desfrutar de cada momento, porque vai que um dia essa improbabilidade falseie. Vai que um dia a regra do desacerto imponha o seu jugo. E aí, bom, terá sido o que foi e terá valido pelos segundos de riso e de compartilhamento.

• • • • •

A morte não é ruim por ela. É ruim enquanto expectativa. Lembro de, quando criança, perguntar a meu pai se, quando morrêssemos e ficássemos no caixão, ele seria escuro mesmo, se não seria angustiante fechar a tampa e ficar lá dentro. Meu pai respondia que não nos daríamos conta disso. É que a ideia de dormir implica em depois acordar, mas, no caso da morte, não vai acordar mais. Acabamos sempre nos distraindo com esse tipo de conversa, pois é interrompida, pede-se uma pizza e finge-se que está tudo certo.

Mas os estoicos realmente acreditavam que a morte é uma bobagem porque fazemos parte de um bagulho bem legal. O problema do medo da morte é acreditar que você vale por si mesmo. Quando entende que você é parte de uma coisa que não acaba nunca, você fica tranquilo porque vai continuar participando, pois, como já citei, parte de você poderá virar uma maçaneta ou qualquer outra coisa.

Não sei se, para humanos como nós, essa reflexão satisfaz. Chamamos de salvação para diminuir o medo da morte. Você dizer que não tenho que ter medo de morrer porque vou acabar virando combustível ou testículo de javali, ora, francamente, é um discurso meio fraquinho para me entusiasmar. Entre virar testículo de javali e ficar em um caixão escuro eternamente, sinceramente, não sei o que é melhor.

Os estoicos acreditavam que vencer o medo da morte poderia ser conseguido por intermédio de alguns estratagemas que facilitam a compreensão de que você participa de uma engenhoca que é eterna e que, portanto, você é um fragmento de eternidade. Assim, a morte não é nenhum problema.

Uma das perspectivas que eles nos dão é a descendência, e você enxerga nos filhos um pedaço de você, seja no jeito, no olhar, na orelha, no tamanho, na maneira de falar. Fica claro que ir de pai para filho garante alguma eternidade a você.

Olha, vamos combinar, esses caras são bem legais, a iniciativa deles é boa, dizer que não devo temer a morte porque minha filha tem olhos da mesma cor que os meus é bem simpático, agradeço a iniciativa, mas é de um poder de fogo tão chinfrim que chega a constranger.

Existem outras maneiras de tentar quebrar esse galho e entender que você ganha uma eternidade.

• • • • •

Vamos falar da segunda perspectiva dada pelos estoicos para vencermos o medo da morte. Olha só que dica show de bola: torne-se um herói. É isso mesmo, torne-se um herói. Você não leu mal. E sabe por quê? Porque, se você se tornar um herói, continuarão falando de você mesmo depois da sua morte. E aí será como se você não tivesse morrido porque você continua vivo nas narrativas. E, se essas narrativas forem escritas, o seu nome figurará nas páginas dos livros, dos jornais e das revistas, e você definitivamente não terá morrido. O caixão, o velório, o enterro serão uma ilusão. Você estará vivo nas bibliotecas, vivo na leitura de todos que se interessarem pela sua história. Não é bem legal?

Hannah Arendt, uma grande pensadora do século 20, cuida exatamente disso em um texto chamado "A crise da cultura", no qual diz: "O herói é como se não tivesse morrido porque, através da escrita, ele ganha uma espécie de sobrevida, uma espécie de eternidade".

Bem, estou tentando me esforçar aqui, e é claro que falam de mim. Se falarem mal não tem problema porque a sobrevida está garantida. Não precisa falar bem. Acho que conseguir que falem mal é mais fácil do que conseguir que falem bem. Então não precisa ser, assim, um herói. Basta ser alguém lembrado. Pode ser um tremendo de um canalha. Se figurar nos livros depois que morrer, vale do mesmo jeito. Acho sinceramente que é por aí.

De qualquer maneira, essa foi a decepcionante reflexão do momento. Vamos combinar, querer me convencer de que não tenho que temer a morte porque depois que eu morrer continuarão falando de mim, lendo sobre mim nas narrativas escritas, ora, me poupe.

• • • • •

Para quem tem 15, 20 anos de idade, o medo da morte não assombra. Mas, passou dos 50, nossa! O cálculo que dá para fazer hoje, aos 50, é o seguinte: "Até os 70 dá para garantir, afinal, a medicina evoluiu", pensa o tonto. "Se jogar na sorte, dá até os 80".

Só que vida com força vai ser dos 50 aos 60. Faltam dez anos. E sabe o que são dez anos? Não são nada. Depois dos 60, já não funciona mais porra nenhuma. Aliás, cá entre nós, já nos 50 o funcionamento é bem no esquema do pisca-pisca: hora funciona, hora não funciona. A vista hora funciona, o ouvido hora funciona — eu sou surdo, uso retorno durante as palestras para poder me ouvir. Vixe! Lombar, ciático, e o sexo então? Precisa de uma combinação cósmica mesmo para haver algum tipo de garantia.

Os estoicos têm toda a razão de pensar no assunto. Eles falaram da descendência, do heroísmo. E têm uma terceira saída: quando você se ajusta na ordem cósmica, você vive o presente, e isso é uma promessa interessante. Aquele instante vale por ele mesmo, existe uma reconciliação com o mundo, de tal maneira que você não se vê obrigado a pensar no que já aconteceu, o que chamamos de passado — porque ele não existe a não ser enquanto memória, lembrança ou pensamento do já ocorrido —, e também se vê desobrigado de pensar no que vai acontecer, porque o real basta. E é bem assim mesmo.

Quando está fazendo caça submarina no Mediterrâneo, a beleza daquela paisagem faz com que você queira que aquilo se eternize, aquilo vale por si só, é maravilhoso, não há como pensar em outra coisa. Eu, como nunca fiz caça submarina, muito menos no Mediterrâneo, usei este exemplo só para os que estão lendo poderem imaginar.

Há certas situações que são espetaculares, como uma linda mulher desnuda. Nessa hora você vai pensar no passado ou no futuro para quê? O que você quer é apalpá-la, seduzi-la. Quando o real é espetacular, não tem passado nem futuro.

Eu, por exemplo, adoro mocotó. E tenho um amigo, Chico, que prepara um mocotó espetacular; quando eu provo o mocotó que ele faz, a minha mente pensa no mocotó, a minha boca come o mocotó, o meu estômago se prepara para receber o mocotó. Tudo é o mocotó. Há um alinhamento no mocotó, e eu não penso nem no passado, nem no futuro. O mesmo acontece quando eu dou uma palestra. Me envolvo, a palestra me encanta, só penso na palestra, totalmente focado, e por isso não tenho por que pensar no passado ou no futuro. E posso lhe garantir: quando você não tem que pensar no que vai acontecer, você não pensa na morte e finalmente vence esse medo estúpido de morrer.

Faça a sua vida ser atrativa, tesuda, fascinante a cada segundo, e você não se lembrará de que vai morrer. E a vitória será definitiva.

Viva aos estoicos! Foda-se o medo da morte! Como é que vou pensar em morte quando estou tão focado nessas reflexões? Dane-se a morte! Esta é a lição de Sêneca, Epicteto e Marco Aurélio.

22

Deus

CLÓVIS: O homem sempre se perguntou se Deus existe, e muitos chegaram à conclusão de que a própria inteligência não dá conta de resolver esse enigma. Não teríamos competência racional para decretar com certeza por sua existência, tampouco por sua inexistência.

Pascal sugere um estratagema para resolver a parada. E esse estratagema é bem interesseiro. Você sabe, Pascal foi um gênio da matemática, o cara que descobriu a área da elipse. E fez filosofia, lá pelo ano de 1600, numa obra chamada *Pensamentos*, na qual propõe o seguinte: o que nós ganhamos apostando que Deus existe?

Bem, se apostarmos que Deus existe e ele existir mesmo, ganhamos a eternidade e aparentemente uma eternidade bem legal, bem confortável, longe de todos os males.

Mas e se Deus não existir e apostarmos que ele existe? Aí não ganhamos nada. Mas também, diz Pascal, perdemos muito pouco, porque, afinal, o que Deus cobra de nós? Uma ou outra privação no mundo terreno, nesta vida de carne e osso, nesta vida do mundo da vida. E Pascal pergunta o que será mais vantajoso: perder uma eternidade cheia de coisas legais ou perder uma ou outra sacanagem num mundo finito e deteriorado? A resposta dele é que é mais vantajoso apostar que Deus existe porque, se ele existir e apostarmos nele, nossa! Vai ser para sempre de boa!

Agora, se ele não existir, o que perdemos é um ou outro ataque de raiva, a impossibilidade de dar um tiro na cabeça de alguém que nos enche o saco ou eventualmente sair galinhando desbragadamente e enganando nossas vítimas.

Você entendeu qual é a de Pascal. Do meu lado, não sei se embarco nessa aposta não, afinal, as tais privações, dependendo do deus, não são tão poucas assim. E, apostar que a vida é só esta, num mundo que é só este, e botar para quebrar, pode ser uma boa.

Deixo você com essa reflexão. Se quiser ler *Pensamentos* de Pascal, tem até em banca de jornal.

• • • • •

Para quem acredita que Deus existe e que é bondoso e poderoso, uma pergunta costuma incomodar: se ele é bondoso e poderoso, como é que permite tanta maldade no mundo?

De duas, uma: ou ele é bondoso, mas não pode fazer nada e então não é poderoso, ou ele é poderoso, mas é malvado porque não faz o que poderia fazer para impedir tanta maldade.

Ora, a pergunta parece embaraçosa, mas a filosofia responde com leveza, graça e inteligência: se Deus é criador, então cria algo diferente dele. Se ele é perfeito e criou o mundo, se o mundo fosse perfeito, Deus não teria criado nada além dele próprio e só existiria Deus. Para que houvesse algo diferente de Deus, foi preciso que ele criasse algo diferente de si mesmo. Portanto, se ele é perfeito, cria algo imperfeito. Assim, se Deus é amor, só pode ter criado algo diferente do amor: o ódio. Se Deus é paz, só pode ter criado a guerra. Se Deus é beleza, só pode ter criado a feiura. Se Deus é inteligência, só pode ter criado a burrice.

Dessa maneira, começamos a entender o mal no mundo. Se o mal é a imperfeição, Deus deixa o mundo ser imperfeito para que o mundo possa ser o mundo. E aqui cabe outra pergunta: qual a vantagem de criar algo diferente de si mesmo? Por que Deus aceita essa diminuição? Afinal, Deus mais o mundo é pior do que Deus somente.

A resposta é que Deus aceita essa imperfeição por amor. Por amor à sua criatura. Então, pense comigo: a minha aula não é perfeita porque a aula perfeita seria dada por Deus. Se Deus garantisse a perfeição da minha aula, só haveria a aula de Deus e não haveria a minha aula. Para haver a aula do professor Clóvis, para que o professor Clóvis possa existir, é preciso que Deus permita a aula imperfeita. Se Deus garantisse a perfeição do mundo, ele estaria sempre no nosso lugar, afinal, somos imperfeitos. Se Deus garantisse a perfeição da minha aula, seria Deus a dar a aula e não eu. Portanto, para que possa existir o professor Clóvis, é preciso que Deus permita, é preciso que ele se retire, é preciso que ele aceite essa diminuição. E Deus aceita essa diminuição por amor. E, por amor, ele deixa que Clóvis seja Clóvis, que o professor possa ser ele mesmo com todas as suas imperfeições.

O que vale para a minha aula vale para qualquer outra coisa. Deus poderia garantir a perfeição de tudo, mas, nesse caso, só haveria mesmo Deus. Tudo seria Deus. Tudo seria perfeito, e o mundo não existiria. Por isso, o amor de Deus por nós e a relação de Deus com a sua criatura faz lembrar as pegadas na areia da praia: elas indicam que Deus já passou por ali, mas foi embora para que o mundo possa ser como é. Foi embora para que você possa existir enquanto você. Foi embora para que todos nós possamos ser diferentes uns dos outros na medida da nossa própria e específica imperfeição.

• • • • •

Há muitos problemas em acreditar em um deus transcendente. A grande pergunta é: quando Deus nos recomenda algo, ele recomenda porque é bom? É bom por si mesmo?

Nesse caso, temos a competência para identificar o que é bom e reconhecemos que o que Deus recomendou é realmente bom. Ou será que uma coisa é boa apenas e tão somente porque Deus a recomendou? Tudo o que ele recomenda é bom de ofício?

Analisemos a primeira possibilidade: Deus só recomenda o que é bom, e o que ele recomenda é bom por si mesmo. Ora, meu amigo, neste caso, a nossa inteligência consegue identificar o que é bom, consegue discernir como devemos agir, consegue identificar o que não serve para nós. A nossa inteligência nos garante a possibilidade de atribuir valor às coisas do mundo, como também valor às nossas condutas. E, se somos inteligentes para isso, se temos moral — já que moral é a inteligência a serviço da vida boa —, neste caso Deus estaria um pouco demais, estaria sobrando na parada. Nós mesmos nos bastaríamos.

Vamos imaginar agora a segunda hipótese: a coisa é boa porque Deus disse. Se ele não tivesse dito, não seria boa. O que confere bondade às coisas é o fato de Deus tê-las recomendado. Assim, tudo dependeria da recomendação dele e não seria necessário inteligência para identificar o que é certo e o que é errado, não teríamos competência de razão para atribuir valor às coisas do mundo. E não teríamos moral.

Bem, você percebeu a dificuldade. Estamos numa sinuca de bico. Ou as coisas são boas por elas mesmas e Deus está sobrando, ou as coisas dependem de Deus para serem boas e nesse caso somos criaturas amorais, descerebradas e incompetentes para resolver nossos problemas.

23

A ilusão da imortalidade

CALABREZ: Vivemos sob uma terrível ilusão de imortalidade. Ou talvez um esquecimento conveniente da nossa mortalidade. As pessoas chegam em nosso aniversário e dizem: "Parabéns! Mais um ano de vida!".

Está errado. É um ano a menos.

Mais experiências, mais memórias, mais conquistas, mais interações com o mundo? Pode ser.

Mais anos de vida? Não.

Alguém poderia discordar: "Ora, é mais um ano de vida que foi vivido!"

O que significa isso, leitor? Onde esse "ano de vida vivido" é somado? Só há uma resposta: o ano vivido é somado às memórias. Às nossas memórias pessoais em nosso cérebro. Também às memórias físicas que guardamos fora de nós, no mundo: fotos, filmes e afins.

Para o cérebro, o tempo é composto de passado (memórias) e futuro (planos e sonhos). A cada ano que passa, temos mais memórias. A cada ano que passa, temos menos tempo para conquistar nossos planos e sonhos. O envelhecimento é por definição um esgotamento do tempo à nossa disposição. Afinal, a morte é uma certeza. Cada instante é um passo em direção a ela.

Podemos acreditar que há uma vida depois desta, leitor, mas você deve concordar comigo: esta vida aqui, agora, é única — e não haverá outra oportunidade de vivê-la.

• • • • •

Um ano a menos a cada ano que passa. Esta é, talvez, a mais estoica das lições. *Memento mori*. Lembre-se de que você irá morrer.

E quem me ouve dizer isso, pode pensar: "Mas que coisa triste! Isso é um jeito horrível de enxergar a vida!"

Não. Discordo totalmente.

Triste é chegar ao fim da vida, olhar para trás e perceber que desperdiçamos nosso precioso tempo e nossa preciosa energia com pessoas e projetos que não valeram a pena. Triste é arrepender-se por não ter aproveitado, por não ter tentado, por não ter arriscado.

Nas relações, por exemplo. Amizades, namoros, casamentos, relações familiares — não importa. Em todas elas, costumamos nos adaptar. Por anos, a pessoa está lá, ao nosso alcance. Mas nos adaptamos. Nos acostumamos com sua presença e temos a terrível ilusão de que as coisas vão continuar sempre como estão. Deixamos de agradecer, valorizar, investir nossa energia na relação. Passamos a tratar a pessoa como se fosse sempre estar lá.

Até que um dia a pessoa vai embora.

Às vezes por força da natureza. Nada permanece. Infelizmente a saúde também não. É a única certeza que todos temos, diz a sabedoria popular.

Às vezes por vontade própria. Afinal, um dia as pessoas cansam. Cansaço, exaustão — por serem tratadas com descaso ou não terem a presença devidamente valorizada.

É aí que *ele* surge. O sentimento mais comum nesse vazio deixado por quem vai embora: o arrependimento. Por não ter feito isto ou aquilo. Por não ter valorizado. Por não ter agradecido. Por não ter estado lá. Por não ter tentado.

Na raiz do arrependimento está um tipo ruim de esperança: a que vem do verbo "esperar". A pessoa arrependida geralmente é (ou foi) esperançosa. Esperou que as coisas mudassem, esperou a oportunidade, esperou ter coragem. Esperou em vez de agir. Em vez de ter feito diferente.

O arrependimento é um dos sentimentos mais comuns que encontramos dentro de hospitais — de onde muitos infelizmente não retornam.

Esta cena já foi vista por muitos médicos:

Um idoso sofre um acidente vascular cerebral. O filho, um homem jovem, de quarenta e poucos anos, espera notícias. O médico se aproxima e diz: "Infelizmente, com base nas imagens do cérebro do seu pai, o quadro é irreversível".

Neste momento, você vê um homem adulto começar a chorar como uma criança. Em prantos, em um desespero que parte o coração de qualquer ser humano capaz de empatia, ele diz: "Mas doutor, briguei com meu pai há vinte anos.

Não nos falamos desde então. Eu queria muito poder falar de novo com ele e me despedir!".

Só que infelizmente não dá mais. Já não há o que fazer.

Mas o pai esteve lá por décadas. Ao alcance de um telefonema. Ao alcance de um abraço e de um pedido de desculpas.

Isso me remete ao ponto inicial: uma das grandes raízes disso é a ilusão de imortalidade. Acreditamos que viveremos para sempre. Convenientemente, esquecemos da nossa própria morte. Com isso, caímos em um delírio de que as oportunidades estarão sempre lá, ao nosso alcance.

Imagine um mundo em que tivéssemos todos os dias a real consciência de que cada minuto é um minuto a menos, de que cada instante é um investimento. Um mundo em que lembrássemos diariamente de que um dia fecharemos os olhos e eles não mais se abrirão. Um mundo em que aceitássemos a ideia de que o abraço que demos em nosso pai e nossa mãe possa ter sido o último. De que o beijo em nosso esposo ou esposa possa ser uma despedida.

Se as pessoas tivessem diariamente essa consciência da finitude da vida, acredito que eliminaríamos grande parte da mesquinharia e pequenez que encontramos nas coisas cotidianas.

Consciente da sua mortalidade, talvez você não brigasse no trânsito. Talvez não se apegasse a detalhes pequenos e insignificantes para brigar com as pessoas queridas da sua vida. Talvez parasse de reclamar de trivialidades no trabalho e aproveitasse as oportunidades que lhe são dadas todos os dias.

A vida acaba. Por isso devemos ser agradecidos todos os dias à natureza por ter nos dado a oportunidade de passear brevemente por este universo. Agradecidos sobretudo pela oportunidade de passear pelo cosmos, possuindo, dentro de nós, o cérebro mais complexo que existe — o único cérebro capaz de aprender sobre ele mesmo, de refletir e de buscar viver melhor amanhã do que vivemos hoje.

Parte 3

VIVER E CONVIVER

1

Amor e paixão

CLÓVIS: Vamos falar sobre o enamoramento, a paixão, o encantamento. Existem certos mundos que nos alegram. Esses mundos nos caem bem. Quando aparecem na nossa frente, transformam nossa composição físico-química, aumentando nossa potência, nossa energia, nossa libido. É normal que, flagrando essa experiência, trazendo esse sentimento para a consciência, queiramos repetir a dose. É o que Espinosa chama de amor. Alegria quando vem acompanhada da consciência da sua causa. E aí passamos a buscar aquilo que supomos que nos alegrará. Ora, só não vê quem não quer: estabelece-se uma relação de dependência. Passamos a acreditar que, se aquilo que supomos nos alegrar não estiver por perto, a alegria se torna impossível e a tristeza é provável.

O dinheiro permite que muitas dessas coisas fiquem por perto. Não há a menor dúvida sobre por que vamos com tanta avidez atrás do dinheiro: para garantir que coisas que nos alegram possam ficar por perto. Dessa forma, se o mar nos alegra, o dinheiro nos permite uma casa na praia; se a montanha nos alegra, o dinheiro nos permite uma casa na montanha; se uma rabada nos alegra, o dinheiro nos permite um bom restaurante; se um carro confortável nos alegra, o dinheiro nos permite entrar na concessionária com altivez.

A coisa complica quando a nossa alegria passa a depender de encontros que o dinheiro não consegue garantir. É o que acontece quando a causa da alegria é a presença de alguém. Quando uma pessoa é a causa da nossa alegria, temos que contar com a sua boa vontade de ficar perto de nós. Nem sempre as estratégias que usamos para isso dão certo, e ficamos à mercê de um conjunto de decisões que não controlamos. E, quando a nossa alegria depende de decisões que não controlamos, tornamo-nos escravos delas. Nossa alma oscila, nosso corpo se desequilibra, tudo se revoluciona em nós. Meu amigo, a chance de isso não dar certo é bastante grande.

Lucrécio considerava essa a pior das situações e recomendava uma luta sem trégua contra ela, aconselhava que buscássemos identificar, naquele que supostamente nos alegra, seus defeitos, suas imperfeições: "Force-se a encontrar imperfeições naquele de quem a sua alegria depende para que você possa resistir e, resistindo, evitar tamanha dependência". O grande problema – que talvez Lucrécio soubesse, mas não quis dizer – é que justamente, quando estamos nos apaixonando, uma das primeiras coisas que acontece é a nossa imediata incapacidade de identificar imperfeições naquele que amamos.

A coisa é feia mesmo. Por isso, nossa sociedade acaba ensinando, segundo a segundo, que uma coisa são relações frívolas e outra são os grandes encantamentos. E somos cada vez mais estimulados, neste mundo da pós-modernidade, a manter relações frívolas. As novas tecnologias facilitam demais, as pessoas tornam-se rapidamente substituíveis, até porque são todas muito parecidas nas listas do WhatsApp. Quanto às suas características mais distintivas, bem, essas às vezes nem dá tempo de conhecer, pois já há sempre outra, outra, outra e outra na lista para entreter.

Alguns não se adaptam à sociedade pós-moderna. São modernos de carteirinha. Representantes tardios do século 19. A esses, a minha solidariedade no sofrimento e na dor.

• • • • •

Esse é um tipo de experiência que sempre me intrigou. Não sei se você já esteve apaixonado. Apaixonado assim nos quatro pneus, de pensar na pessoa 24 horas por dia.

A situação que vou tentar analisar é a de enamoramento, de encantamento em que ainda não há nenhum tipo de namoro, nenhum tipo de relacionamento. Você quer que venha a acontecer. Você está em plena atividade de sedução, mas por enquanto não rolou nada. Se eu tivesse que comparar essa situação a alguma coisa diferente, compararia a uma montanha-russa. Quando você anda na montanha-russa de um parque, o que acontece? Você vive experiências que não controla: não controla por onde o carrinho vai, quando ele sobe, quando ele desce, a velocidade que ele adquire nos diversos momentos, você não controla a radicalidade da experiência, a intensidade das sensações que sente. Pois bem, quando você está apaixonado é mais ou menos assim. Você não controla a intensidade das sensações que sente, você está à deriva, à mercê.

Imaginemos um primeiro momento em que você esteja junto da pessoa que ama desesperadamente. Pode acontecer alegria — lembrando que alegria é ganho de potência de agir. Nesse momento de alegria pura, você está ao lado da pessoa e está bem. É quase que uma experiência de espiritualidade. A pessoa fala, se manifesta, age, corre, e isso lhe enternece, lhe faz bem, lhe basta, e você se vê alegre. Nossa! É alegria no meio de tanta paixão.

Porém, pode acontecer que você tenha outros afetos junto da pessoa amada. Além da alegria, você pode sentir esperança. E o que é esperança? Também é ganho de potência e tem como causa aquilo que você imagina. Perceba que agora você está pressupondo o que vai acontecer dali para frente, você pensa em conviver com aquela pessoa, ser namorado daquela pessoa, ser marido daquela pessoa. E, enquanto ela está ali, agindo, você cria uma cena futura em que vai se relacionar com ela e, além da alegria, sente esperança. Mas aqui vai um comentário: alegria mais esperança é pior do que só alegria.

E por quê?

Porque toda esperança é inseparável do seu contrário: do medo, do temor de que aquilo não aconteça, do temor de que a pessoa nunca namore com você, de que a pessoa nunca venha a ser sua. Esperança e medo são dois lados da mesma moeda. São no fundo a mesma coisa. Se, durante aquele encontro você imaginar o futuro compartilhado ou o futuro na separação, haverá esperança e haverá temor. E, é claro, será menos legal do que só a alegria. Veja tudo o que pode acontecer quando você está junto da pessoa pela qual está apaixonado.

Pois muito bem, imaginemos agora quando a pessoa não está ao seu lado. Você pensa nela, e aí muita coisa pode acontecer. Não haverá a alegria da presença da pessoa amada. O que pode haver é tristeza da falta. Mas que fique claro: ausência não é causa de nenhum afeto. Ausência não é nada, e nada não pode ser causa de nada. Na verdade, o que entristece quando a pessoa não está é a realidade encontrada. É quando você vai à padaria sem a pessoa. Quando vai ao cinema sem a pessoa. Quando vai ao restaurante sem a pessoa. O que causa tristeza é a realidade, mas a realidade separada da pessoa com quem você gostaria de estar. E essa sensação é ainda mais entristecedora quando você já esteve com aquela pessoa nos lugares que revisita. Então, é claro, uma primeira experiência é de tristeza pura.

Mas, quando está separado, distante da pessoa, você também pode sentir esperança: imaginar-se com ela, imaginar sua presença. E pode sentir temor: imaginar não voltar a encontrá-la. Você percebe que alegria e tristeza, temor e esperança fazem parte da vida de um apaixonado. Você oscila como se estivesse num barco.

E aqui vai outra observação: ao longo da história do pensamento, são pouquíssimos os pensadores que acham essa vida de apaixonado uma vida boa. A filosofia sempre desconfiou de todas as emoções que você não controla. A filosofia teria ojeriza à montanha-russa, pois você fica à mercê, fica submetido ao que acontece e que você não pode controlar.

Quando os gregos falam em ataraxia e a filosofia oriental fala no estado zen, referem-se a situações de vida em que você controla as causas das suas emoções. Muito da filosofia, se fôssemos continuar na metáfora do parque de diversões, considera a vida boa o carrossel. Nele nada acontece de imprevisto. Os cavalinhos dão voltas, dão voltas, e você sabe exatamente o que vai acontecer. A vida boa seria como um passeio em um barco a remo em volta de uma ilha num lago sem ondas, seria o domínio completo das causas das emoções. Rigorosamente, é o contrário da montanha-russa que lhe escraviza, que lhe submete nessa gangorra enlouquecida entre alegrias e tristezas, entre emoções contrárias, como medo e esperança. Veja, por exemplo, quando está com a pessoa desejada, você está em plena alegria, e então ela diz: "O meu namorado é muito inteligente".

Pronto. Da alegria você passa ao medo imediato de nunca conseguir dispor do amor daquela mulher. Você percebe que não controla a iniciativa dela de falar do namorado, e essa iniciativa determina em você a passagem da alegria para o medo. De repente, ela fala: "Mas, embora seja muito inteligente, ele é violento. Ele não quer que eu trabalhe, não quer que eu me desenvolva".

Você passa do medo para a esperança. Novamente você não controla. Novamente está à mercê de um discurso a cuja causa você não tem acesso. A imensa maioria dos filósofos tem horror a isso.

E você tem curiosidade para saber o que eu acho disso? Então vou dizer: acho que, se a sua vida for de ataraxia, como querem os gregos, ou zen, como querem os filósofos orientais, e você controlar todas as causas dos seus afetos como se estivesse dando voltas em uma ilha em um lago sem ondas, bem, isso que é o ideal da filosofia eu chamo de tédio absoluto. E pode acreditar, se aparecer alguém com uma montanha-russa legal de ser experimentada, é possível que você esteja na iminência de tomar uma bola nas costas. Acho que há montanhas-russas bem bacanas, nas quais a equação entre temor e esperança, entre alegria e tristeza, possa ser favorável. Penso que essa é a melhor situação possível: uma montanha-russa moderada, porque algumas são muito difíceis.

Algumas apostas você não deve fazer, como, por exemplo, condicionar sua alegria a se tornar presidente dos Estados Unidos. É preferível que você mude a condição da sua alegria, pois a chance de isso acontecer é bem remota. Eu sei que uma banana pode voar sem impulso externo, mas, se a sua alegria depender de virar presidente dos Estados Unidos, é possível que a tristeza se torne soberana. Poderia ser assim também no caso de você se apaixonar por Isis Valverde ou por Reynaldo Gianecchini. E aí talvez você tenha que sofrer um pouco até baixar a bola e achar uma montanha-russa mais plausível. Isso é o que eu acho: nem lago sem onda, nem montanhas-russas radicais demais. Estou aristotélico e moderado. Esta é a minha opinião.

CALABREZ: A paixão, quando observamos o cérebro, assemelha-se a um estado de grande motivação e prazer, com características de demência temporária, estresse, obsessão e compulsão.

O amor provavelmente é o sentimento que mais instigou o pensamento humano ao longo dos séculos. Todas as grandes mitologias e todas as religiões debateram o amor de maneira profunda. Na filosofia, o amor está presente desde os primórdios, como Clóvis nos mostra. Na arte, a onipresença do amor é indiscutível. É só pensarmos em Shakespeare ou mesmo no cinema atual, no qual até em filmes de dinossauro e alienígena os roteiristas tratam de enfiar algum romance.

Só que, longe de ser algo metafísico, algo fora do mundo concreto, o amor é uma manifestação de funções cerebrais. Hoje sabemos que geralmente as relações românticas começam com um primeiro estágio de alta intensidade e curta duração que costumamos chamar de paixão.

Mas o que acontece com nosso cérebro quando estamos apaixonados?

Como toda emoção, a paixão é regulada pelo que chamamos de fatores endócrinos, ou seja, envolve uma série de hormônios e neurotransmissores, que nada mais são do que substâncias químicas. Essas substâncias têm efeitos sobre o funcionamento do corpo de maneira geral e sobre o cérebro em específico.

Em primeiro lugar, os estudos mostram que dois hormônios têm um papel importante durante a paixão: a ocitocina e a vasopressina. Estes hormônios exercem diversos papéis no corpo humano. No caso da paixão, funcionam como neuropeptídeos — ou seja, pequenos compostos que agem localmente em diversos circuitos cerebrais. A ação da ocitocina e vasopressina no cérebro durante a paixão é associada ao apego, à conexão formada entre o casal. É também associada à preferência que o sujeito apaixonado tem por *aquela pessoa específica*, de certa forma "ignorando" as outras.

Isso significa que, durante a paixão, estamos extremamente ligados à pessoa pela qual nos apaixonamos. Além disso, essa pessoa irá se destacar, será mais saliente, mais importante, mais relevante para nós do que quaisquer outras pessoas. Isso explica um pouco da sensação que temos de que aquela pessoa é única, de que ninguém é capaz de substituí-la.

Também encontramos receptores de ocitocina e vasopressina em um circuito do cérebro que chamamos de sistema de recompensa. Já definimos o conceito de recompensa no Capítulo 2 da primeira parte do livro. No entanto, vamos definir novamente, de forma rápida, para relembrá-lo.

Podemos começar com alguns exemplos de estímulos altamente recompensadores: alimentos calóricos (sorvete e sobremesa, por exemplo), algumas drogas (como a cocaína) ou até mesmo certos desafios ao nosso cérebro (como um filme ou livro muito instigante).

Com isso podemos notar que a recompensa envolve em primeiro lugar motivação. No estado motivado, nosso corpo nos compele a continuar fazendo aquilo que estamos fazendo — ou a fazer mais do que já estávamos fazendo. Pense, por exemplo, em você com fome. Você pede uma coxinha. A coxinha chega. Você dá uma pequena mordida. Demonstrando ser uma pessoa em plena sanidade mental, você começa a morder pela ponta. Começar a comer a coxinha de outro jeito é quase uma heresia.

Brincadeiras à parte, voltemos ao processo.

No exato momento da mordida, você percebe que o seu corpo o inclina a um comportamento subsequente, ou seja, compele a uma nova ação. E qual é essa ação? Trata-se obviamente de pegar e comer outro pedaço. E outro... Até, é claro, que você esteja saciado. Isso é motivação. Essa *inclinação a continuar fazendo o que estamos fazendo— ou fazer mais do que já estávamos fazendo.*

A recompensa também envolve prazer. Com isso, quero dizer que a recompensa também envolve a sensação subjetiva positiva associada ao estímulo motivador. Nesse caso, o prazer de comer a coxinha, a sensação gostosa, a gostosura da coxinha.

•••••

O sistema de recompensa do cérebro envolve em grande medida a ação de um neurotransmissor chamado dopamina. Assim como os hormônios que já mencionei, a dopamina tem uma série de funções diferentes no corpo humano. No caso da paixão, está associada a um estado motivacional. A paixão é um estado hiperdopaminérgico. Isso significa que está associada a uma elevada experiência de recompensa. Em outras palavras, a paixão gera motivação e prazer quando entramos em contato com o estímulo — nesse caso, o estímulo é a pessoa pela qual estamos apaixonados.

É importante ressaltar que o contato físico não é necessário para gerar essa motivação e esse prazer. Basta pensar na pessoa, lembrar dela ou de algum aspecto dela, e lá vem a emoção. As emoções podem ser desencadeadas por um mero conteúdo mental, como uma ideia ou lembrança.

Temos então que a paixão é um estado hiperdopaminérgico. Isso explica por que ficamos extremamente motivados quando estamos apaixonados. No começo da relação, parece que temos energia e vontade para tudo. O desejo sexual (especificamente pela pessoa) é grande. Queremos experiências novas, viajar com a pessoa, explorar lugares diferentes, agradar a pessoa de todas as formas. Além disso, estar com a pessoa e pensar nela são experiências extremamente recompensadoras. Fazem com que fiquemos motivados e nos dão prazer.

• • • • •

Outra substância implicada na paixão é a serotonina, também neurotransmissora. Como todas as substâncias das quais falei aqui, a serotonina está associada a uma série de funções no corpo. Um de seus importantes papéis no cérebro é na regulação de humor. Os antidepressivos mais populares interagem com o sistema serotoninérgico.

Quando você está apaixonado, seus níveis de serotonina caem. Curiosamente, há uma outra condição na qual observamos quedas nos níveis de serotonina: o transtorno obsessivo-compulsivo, conhecido como TOC.

Perceba que a paixão tem tanto características obsessivas quanto compulsivas. A obsessão envolve pensamentos invasivos, recorrentes, e uma grande fixação pela ideia da pessoa. Você está trabalhando, no trânsito, tomando banho, assistindo a um seriado, e a ideia da pessoa aparece na sua cabeça, independentemente da sua vontade. Muito parecido com a obsessão.

Além disso, quando está com a pessoa pela qual está apaixonado, você quer mais e mais tempo com ela, não há tempo suficiente, e esse tempo que você passa com ela lhe faz sentir alegria, conforto, alívio de ansiedade. Isso se assemelha muito às compulsões.

Não é à toa que estudos recentes sugerem que pessoas que tomam antidepressivos conhecidos como "inibidores da recaptação de serotonina" (substâncias que aumentam os níveis de serotonina) apresentam menor intensidade nos sintomas da paixão.

Existe um outro hormônio envolvido na paixão: o cortisol, tipicamente associado às respostas ao estresse. Os níveis de cortisol elevam-se durante a paixão. Quando nos apaixonamos, ficamos ansiosos, inseguros, temos sentimentos de euforia. O coração bate mais rápido e mais forte, o sistema digestório se altera (já percebeu que, quando você se apaixona e a pessoa está por perto, você fica sem fome?). Nossa energia aumenta, ficamos hipervigilantes (ou seja, sem sono). Estes sintomas todos surgem quando entramos em contato com estímulos estressantes. As elevações de cortisol podem explicar por que eles ocorrem durante a paixão.

•••••

Finalmente, uma última coisa interessante acontece durante a paixão. Há alteração em uma estrutura cerebral chamada córtex pré-frontal, da qual já falei anteriormente. Essa estrutura, que fica imediatamente atrás da nossa testa, é inibida durante a paixão.

Na primeira parte do livro, falei de uma substância cuja ingestão acarreta inibição do córtex pré-frontal: a bebida alcoólica. Você achou estranho, porque a última coisa que você fica quando bebe é inibido. Mas isso ocorre porque, dentre as diversas coisas pelas quais as estruturas pré-frontais são responsáveis, encontra-se a capacidade de frear nossos impulsos, segurar nossos desejos e antecipar a consequência futura daquilo que faremos agora. Ou seja, tais estruturas estão envolvidas no planejamento e nas tomadas de decisão.

Com o pré-frontal inibido, nossos desejos e impulsos vêm à tona sem tantos freios, e a capacidade de pensar nas consequências de nossas ações é diminuída. Por isso o bêbado costuma tomar decisões estúpidas e inconsequentes. Lembre-se do meu amigo embrulhado em papel alumínio.

Com o cérebro apaixonado, ocorre também a inibição pré-frontal. Por isso tomar grandes decisões apaixonado costuma ser má ideia. Você já deve ter visto que uma pessoa extremamente apaixonada costuma tomar decisões péssimas, tais como tatuar o nome da namorada na nádega esquerda.

Nesse sentido, a paixão tem características de uma demência.

É por isso que a paixão, quando observamos o cérebro, assemelha-se a um estado de grande motivação e prazer, com características de demência temporária, estresse, obsessão e compulsão.

• • • • •

Nada disso tira da paixão sua beleza e seu encanto. Ficar apaixonado é uma das experiências mais incríveis que existem. Se pudesse, eu ficaria apaixonado o tempo inteiro. Quem diria que ficar meio "demente" seria algo tão gostoso!

No entanto, preciso ressaltar uma última característica da neurobiologia da paixão. A paixão é passageira. Os estudos mostram que seus efeitos químicos e funcionais no cérebro desaparecem após 12 a 24 meses.

Podemos olhar para isso de forma realista e fria. Você só fica perdidamente apaixonado porque uma hora você se encontra, e a paixão vai embora. Você só cai de amores por uma pessoa porque uma hora, caindo, você acerta a cara no chão — e desperta para a realidade. Acho que muita gente que está lendo estas palavras já passou por isso.

De forma diferente, podemos olhar para isso de forma mais poética, como fez Vinicius de Moraes. Que a paixão não seja eterna, posto que é chama. Mas que seja infinita enquanto dure.

Os processos químicos e neurais responsáveis pela paixão são passageiros. Mas isso não esgota o amor. Como eu disse no início: o amor tipicamente se divide em duas fases diferentes. A paixão costuma ser a primeira, de alta intensidade e curta duração. Por vezes, quando a paixão acaba, continua um processo de apego. Muitos chamarão esse processo de amor de fato, negando que a paixão deva receber o nome "amor".

Não gosto, como professor, de usar amor e paixão como coisas diferentes. Prefiro considerar a paixão como um estágio do amor. Frequentemente, é o primeiro estágio. Às vezes o amor desenvolve-se em um segundo estágio. Às vezes os estágios invertem-se. Às vezes o amor termina quando a paixão acaba. Às vezes o amor começa sem paixão, indo direto para o segundo estágio. Muitas vezes temos momentos de paixão durante esse segundo estágio.

Em inglês, os pesquisadores costumam chamar o primeiro estágio de *passionate love* (amor apaixonado) e o segundo estágio de *companionate love* (amor companheiro). Este segundo estágio é composto por um forte laço de união, que se torna cada vez mais forte com o tempo. Envolve profundo comprometimento, carinho, cuidado, segurança e confiança entre as partes. No entanto, trata-se de uma relação mais difícil de manter: não há mais uma enxurrada de hormônios e neurotransmissores que nos deixam motivados e ligados à pessoa. Este segundo estágio tem menor intensidade e maior duração.

Relações duradouras exigem esforço. São uma construção na qual cada uma das partes deve buscar, dia após dia, uma conexão melhor e mais forte. Como a saúde do corpo, construída dia após dia, na qual rejeitamos o imediatismo do *fast-food* e da preguiça, relações constroem-se mediante esforços de apego, gratidão e valorização.

• • • • •

Apaixonar-se não é uma escolha.

Alguns dirão: "É, sim! Eu escolhi me apaixonar."

A isso, digo apenas que a escolha que temos sobre a paixão é a mesma que temos sobre outras emoções e sentimentos. Você é capaz de escolher não se alegrar quando recebe uma notícia boa? Ou escolher não ter medo se aparecer um tubarão quando está mergulhando? Emoções e sentimentos não derivam de escolhas. Apenas comportamentos estão sujeitos a escolhas.

Repito então:

Apaixonar-se não é uma escolha. Construir uma relação, é. Escolha diária, esforço contínuo, construção ativa — e, portanto, vítima fatal da preguiça. Não há sentença de morte maior para uma relação romântica do que acomodação e preguiça, que acarretam uma redução no esforço de manter e fortalecer laços. Acomodação é morte.

• • • • •

O amor tem algo de contraditório.

Por um lado, nem sempre é correspondido. Quando digo que eu ficaria apaixonado o tempo inteiro, estou considerando uma paixão recíproca. A paixão não correspondida pode ser causa de uma indescritível angústia.

Mas suponhamos que o amor foi correspondido.

As relações um dia acabam. Pode ser durante os primeiros momentos ou após anos de companheirismo. No limite, morreremos e deixaremos a pessoa que amamos — ou ela nos deixará antes. A separação é quase sempre difícil e dolorosa. Na segunda parte do livro, vimos quão importantes são as relações sociais para a nossa saúde.

Não é à toa então que isso se reflita no funcionamento do cérebro. Ao passar por um processo de separação ou rejeição, estudos indicam que são ativadas as mesmas circuitarias do cérebro responsáveis por mediar dores físicas (como quebrar uma perna ou levar um soco na cara). Há algo de semelhante no cérebro entre as dores físicas e as emocionais. Em outras palavras, *dores físicas e emocionais são em certa medida processadas pelos mesmos circuitos cerebrais.*

Assim, o termo "dor do coração partido" parece apropriado. Tenho certeza de que muitos leitores passaram por terríveis dores emocionais — e prefeririam ter uma perna quebrada em vez de passar por aquilo.

Amar é assinar uma sentença que muito provavelmente nos condenará a essas tristezas cedo ou tarde. No término de um namoro, na separação ou no divórcio, ou — no mais tardar — no luto da perda.

Por outro lado, não amar significa viver menor. Abdicar de algo que é literalmente uma necessidade humana: o calor de outro ser humano. Não falo somente do amor romântico, mas em sentido mais amplo, incluindo amigos e familiares. Afinal, as mesmas tristezas se aplicam aqui. Sem esse amor literalmente morremos. Os estudos são claros: relações sociais de qualidade são o fator mais importante para o bem-estar humano, associado inclusive à saúde dos indivíduos. Necessitamos de apego.

Eis a contradição. Precisamos amar para viver melhor. A vida, no entanto, nos condena, cedo ou tarde, a perder a pessoa amada — perda que será fonte de grandes tristezas.

Ao amar, confiamos que as alegrias serão grandes o suficiente para superar a eventual e provável tristeza da separação ou da perda. Talvez agora faça mais sentido que, no primeiro estágio do amor, fiquemos "dementes". Aí não pensamos nessas coisas. Não imaginamos tais tristezas e não questionamos essa confiança.

Clóvis: Todos nós sabemos que a tristeza existe. A tristeza é o que sentimos nos encontros com o mundo que nos fazem mal. Ela decorre dos encontros ocasionais. Nossa potência diminui toda vez que o semáforo fecha e estamos com pressa, toda vez que temos dor de barriga, toda vez que sofremos uma humilhação no trabalho. Essas tristezas resultam de encontros que poderiam não ter acontecido. E o mundo nos brinda com tristezas novas a cada dia.

Mas essa reflexão não é sobre essas tristezas. É sobre um sofrimento que não depende da circunstância da vida. Um sofrimento que não nos abandona nunca. Um sofrimento que decorre do fato de sermos desejantes, de constantemente buscarmos permanência em um mundo que flui. O fato de sempre desejarmos que as alegrias se traduzam em felicidade, que os amores durem para sempre, que os bons momentos se repitam eternamente. Essa pretensão blasfema contra o mundo da vida, onde nada permanece.

Pretender para sempre numa vida de trânsito é lutar contra a própria essência da nossa existência, causa do nosso mais profundo sofrimento. Por isso, tenha certeza: o sofrimento não é atributo de uma vida mal vivida, ele não decorre de erros, não é castigo por alguma coisa que fizemos agora ou em outras vidas. O sofrimento é inerente à vida, é essencial à vida. Sem o sofrimento, a vida também não existe. O sofrimento está para a vida assim como o chocolate para o bolo de chocolate, a galinha para a galinhada, a banana para a bananada, a goiaba para a goiabada.

• • • • •

O que você escolheria entre apegar-se e se foder ou levar uma vida de bosta sem apego?

O apego é a esperança de repetir amanhã a alegria de hoje e, portanto, uma espécie de certeza na possibilidade de esticar um instante de ganho de potência e de alegria. Existe uma dificuldade a mais, e o problema não é só que o objeto do apego se deteriora, se transforma, se desmancha no ar. O problema é que, quando você encontra alguém e sente alegria, você diz com a leveza da ignorância: "Armando me alegrou".

O que será que está por trás da palavra "Armando"? Na verdade, uma reunião de atributos complexos, às vezes contraditórios, díspares. Armando não quer dizer nada. Uma pessoa, no final das contas, é um catado de características; então é necessário saber o que em Armando lhe alegrou. Se não fizer essa análise, é possível que se surpreenda com o surgimento, no mesmo Armando que supostamente lhe alegrou no passado, de características que agora irão lhe entristecer. Às vezes uma pessoa tem um sorriso lindo, um abraço adorável, é capaz de carícias inauditas, e ao mesmo tempo é egoísta, mesquinha, de moral claudicante, capaz de atrocidades. Tudo no mesmo Armando, na mesma pessoa.

Muitas vezes nos apegamos por conta de uma alegria sentida, compramos um pacote grande que vem cheio de laranjas estranhas. Ou você nunca comprou uma caixinha de morangos em que na camada de cima estavam os mais lindos, grandes, atrativos, e, quando chegou em casa e tirou essa primeira camada, os de baixo estavam amassados, carcomidos, até mordidos? Às vezes, o Armando é isso: no primeiro encontro, ele mostra os morangos de cima. Você se alegra, se apega e, na medida em que vai convivendo, vão aparecendo os morangos de baixo.

Alguns podem pensar: "Ah, coma os morangos de cima e jogue fora o resto!".

Provavelmente não entenderam tratar-se de uma alegoria, uma espécie de artifício didático de comparação com o apego por uma pessoa. Se tivessem entendido, não cogitariam essa solução, afinal, quando forem apegar-se e pretenderem sorver somente os morangos de cima e jogar fora o resto, talvez seja conveniente avisar a vítima antes. A vítima da amputação, da discriminação, da cisão do que é morango doce e bom daquilo que é morango podre, não é?

O que será então a causa da alegria? É quase inevitável que uma pessoa seja capaz de alegrar e entristecer quase ao mesmo tempo. Apegar-se a ela, portanto, é comprar a tristeza e, o que é pior, patrocinar o encontro com a tristeza, pondo-a dentro de casa. Quantas e quantas vezes nos equivocamos na hora de identificar a causa da nossa alegria.

Ah, meu amigo! É aquela história da moça que vai tirar férias em Punta del Este. Lá ela tem um momento de alegria quando encontra um argentino de Buenos Aires. Ela acredita que ele é a causa da alegria. Então traz o argentino para cá, recebe-o em Cumbica e, já na Marginal, pensa em voltar para o aeroporto e devolver o cara, pois faz uma descoberta tardia e desesperadora: quando ela se alegrou no *réveillon* em Punta, foi por outra causa — talvez pela cidade, pelo pôr do sol, por estar de férias, porque o hotel era bacana, a comida era boa — mas não pelo argentino. Mas foi só ele que ela resolveu colocar dentro de casa. Ó dó! Tristeza mesmo! Quase sempre nos apegamos a pacotes que têm de tudo. Vixe! Às vezes é tarde, e, quando nos damos conta, a tristeza já está em cima da cama, de roupão, só esperando por você.

Se você quiser ter um momento de ilusão é só ligar a televisão, pois ela é feita para isso, para iludir. O resto do mundo também é assim. A publicidade não falhará. Não faltará ilusão.

A vida como ela é, só aqui, nas reflexões.

•••••

Já a confiança é uma certeza. E certeza é uma relação privilegiada entre o que pensamos e o mundo. Quando temos certeza de alguma coisa, mantemos com o mundo uma relação de conhecimento. A certeza da confiança é uma certeza sobre coisas que não podemos verificar. Podemos ter certeza da chuva bem debaixo da chuva. Podemos ter certeza de alguma coisa tendo-a bem diante de nós.

Confiança não é isso. Confiança é uma certeza sem poder verificar, sem poder estabelecer com o mundo uma comprovação empírica. Pode ser um valor ético. Neste caso, a certeza não é a respeito do pôr do sol, nem mesmo em relação à chuva. A confiança será valor ético quando tiver por objeto o comportamento de alguém. Você tem certeza de que alguém agirá de um jeito ou de outro, tem certeza da conduta alheia mesmo sem poder verificar. A confiança é superimportante nas relações, afinal, as condutas ainda irão acontecer. Quando você contrata alguém, quando decide ser amigo de alguém, quando se casa com alguém, o que importa é o que irá acontecer dali para frente. E o que ainda irá acontecer, por definição, não há como verificar. Portanto, nas relações é preciso haver confiança.

Podemos confiar em alguém porque conhecemos muito, porque sabemos que esse alguém tem certa regularidade e porque sempre faz algo de certa maneira. Essa é uma confiança baseada na experiência anterior. Mas é claro que esse alguém, algum dia, poderá fazer diferente e surpreendê-lo.

Existe um outro tipo de confiança. É a certeza a respeito do comportamento do outro mesmo sem a experiência anterior, mesmo que o outro nunca tenha feito aquilo que promete fazer. Essa confiança é mais nobre. É a confiança em alguém que nunca conseguiu fazer alguma coisa, mas que temos certeza de que poderá vir a conseguir. É uma confiança que desmente o passado, é a porta aberta para o comportamento futuro. O comportamento de alguém em quem confiamos mesmo sem ter nenhum motivo para isso.

• • • • •

Na segunda parte do livro, vimos que para o pensamento estoico é possível superar os medos e encontrar um mundo que nos satisfaça, que nos dispense de pensar no que já aconteceu e no que vai acontecer, superando o medo da morte e vivendo plenamente. Mas que mundo é esse que nos convida a uma reconciliação plena? Que mundo é esse que, de tão bom, faz com que vençamos o pior dos medos, o pior dos obstáculos para uma vida boa?

Esse mundo é o que amamos, é o objeto do nosso amor. Por isso, não tenho dúvida de que o amor é a solução para o medo da morte, pois, quando o amor existe, o presente basta. E, quando o presente basta, o futuro não pede passagem em nossa mente. E, quando o futuro não pede passagem em nossa mente, não há por que pensar no momento da nossa morte. E o medo desaparece.

Então, é preciso cair na real, nos dois sentidos: é preciso perceber que somente o mundo bem na sua frente é capaz de suprir essa necessidade e impedir que você tenha que pensar no futuro. É preciso dar uma chance ao mundo. Isso é o que Nietzsche chama de amor *fati*, o amor pelo mundo tal como ele se apresenta, tal como ele é percebido por você e não como você gostaria que ele fosse.

Quando vive em função de como gostaria que as coisas fossem, você está dando espaço para a sua mente. É ela que contém as coisas que você gostaria que fossem. Se você sempre contrastar o mundo com o que você gostaria que fosse, ele nunca será suficientemente bom, dando margem para você pensar em passados e futuros.

Ame mais. Ame o mundo como ele é. Reconcilie-se com o real. Cito aqui uma frase do professor André Comte-Sponville, de inspiração assumidamente estoica, que é fantástica: "Lamente um pouco menos" — isso é passado —, "espere um pouco menos" — isso é futuro — "e ame um pouco mais" — isso é o instante presente, o que estamos vivendo agora. Se o passado não pedir passagem, se o futuro não se impuser, o presente estará bastando. Esse presente que basta é aquele que amamos, é o presente que é objeto do nosso amor, o maior dos nossos sentimentos, a principal das nossas emoções, a salvação para o medo da morte.

CALABREZ: Além dessas importantes considerações, parece-me que há dois outros elementos que devem ser considerados no amor.

Primeiramente, a admiração. Não há amor sem admiração. A paixão quase que naturalmente nos faz admirar a pessoa. Mesmo se não admirarmos seu intelecto ou personalidade, por exemplo, podemos admirar sua beleza. Quando seguimos para o segundo estágio, o amor companheiro, a admiração se torna ainda mais importante. Quando se esgota a admiração, a chama do amor ameaça apagar, os laços se afrouxam, a conexão entre as partes diminui.

Outro elemento do qual falei brevemente é o cuidado. "Quem ama, cuida", diz o ditado popular. De fato, cuidar e amar parecem andar de mãos dadas.

Só que precisamos ser rigorosos. O que significa admirar? O que significa cuidar? Será que confundimos admiração e cuidado com um misto de desejo e alegria?

CLÓVIS: A admiração é como chamamos um estado particular da nossa mente, da nossa imaginação. Sua mente está em atividade todo o tempo, mesmo quando você dorme. Na medida em que você vai vivendo e encontrando o mundo, o mundo vai oferecendo subsídios que estimulam a atividade da mente, e você faz conexões, associações. Quando, por exemplo, eu encontro um livro, dependendo do tipo, ele me faz pensar em aula, me faz pensar em trabalho. Há outros livros que me fazem pensar em entretenimento, em descanso. Observando as coisas o tempo inteiro, elas nos fazem pensar em coisas que, por sua vez, nos fazem pensar em outras coisas, e essas conexões vão se produzindo até que novos estímulos determinem novas cadeias, novos encadeamentos.

E a admiração? A admiração é uma interrupção abrupta dessas conexões. É quando um elemento de realidade contemplado por nós não encontra em nós um gancho de conexão, de associação. Então ocorre uma paralisação súbita da atividade mental. A essa paralisação denominamos admiração. É importante perceber que a admiração é consequência da disposição das nossas ideias, da nossa capacidade de pensar e de imaginar. É, portanto, uma interrupção que tem por causa uma lacuna na nossa mente, uma falta de gancho. Isso significa que a admiração não tem por causa o mundo que contemplamos. Fosse outro o nosso repertório, fossem outras as nossas ideias, evidentemente seria outra a nossa disposição para pensar, e seriam outros os mundos que nos causariam admiração.

Perceba, quando diz que algo é admirável, que você está dizendo que ficou perplexo, ficou paralisado, ficou incapacitado de fazer associações diante de um mundo que acabou de flagrar. Mas esse mundo que determinou a paralisação em você não é admirável em si, porque, fosse outro o observador, talvez tivesse nexos de encadeamento, e a admiração não se produziria. É preciso lembrar que a admiração em si não é nem boa, nem ruim. É apenas um fato, uma realidade da sua atividade mental.

A admiração pode vir acompanhada de alegria. É alegre quando a interrupção dos nexos mentais de encadeamento é geradora de ganho de potência de agir.

A admiração pode ser triste. Nesse caso, ao mesmo tempo em que nos flagramos impotentes para seguir viagem nas nossas atividades mentais, brochamos, nos apequenamos, nos acanhamos diante da vida.

Muitas vezes olhamos para alguém e dizemos: "E aí, está viajando?". Passamos a mão na frente do rosto da pessoa para indicar que ela está no mundo da lua, está em outro lugar, mas não ali.

Pois bem. Quando dizemos que alguém está viajando, é perfeitamente possível que esse alguém esteja em intensa atividade de conexões imaginativas. É perfeitamente possível que esse alguém esteja muito distante da admiração. Mas é verdade também que, quando ficamos admirados, a inércia imaginativa nos faz parecer viajantes. Portanto, quando você observa alguém distraído, é muito difícil saber se esse alguém parece distraído por estar admirado ou pelo contrário, por estar em intensa atividade associativa.

Cabe lembrar que muitas vezes a admiração é produzida pela observação do comportamento de alguém. Nesse caso, naquele instante, aquele alguém é causa da nossa admiração. Que fique claro: isso não é necessariamente positivo. Primeiro, decorre de uma lacuna que é sua, observador. Segundo, pode vir acompanhado de profunda tristeza, de profunda inércia "apequenadora". Assim acontece quando admiramos o mal.

Mas como é possível admirar o mal? Quando admiramos, não é necessariamente algo que julgamos bom?

Naturalmente que não. O mal pode paralisar, pode bloquear a nossa atividade mental e, portanto, pode ser digno da nossa admiração paralisada.

• • • • •

Agora, sobre o cuidado.

Certa vez, conversando com um amigo por telefone, ao nos despedirmos, ele me disse: "Se cuida".

E eu respondi: "Você também".

Desliguei o telefone e me perguntei o que isso quer dizer. "Se cuida. " Poderíamos imaginar uma situação mais fácil: um indivíduo cuida de outro. O que significa?

No fundo, cuidar implica uma blindagem afetiva de um lado e a promoção de outros afetos por outro. Quando cuida de alguém, você tenta fazer com que o mundo agrida esse alguém o menos possível. Você prepara o mundo para diminuir a tristeza. Quando cuida de alguém, você tenta proporcionar a esse alguém encontros alegres com o mundo, trata de preparar o mundo para entristecer o menos possível e alegrar o máximo possível. É claro que isso implica muitas coisas.

Você pode, por exemplo, cuidar oferecendo nutrição, proporcionando encontros alegres, alavancadores de potência, como um arroz com feijão bem preparado. Quando cuida de alguém, você impede que esse alguém coma coisas que entristeçam, zela pelos nutrientes que possam causar dano. Quando cuida, você prepara a cama, arruma as cobertas, e tudo isso é zelo com o mundo, para que o mundo possa alegrar.

No final das contas, cuidar de alguém é uma equação afetiva complicadíssima, que exige 24 horas de atenção para tudo que possa agredir no mundo. Cuidar de alguém é tarefa difícil, porque o mundo é ardiloso e astucioso na hora de entristecer.

Mas isso é cuidar de alguém. Agora, será que eu posso cuidar de mim mesmo? Isso implicaria que eu pudesse discernir sobre coisas que possam me alegrar e me entristecer. Implicaria que minha inteligência estivesse a serviço dos meus afetos. Exigiria que eu tivesse a capacidade de, por antecipação, encontrar coisas no mundo que pudessem me alegrar e me livrar daquelas que fossem me entristecer. Cuidar de si exige uma incrível capacidade de antecipação do resultado afetivo dos encontros com o mundo. Cuidar de si não é nada fácil, pois você está sozinho diante de um mundo que sempre surpreende e raramente no sentido da alegria. Cuidar de si, ter zelo com os próprios afetos, usando a inteligência para evitar aquilo que apenas supomos que possa entristecer.

O cuidado consigo mesmo pode estar cheio de erros, pois só evitaremos mundos que entristecem em função de experiências anteriores. Só vamos procurar mundos que alegram em função de experiências anteriores, e, todo mundo sabe, as experiências anteriores não se repetem tal e qual. Às vezes, porque nos entristecemos um dia, perdemos a chance de nos alegrarmos; porque nos alegramos um dia, perdemos a chance de evitar uma tristeza.

Cuidar de si não é nada fácil. Acho mesmo que é o que tentamos fazer o tempo inteiro. Usamos a inteligência para encontrar mundos alegradores e evitar mundos entristecedores. Mas a inteligência é pouca diante de um mundo tão complexo. O mundo será sempre muito mais difícil do que a nossa capacidade de antecipá-lo, diagnosticá-lo e identificar o que nos convém e o que não nos convém. Cuidar de si é só uma tentativa fadada ao fracasso porque, se fosse bem-sucedida, talvez não morrêssemos nunca.

2

Liberdade

CLÓVIS: Muito se fala de liberdade. A palavra "livre" está na boca de todos. Mas o que pode ser livre? Livre é atributo de qual substância?

Você sabe que amargo é atributo de chocolate e que jamais seria atributo de um criado-mudo ou de um cabide. Dizer que um cabide é amargo é um absurdo.

Livre é atributo de quê? O que pode ser livre? Alguém dirá:

A pessoa pode ser livre.

Mas isso é vago demais. Afinal, o que é livre numa pessoa?

A primeira coisa em uma pessoa que pode ser livre é na sua ação, na sua conduta. O indivíduo preso está privado de muitos comportamentos e de muitas ações. A segunda coisa é em nosso pensamento; podemos pensar o que nos vem à cabeça, sem limites. A terceira coisa que poderia ser livre em nós é o nosso desejo. Aquilo que queremos para nós. Será? Será que somos livres para querer? Será que somos livres para desejar? Ou o desejo se impõe a nós? Ou assistimos ao nosso corpo desejar sem nada poder fazer? Será que o desejo nos tiraniza? Será que no desejo reside a nossa maior escravidão?

•••••

Falar de liberdade nos remente a um lindo conceito da filosofia do século 20, que é o conceito de má-fé. Costumo brincar nas palestras que somos sempre dois. Refiro-me a nós mesmos enquanto corpos que desejam, que sentem, que se alegram, que sofrem, que pensam, mas me refiro também a nós enquanto consciência que temos de nós mesmos, do nosso corpo, das nossas sensações e dos nossos pensamentos. Dessa forma, quando você vê que engordou, são dois: o gordinho e quem percebeu que engordou. Quando você brocha, são dois: o brocha e o envergonhado.

Vergonha é uma forma particular de tristeza. Já sabemos que tristeza é sempre perda de potência, diminuição da nossa potência de agir. A vergonha é uma tristeza com uma causa muito especial, é um atributo flagrado em si mesmo, é uma tristeza que nós mesmos nos proporcionamos.

Podemos nos entristecer com o que acontece no mundo, podemos nos entristecer com outras pessoas, podemos nos entristecer com ocorrências. A vergonha é sempre uma tristeza causada por nós mesmos. É o flagrante de um desalinhamento. É quando percebemos um comportamento, uma conduta, um pensamento incompatível com a nossa identidade, com o que acreditamos ser, incompatível com as características que acreditamos serem as nossas. Esse desalinhamento nos faz perder a face, nos faz entristecer, nos faz corar, nos produz vergonha.

A vergonha é uma tangência privilegiada entre o corpo e a alma. Na vergonha existe flagrante consciente e racional de um atributo vergonhoso em nós mesmos. E na vergonha também há corpo, célula, hormônio, sensação. A vergonha é a imbricação nobre entre a razão e a paixão na tristeza. É, portanto, um momento privilegiado para percebermos o quanto nossa razão depende de nossas paixões e o quanto nossas paixões dependem daquilo que pensamos.

A cada conduta que temos, podemos ter alguma consciência. Podemos nos alegrar com o que fazemos — o que chamamos de orgulho — e podemos nos entristecer com o que fazemos — o que chamamos de vergonha. A possibilidade de pensar sobre nós mesmos, de ter consciência de si, é condição para a nossa liberdade. Quem não pensa sobre si acanha a liberdade de sua conduta; afinal, vai agindo sem discernimento sobre outras possibilidades de vida. Quanto mais você conseguir ter consciência de si, mais perceberá o quanto a sua vida pode ser outra e mais se dará conta da própria liberdade.

E o que vem a ser má-fé? É a negação dessa dualidade, a negação da consciência de si, a negação da liberdade. Aquele que age de má-fé está o tempo inteiro justificando suas condutas não pelo próprio discernimento, não pela própria escolha e sim pela fatuidade dos encontros pelo mundo, pela inexorabilidade das circunstâncias de vida. Aquele que age de má-fé nega que poderia ter agido diferentemente, nega que sua vida seja feita de escolhas, nega que está onde está, mas que poderia ter escolhido estar em outro lugar. Portanto, aquele que nega a liberdade e nega a escolha acaba negando a própria humanidade. Aquele que age de má-fé faz questão de fazer do gato o seu grande ídolo.

•••••

Muito da nossa presença no mundo não é objeto de nenhuma decisão, são meras reações às coisas que vão acontecendo diante de nós. Porém, parte de nossa existência é revestida por condutas deliberadas e escolhidas no meio de tantas outras que pareceram piores. Essas escolhas são sempre complicadas. Na hora de eleger a melhor conduta, na hora de jogar no lixo aquilo que não vamos fazer, a equação é complexa.

Muitas vezes nos servimos de regras morais. Regras morais são fundadas em princípios morais, isto é, referências de conduta que nos parecem importantes, que parecem ter valor e que gostaríamos que norteassem nossa vida. Por exemplo, somos cordiais com as pessoas porque a cordialidade é importante para nós. Dizemos a verdade para as pessoas porque ela é importante para nós. Somos leais aos nossos parceiros porque a lealdade é importante para nós. Porém, o que acontece é que, na hora de decidir, muitos desses princípios entram em conflito.

Imagine que alguém volte do cabeleireiro, alguém que você queira bem, e você não goste muito do resultado capilar que vê. Nesse momento, você fica em dúvida entre dizer a verdade e ajudar a pessoa numa próxima escolha de *style* ou dizer que gostou para ser amável, para ser gentil, para ser polido. Você percebe que existe aqui um conflito entre a polidez e a gentileza de um lado e a verdade de outro.

Outras vezes, nas intimidades com outros corpos debaixo dos lençóis, você não tem a melhor das sensações. Alguém dá uma mordida desagradável, alguma coisa que a pessoa talvez acredite causar prazer, mas de que você não gosta muito e fica na dúvida entre dizer que gostou ou dizer a verdade.

Cada conduta pode ser objeto de conflito e problema. É o colega que cola, e você se vê na dúvida entre ser leal ao colega ou dizer a verdade ao professor. Você que é servidor público e recebe uma proposta que lhe permitirá proporcionar a quem ama uma vida material mais digna em troca da facilitação de um privilégio para um agente corruptor. Você fica na dúvida de por que não proporcionar às pessoas que ama uma vida materialmente melhor em nome de uma sociedade que na verdade você nunca viu e nem conhece?

Como você vê, os dilemas morais fazem parte da nossa vida. Portanto, muito mais do que ter princípios e regras morais, é preciso pensar para estabelecer uma hierarquia entre eles, pois somente essa hierarquia permitirá escolher entre os princípios aqueles que verdadeiramente nortearão a sua vida.

Calabrez: Isso me faz pensar em Sócrates. Ele foi condenado à morte e preso. Teve, portanto, seu direito de ir e vir totalmente impedido. Podemos dizer que Sócrates perdeu sua liberdade. No entanto, parece-me que Sócrates foi mais livre do que muitos homens que hoje gozam de ampla possibilidade de deslocar-se para onde bem entendam.

Outro exemplo que me vem à cabeça é mais recente: o francês Jean-Dominique Bauby. Ele era um ator, escritor e editor-chefe da prestigiosa revista de moda *Elle*. Em 1995, aos 43 anos de idade, sofreu um devastador derrame cerebral. O resultado foi o que em neurologia chamamos de "síndrome do encarceramento". Como o nome sugere, o paciente fica encarcerado em seu próprio corpo, incapaz de se mover, falar, respirar...

Ao acordar no hospital, Bauby só conseguia mexer a pálpebra esquerda. No entanto, as faculdades mentais de pacientes com síndrome do encarceramento em geral permanecem intactas. As memórias e a capacidade de raciocínio, por exemplo, não sofrem prejuízos. Esse aprisionamento — uma mente intacta dentro de um corpo paralisado — pode ser considerado uma terrível perda de liberdade.

Eis o paradoxo: mesmo encarcerado, sem poder se mover, Bauby escreveu um livro. Utilizando apenas o piscar de sua pálpebra esquerda, com a ajuda de uma pessoa que passava o dedo sobre o alfabeto, de novo e de novo, para cada letra. Ele compôs e editou — dentro de sua cabeça — o belo livro *O escafandro e a borboleta*, que foi adaptado para o cinema em um filme de mesmo nome.

Sobre esse tipo de liberdade também podemos pensar em Stephen Hawking. Aos 21 anos de idade, foi diagnosticado com esclerose lateral amiotrófica — doença neurodegenerativa que progressivamente paralisou todo seu corpo. Hoje, o professor Hawking comunica-se por meio de um computador. Um sensor capta movimentos em sua bochecha — a única musculatura que ele ainda é capaz de controlar. Enclausurado em uma cadeira de rodas, ele é responsável por importantíssimas ideias da astrofísica nas últimas décadas. Um exemplo é a já mencionada evaporação dos buracos negros.

Quantas pessoas são livres para se mover, correr e pular — mas possuem mentes incapazes de alçar voo, de criar e refletir, de pensar diferente, de desconstruir e reconstruir ideias? Falo aqui dos preconceituosos e canalhas, por exemplo.

É natural para mim, ao falar de liberdade, pensar na liberdade da mente. A liberdade de Sócrates, Bauby e Hawking.

Isso pode levar o leitor a pensar que a mente é uma entidade independente do corpo. Ou seja, que flutua livre, independentemente das condições do corpo. Ao que tudo indica, isso é um erro. "O erro de Descartes", como disse o neurocientista António Damásio. Erro dos pensadores dualistas, que consideram mente e corpo como coisas separadas e independentes.

Há casos documentados de pessoas afáveis e amistosas que de repente apresentam comportamentos agressivos, chegando a assassinar familiares ou amigos. Quando examinam essas pessoas, os médicos descobrem tumores pressionando estruturas do cérebro associadas ao processamento emocional. Se o tumor é removido, a pessoa retorna ao estado amistoso — e cai em prantos, em um misto de arrependimento e horror, ao dar-se conta de que matou um ente querido.

Já falei na segunda parte do livro sobre a doença de Alzheimer. Uma doença triste e debilitante. O paciente perde a memória, a capacidade de tomada de decisão e o raciocínio.

Além disso, sofre com alterações emocionais, depressão e apatia. Sua personalidade muda. Seu comportamento muda. Sua mente definha pouco a pouco, gerando sofrimento também para os familiares, que presenciam as alterações. Em suma, a pessoa deixa de ser quem era. A doença de Alzheimer está associada ao acúmulo de um certo tipo de proteínas, as proteínas tau e beta-amiloides, que causam degeneração dos neurônios. Em outras palavras, são estruturas cerebrais que morrem.

O cérebro do psicopata é diferente do meu e do seu. Ele tem disfunções em uma série de circuitos. O psicopata é incapaz de sentir empatia, carinho e vergonha, por exemplo. Quando vê uma pessoa sofrendo, você sofre junto com ela (a não ser que ela seja sua inimiga). O psicopata não sente essa empatia, essa dor partilhada — seu cérebro é incapaz disso.

Depressão, bipolaridade, transtorno obsessivo-compulsivo, pânico, déficit de atenção, esquizofrenia. Todas essas já foram consideradas doenças "psicológicas", ou seja, doenças da mente — sem relação com o corpo. Hoje, alguns dos maiores avanços na compreensão dessas (e tantas outras) doenças é no estudo das disfunções cerebrais e também genéticas do paciente.

Quem sofre com Alzheimer não tem liberdade para lembrar-se das coisas. Quem sofre com depressão não tem liberdade para sentir-se feliz e motivado. A pessoa com um tumor (como mencionado acima) não tem liberdade para não sentir raiva. O psicopata não é capaz de sentir empatia, tal como você não é capaz de enxergar a luz infravermelha que sai do seu controle remoto.

São mentes aprisionadas, limitadas, ceifadas. Em outras palavras, mentes doentes. Repito mais uma vez a frase do grande professor de Harvard, Steven Pinker: "A mente é o que o cérebro faz". E o cérebro faz parte do corpo, assim como o nariz e o estômago. A mente existe em relação íntima com o cérebro e, portanto, com o corpo.

Corpos doentes estão associados a mentes doentes. Veja Platão. Viveu oitenta anos, numa época em que não existia privada nem antibiótico. Era um atleta. Como eu disse anteriormente, seu nome, acredita-se, era Arístocles. O apelido Platão significa "o amplo", "ombros largos". Alimentava-se bem. A famosa "dieta do Mediterrâneo" é até hoje uma das mais saudáveis que conhecemos. Dormia à noite — afinal, não havia luz elétrica, *smartphone* e Netflix. Manteve-se também intelectualmente ativo até seus últimos dias.

Se você lembrar do Capítulo 20 da Parte 2, perceberá que essas são práticas fundamentais à manutenção da saúde do corpo em geral e do cérebro em específico. Previnem ansiedade, depressão, Alzheimer, derrame cerebral. A liberdade da mente está intimamente associada à liberdade do corpo. O corpo doente condena a mente ao aprisionamento. Mentes livres precisam de corpos saudáveis e livres.

Se Sócrates não tivesse seu corpo aprisionado e morto, quanto mais conseguiria ter feito pelo pensamento humano?

Bauby morreu pouco tempo depois da publicação de seu livro. E só sobreviveu para publicá-lo com a ajuda de máquinas hospitalares.

Imagine que Platão tivesse vivido uma vida sedentária, regada a estresse, tabagismo, *junk-food* e Rivotril. Talvez sintomas de demência surgissem precocemente. Teria ele escrito *A república*, uma obra-prima do pensamento humano (concluída quando ele tinha mais de 50 anos de idade)?

• • • • •

O leitor pode ter concluído que a pessoa adulta, de corpo e mente saudáveis, pode ser totalmente livre.

Será?

Infelizmente, tudo indica que não é bem assim. A imensa maioria do que eu e você pensamos, desejamos, sentimos e fazemos é resultado de operações mentais às quais não temos acesso. Na ciência, chamamos esse mundo de "inconsciente". Leibniz, Schopenhauer e Nietzsche, por exemplo, já falavam de processos inconscientes (sem usar este nome). Mas foi Sigmund Freud, brilhante e revolucionário, quem nomeou e tornou famosa a ideia de que não temos conhecimento da maioria dos processos mentais que ocorrem dentro de nós. As ciências da mente hoje ajudam a compreender as dinâmicas e engrenagens do inconsciente.

Se você está sentado lendo este livro, aposto que não está consciente da pressão que o assento está fazendo sobre suas nádegas. Agora você está — só porque chamei sua atenção.

Antes, isso era um processo totalmente inconsciente. Você não está consciente dos mecanismos que controlam sua pressão arterial, frequência cardíaca, respiração, peristaltismo e tantas outras coisas.

Mas isso não se restringe às funções fisiológicas aparentemente "mecânicas". Nossos desejos, decisões e julgamentos frequentemente fogem ao nosso controle consciente. Darei alguns exemplos (todos derivados de estudos científicos):

- Um supermercado colocou nas prateleiras quatro vinhos franceses e quatro vinhos alemães. Para cada vinho francês, havia um equivalente alemão (em termos de uva, preço e secura/doçura). Em dias alternados, o supermercado tocou músicas francesas e alemãs. Nos dias de música alemã, 73% dos vinhos vendidos foram alemães. Nos dias de música francesa, 77% dos vinhos vendidos foram franceses. Após a compra, os participantes responderam um questionário que demonstrou que não haviam percebido a influência da música sobre a preferência.

- Em outro estudo, os participantes que seguravam um copo de café quente tenderam a descrever certas pessoas como mais generosas e cuidadosas do que participantes que seguravam um copo de café gelado (e descreviam as mesmas pessoas). Os pesquisadores ofereceram-lhes presentes para que escolhessem se ficariam com o presente para si ou dariam para amigos. Os participantes do grupo que segurou o copo de café quente tiveram tendência significativamente maior à escolha de dar o presente a amigos.

- Quando pesquisadores forçaram pessoas ao sentimento de nojo — com um cheiro ruim ou um filme nojento —, elas tenderam a fazer julgamentos (do que é bom e ruim, certo e errado) mais severos do que pessoas não submetidas ao nojo.

- Participantes de um estudo que preencheram o questionário da pesquisa ao lado de um tubo de gel higienizador para as mãos tenderam a apresentar visões políticas mais conservadoras do que aqueles que preencheram o questionário sem a presença do tubo.

- Um estudo observou que *strippers* recebiam gorjetas significativamente maiores quando estavam ovulando do que quando estavam fora da ovulação e que as gorjetas eram ainda menores quando estavam menstruadas. Já as *strippers* que tomavam pílula anticoncepcional não apresentavam variações.

Eu poderia continuar e preencher um livro inteiro sobre as diversas formas pelas quais nossas decisões, desejos e comportamentos são influenciados por fatores inconscientes...

Mas termino apenas com uma provocação: estudos indicam que o cérebro inicia um comportamento segundos antes de acharmos que decidimos aquele comportamento. Em outras palavras, do ponto de vista de operação cerebral, a crença de que decidimos ocorre após a decisão ocorrer (inconscientemente). Por esses e outros motivos, diversos pesquisadores acreditam que o livre-arbítrio é uma ilusão. E não é gente pequena não. Estou falando de alguns dos cientistas mais respeitados do mundo, de universidades como Harvard e Oxford.

Essa eu deixo você, leitor, resolver. Do meu lado, digo apenas que a liberdade é muito mais complexa e provavelmente muito mais limitada do que as nossas sensações de livre-arbítrio cotidianas fazem parecer.

Uma provocação: será que qualquer um é livre para ser cientista e contribuir para o conhecimento como fez Einstein? Será que todos temos a liberdade para treinar futebol e jogar tão bem quanto Lionel Messi?

CLÓVIS: Em qualquer atividade humana é fácil perceber a combinação de talento — habilidade, dom natural — e esforço — dedicação e transpiração. Qual será o comportamento de maior valor? Aquele determinado pelo talento, pelo dom natural — pela virtude, como diria Aristóteles — ou o comportamento que resulta de esforço, dedicação e transpiração?

É curioso observar que o esforço resulta da vontade, da decisão, da deliberação de cada um. Quando nos esforçamos, poderíamos não nos esforçar. O esforço é uma decisão, é o que chamamos de força de vontade.

O talento não. Este é um dado da natureza, um presente, um recurso natural que herdamos do nascimento. O talento impõe-se a nós, não escolhemos, não decidimos. O talento é o que é.

O esforçado poderia não ser, mas o talentoso tem que ser. Vivemos uma crise do valor do talento porque a ideia de mérito — ou de meritocracia, tão badalada no mundo profissional e das organizações — implica sempre a possibilidade de agir diferente, a possibilidade de não ser o que se é. Todo mérito pressupõe uma decisão meritória e por isso há o aplauso pelo esforço, pela dedicação, pelo sangue nos olhos e pela faca nos dentes.

Já o comportamento talentoso sem esforço costuma ser entendido como resultado de uma injustiça na distribuição natural de recursos e por isso nem sempre é tão aplaudido. No mundo artístico, o talento ainda é reconhecido. Fora dele, o que se espera é que você rale de sol a sol. O talento cedeu a vez ao esforço. Normal em uma sociedade que vê na igualdade o princípio ético fundamental; afinal, na hora de nos esforçarmos, todos estamos no mesmo ponto de partida. Se a régua é o esforço, partimos do mesmo lugar, mas, se a régua for o talento, há uma desigualdade de princípio que jamais poderemos subverter. Por isso o aplauso é ao esforço, mesmo que este seja medíocre, amarrado e emperrado.

No esporte isso é claro. Dois irmãos, Raí e Sócrates, fizeram história no futebol brasileiro. Sócrates era puro talento e zero de esforço. Raí, algum talento e muita dedicação. No final das contas, Sócrates era muito mais jogador do que Raí, mas este último foi muito mais aplaudido e venerado com títulos do que Sócrates.

CALABREZ: Isso pode nos remeter inclusive a uma questão de justiça. Afinal, parece não ser "justo", no sentido atual da palavra, alguns nascerem com tanto (de talentos naturais como inteligência, destreza esportiva, beleza, etc.) e outros com tão pouco. A distribuição de talentos na natureza é radicalmente assimétrica. E assimetrias sociais hoje são consideradas injustas por muita gente. Muitos trazem isso inclusive para a esfera econômica: alguns nascem com quase nada, enquanto outros nascem bilionários.

Mas justiça não é um conceito fundamental da natureza. Não existe uma partícula chamada "justiça" ao lado dos *quarks* e do bóson de Higgs. Justiça é um certo jeito que usamos para nos referir às relações entre os seres humanos e o mundo.

CLÓVIS: Os atributos naturais, os recursos que a natureza lega a cada um, acabam sendo fator de legitimação do exercício de certo poder, ao menos para o pensamento antigo. Imagine um indivíduo que tenha nascido com algum problema físico, um deficiente físico. Esse indivíduo é pobre em recursos naturais, pelo menos alguns deles. Então, será entendido como inferior. Isso significa que, na hierarquia social, ele terá mais que obedecer do que mandar e estará condenado a uma posição de submissão em relação àqueles que lhe são naturalmente superiores.

Na hora de pensar uma cidade justa, os gregos têm uma opinião muito clara a respeito: os recursos da cidade devem permitir que cada um fique no seu lugar e devem permitir que as pessoas dotadas de mais talento, de mais legado da natureza, possam desabrochar seus recursos no sentido da excelência. Assim, a cidade justa para os gregos acaba reforçando traços de força e de potência preexistentes na condição natural de cada um. Aristóteles não dá margem à dúvida: "Para quem temos que entregar a melhor flauta? Ora, a melhor flauta para o melhor flautista". O indivíduo talentoso por natureza deve dispor do recurso mais caro.

Também devemos dar escolaridade, condição de aperfeiçoamento do pensamento, para quem já é naturalmente talentoso para pensar. Isso significa que a cidade justa acaba reforçando aquilo que a natureza já distribuiu de forma desequilibrada. Você haverá de concordar que no mundo moderno muitos de nós pensamos rigorosamente o contrário: a cidade justa deve corrigir as desigualdades de princípio, deve facilitar a vida daquele que é naturalmente mais frágil. Desse modo, aqueles que têm alguma deficiência contam com uma série de facilidades aplaudidas por todos — ou quase todos. O que se pretende é que o cego possa deslocar-se tendo facilitação para isso, que o cadeirante possa tomar um elevador sem dificuldade e que haja tudo para que o indivíduo com alguma dificuldade possa ter uma vida equiparada à vida daquele que não tem dificuldade nenhuma, ao mais bem-dotado por natureza.

Concluindo essa história, o que os gregos chamavam de uma cidade justa é mais ou menos o contrário do que nós chamamos. Pelo menos no que diz respeito à relação com os atributos naturais. Para os gregos, a cidade justa é aquela que coloca o naturalmente dotado em posição de superioridade e em condição de busca da excelência, e o naturalmente desprovido em condição de jamais sair do lugar que lhe é naturalmente devido.

CALABREZ: Parece-me que, pelo menos nessa questão, o mundo atual nos permite maior liberdade do que o mundo antigo.

O mundo tende, cada vez menos, a suportar modelos aristocráticos nos quais a essência do indivíduo é determinada pelo seu lugar "natural" de nascimento. Em seus sistemas legislativos, as sociedades buscam oferecer oportunidades de maneira mais equilibrada aos cidadãos, considerando as discrepâncias entre eles — um exemplo é a acessibilidade às pessoas com deficiências.

Isso é inegável. Incomoda-me, no entanto, a visão de que o mundo atual é *plenamente* livre. De que podemos ser e viver o que bem entendermos. Em uma espécie tão social quanto o *Homo sapiens*, a plena liberdade individual é necessariamente um delírio. Não há indivíduo sem sociedade. Logo, não há liberdade individual plena.

O maior indício de que não somos tão livres talvez seja o quanto mudamos ao longo de um mesmo dia para tentar nos adequar àquilo que outras pessoas esperam de nós...

CLÓVIS: Uma distinção que me parece relevante é entre uma simples escolha e uma decisão. Às vezes podem parecer significar a mesma coisa. Mas uma escolha é uma simples constatação da superioridade de um meio, de uma estratégia, de uma ação para a obtenção de um determinado fim ou objetivo. Aquele que escolhe acredita dominar a extensão das consequências de cada uma das possibilidades cogitadas e assim, de forma lógica e racional, constata que uma delas é mais propícia a permitir alcançar o objetivo almejado.

Poderíamos dizer que, no caso dessa escolha racional, não há propriamente uma escolha, dado que a seleção da alternativa mais conveniente decorre de critérios que se impõem completamente a quem está agindo.

Por outro lado, uma decisão exige a identificação da melhor alternativa entre vários possíveis caminhos, sem que o decisor acredite dominar todas as variáveis ou todas as consequências possíveis das alternativas em exame. Seja porque não dispõe de tempo hábil para essa avaliação, seja porque a eficácia de cada uma das possibilidades depende de ocorrências supervenientes, isto é, cronologicamente posteriores à tomada de decisão —, o ato de decidir vai além de uma mera constatação. Exige, portanto, um comprometimento pessoal e uma tomada de risco.

Podemos dar dois exemplos.

Aquele que pretende emagrecer e tem à disposição dois tipos de alimento com os devidos valores nutricionais, deverá optar de maneira lógica pelo menos calórico. Trata-se de uma mera constatação.

Mas aquele que pretende carreira longa em uma mesma empresa e deve decidir entre várias alternativas não controla as políticas de gestão e de recursos humanos dos anos que se seguem — em especial em tempos de tanta transformação. Este indivíduo é obrigado a decidir, a assumir um risco, porque deverá identificar e adotar uma alternativa sem controlar tudo que interfere no acerto ou erro da decisão.

Podemos dizer que quase todas as nossas grandes encruzilhadas existenciais são uma questão de decisão e quase nunca uma questão de escolha racional. Isso porque quase sempre as condições que temos para identificar o caminho que percorreremos não nos autorizam o esgotamento das variáveis em jogo, condenando-nos a uma certa incerteza, a assumir grandes riscos e a nos manter acompanhados por uma angústia que nos será fiel.

Por isso talvez tenhamos que esperar de nossos educadores, tanto na formalidade da escola quanto na informalidade da vida, que preparem jovens para decidir, muito mais do que simplesmente escolher.

Um elemento complicador de toda decisão existencial está no conflito possível e provável entre aquilo que entendemos ser nossas características mais intrínsecas e o que a sociedade espera de nós. Acreditamos ter talentos, aptidões, gostos, desejos, inclinações e apetites que são nossa marca registrada. A sociedade, por sua vez, estabelece as condições de manifestação de cada um desses elementos definidores de nós mesmos.

Isso faz com que a adaptação necessária entre as condições materiais e sociais de existência e tudo aquilo que acreditamos ser a nossa definição seja potencialmente dolorosa. A sociedade já estava ali quando nascemos, acredita ter direito adquirido e não pode tolerar heresia crônica, sob pena de não garantir um mínimo de ordem e convivialidade. É muito provável que tenhamos que tomar nossas decisões em função de instâncias repressivas cuja contundência ignoramos, ao menos parcialmente.

Você vai ao teatro, e o ator ou a atriz interpreta um papel, encarna a personagem, finge ser quem não é. Termina a peça e volta a ser quem ele ou ela é, o seu verdadeiro eu.

Já você pega as crianças, vai a uma festinha de aniversário, se vê conversando com outros pais e começa a perceber que desempenha bem o papel de pai ou de mãe, fala de coisas de paternidade ou maternidade, de filiação, age como pai ou mãe, adverte o filho — afinal, você está numa festa de aniversário cheia de gente chata que cobra de você certa postura paterna ou materna. Você sai dali, vai dormir e no dia seguinte vai à casa da sogra, encontra toda a família e se vê novamente meio que encenando e falando coisas tipicamente familiares, conversando com cunhados. O domingo passa, você acorda na segunda-feira, vai trabalhar e se pega passando por bom profissional na frente de executivos japoneses que estão ali na expectativa da sua *performance*. De terno e gravata, você encena a figura do executivo eficaz. Na quarta-feira, você vai ao jogo de futebol à noite, você é torcedor e encarna bem esse papel, grita, esbraveja na arquibancada.

Aí um dia você pensa: máscara no teatro, máscara na festinha, máscara na casa da sogra, máscara de executivo, máscara de torcedor, máscara, máscara, máscara... Será que por trás de todas essas máscaras haverá uma não máscara? Uma essência? Um verdadeiro eu? Um Clóvis de verdade que não é professor na USP, que não é palestrante em empresa, em convenção de vendas, que não é aquele que se reúne com executivos para vender suas consultorias, que não é aquele que toma café da manhã com a filha e que está sempre perto dos filhos? O que haverá por trás de todas essas máscaras, de todas essas personagens?

Pois é. Talvez nada. Talvez sejamos apenas máscaras sem rosto. Personagens em busca de um ator que não existe. Personagens em um eterno teatro, e, por trás delas, só o vazio. Apenas uma força cega, uma energia sem finalidade, sem causa. Apenas vontade. O resto, máscaras. Máscaras sem rosto. Fingimento permanente. Às vezes com maior, às vezes com menor consciência. É o que chamamos de graus diferentes de cinismo para uma vida na qual vamos nos adaptando como atores que escondem o vazio do seu próprio ser. Afinal, onde apareceria o eu verdadeiro? No vaso pela manhã? Será mesmo? Ou tomando banho sozinho? Ou quem sabe no meio do oceano, velejando?

Vixe! Máscaras mais ou menos sofisticadas de alguém que luta para acreditar ser alguma coisa, mas que não é nada a não ser uma personagem em um teatro sem fim.

E agora, meu amigo? Chupa essa manga.

CALABREZ: Não consigo imaginar sociedade mais mascarada do que a que vive em um mundo de redes sociais. Acho apropriado o nome "perfil" ao se referir às nossas páginas dentro das redes. Perfil no Facebook, perfil no Instagram. Afinal, perfil implica, por definição, que há um outro lado — um lado escondido daquilo que estamos vendo.

As pessoas investem uma enorme quantidade de energia para transformar-se em vitrines. Vivemos em um mundo repleto de manequins ambulantes.

Mamas acrescidas de silicone, músculos abastecidos com anabolizantes, rostos paralisados por toxina botulínica, sorrisos cirurgicamente construídos no ortodontista, implantes capilares, barrigas e glúteos lipoaspirados e — por que não? — "lipoesculturados", maquiagem, tatuagem, tinta para o cabelo, *piercing* no umbigo e onde mais couber, bronzeamento artificial, roupas, acessórios, celulares, namorado(a) troféu para mostrar aos amigos... Tudo isso cuidadosamente arquitetado para produzir um perfil, uma vitrine de si, para que as pessoas cliquem, curtam e compartilhem. Tudo isso em nome de uma vida aparentemente livre, completa e feliz, escancarada para o mundo através da janela global chamada internet.

De fato, os estudos mostram que olhar no espelho e se sentir bem é um importante fator contributivo para o bem-

-estar. Isso significa vestir-se e adornar-se do jeito que bem entender. Ser dono do próprio corpo é muito importante.

O problema é quando isso se torna regra existencial. Quando absolutamente tudo é aparência, somente aparência. Quando construímos nossa vida, incluindo nosso corpo, baseados num desejo de aprovação constante. Ignoramos quaisquer reflexões profundas sobre nós mesmos, pois o que importa é mostrar-se especial para o olhar alheio. Eis que temos uma bola de neve: tornar-se especial, cada vez mais especial, nos faz desejar uma aproximação cada vez maior da perfeição, e a perfeição é uma grande ilusão.

Sabe aquela celebridade que parece tão perfeita nas fotos do Instagram? Nos esquecemos que ela tem diarreia de vez em quando. Aquele seu amigo que está sempre sorrindo seus 28 dentes brancos nas baladas e festas, rodeado por pessoas perfeitas? Há dias em que ele está triste e não tem vontade de sair da cama.

Ou então a foto daquele corpo escultural, sem qualquer imperfeição, que faz você pensar "eu queria um corpo assim"? Pois saiba: esse corpo existe! Depois de dezenas de cliques, até encontrar a luz certa, sob o ângulo certo. Talvez com a ajuda de alguns anabolizantes esteroides e uma pitada de Photoshop. Esse corpo existe, portanto, em outro lugar, mas não neste mundo aqui, real, de carne e osso, onde vivemos.

Não quero dizer com isso que a internet é um mal. Quero apenas alertar para uma ambivalência. Nada é puramente positivo, assim como nada é puramente negativo. Penso que a internet nos trouxe uma liberdade gigantesca. Maior talvez do que quaisquer outras tecnologias anteriores.

Um exemplo: hoje somos capazes de nos manifestar e de denunciar coisas que, por muito tempo, passaram por baixo do pano, como preconceito e discriminação. Outro exemplo: se dependêssemos dos meios de comunicação de massa (como TV, revistas e jornais), talvez não chegássemos a saber de uma série de pilantragens cometidas pelos nossos líderes políticos. Mais um exemplo: o acesso ao conhecimento nunca foi tão amplo — e aumenta a cada dia. Após alguns cliques, você consegue acesso a uma aula ministrada na Universidade de Harvard do sofá da sua casa no Brasil. Devemos lembrar que por muito tempo só gente muito rica, aristocratas e nobres, tinha acesso ao conhecimento. Hoje mais da metade do Brasil já tem acesso à internet — e esse número cresce a cada ano.

Ao mesmo tempo, a internet nos limita.

De alguma maneira, somos todos moradores da biblioteca de Babel, descrita em um conto de 1941 pelo escritor argentino Jorge Luis Borges. Trata-se de uma biblioteca infinita, cujos livros contêm todas as sequências possíveis entre letras. Portanto, em alguma das infinitas prateleiras deve haver um livro que explica o que é a biblioteca, por que ela existe e qual é a melhor forma de viver dentro dela. No entanto, os bibliotecários de Babel suspeitam que nunca conseguirão encontrar esse livro da sabedoria em meio a tantos outros livros que não têm sentido algum, compostos por sequências aleatórias de letras que nada são além de combinações caóticas de informação — ou seja, baboseira.

Suspeito que nós, nos dias de hoje, somos como moradores de uma biblioteca de Babel. Vivemos mergulhados em um oceano de informações, muitas vezes sem o discernimento pleno de que aquelas informações podem ser mentirosas, deturpadas ou no mínimo insuficientes para responder as grandes questões que fazem parte das nossas vidas. Por vezes incapazes de responder até mesmo as pequenas questões do dia a dia. Isso é muito limitador.

Além disso, a internet nos incentiva a adequar nossas vidas a um certo modo de viver, cujo valor central é ser admirado. Não quero dizer que isso seja algo recente. Todas as sociedades viveram isso. Mas a massificação promovida pela internet torna esse processo intenso como nunca. Como disse o pensador polonês Zygmunt Bauman, vivemos uma sociedade de consumo onde a própria vida é um produto, cujo *marketing* envolve construir uma embalagem que agrade o maior número de pessoas.

Existe então uma ambivalência. A tecnologia que liberta ao mesmo tempo limita. Cabe a nós, como indivíduos e sociedade, escolher o melhor caminho, aproveitando o que há de melhor — e evitando o que há de pior. Isso não significa repudiar os avanços tecnológicos. Afinal, seria um tremendo retrocesso. Significa apenas usar nosso senso crítico ao utilizá-los.

CLÓVIS: Em Atenas, havia um cara com muita fama de dar nó em pingo d'água, resolver qualquer problema, um engenheiro faz-tudo, um mestre de obra desses que você contrata para resolver qualquer problema. A rainha de Creta contratou-o para resolver um probleminha: ela era louca para dar para um touro. Touro desses de quatro patas e chifres. Mas o touro não queria saber dela. A vaca que o touro queria não era a rainha de Creta.

Nosso herói foi até Creta em grande estilo e fabricou uma vaca toda estilizada, dentro da qual a rainha ficaria acoplada, como se estivesse pilotando uma moto de altíssima velocidade, de tal maneira que a vulva da suposta vaca coincidisse com a da rainha. Não deu outra: ao largar o touro, ele viu aquela vaca VIP, aquela vaca *prime*, e sentou o ferro na vaca com a rainha dentro. Foi um espetáculo.

A rainha exultou; porém, engravidou. Engravidou de uma figura estranha, meio humana e meio bovina: o Minotauro. O rei não gostou. E colocou nosso herói e seu filho assistente dentro de um labirinto do qual não conseguiriam sair jamais. Junto a eles, o Minotauro.

Então nosso herói articulou um sistema para sair dali. Foi juntando gravetos e, com asas de cera, saíram dali voando, ele e o filho, Ícaro. Mas a advertência que o pai deu era clara: não voe nem muito alto, nem muito baixo. Se voar muito alto, o sol derreterá as asas; muito baixo, a umidade pesará demais. Vá na manha, pelo meio do caminho. Os dois saíram voando por aquelas ilhas, vendo paisagens maravilhosas. Ícaro encantou-se e decidiu dar um rolê lá em cima. Foi subindo, subindo cada vez mais, e aí deu no que deu: perdeu as asas e não conseguiu se salvar.

A moral da história é muito clara. Olha só a roubada: o cara inventou a vaca e por isso incorreu na ira do rei de Creta e foi parar no labirinto. Inventou as asas e acabou vendo o filho espatifar-se diante de seus olhos. Desde os tempos da mitologia, já sabiam que não é todo artefato tecnológico que nos convém. Não é toda tecnologia que nos traz felicidade. Não é todo invento que nos faz a vida melhor.

CALABREZ: A tecnologia hoje permite acesso. Essa talvez seja a palavra-chave. Acesso a um número quase ilimitado de opções.

"Opções de quê?"

De tudo.

Aplicativos e *shopping centers* oferecem cardápios repletos de opções de roupas, acessórios, estilos de vida, alimentos, informações, ideias e prazeres. Só que não são pequenos cardápios. Cada um deles nos dá um grande número de possibilidades. Liberdade como nunca antes. Controle total sobre quem somos e nos tornaremos. Com isso, obviamente, deve seguir a plenitude, a satisfação e quem sabe a felicidade. Certo?

A resposta é: mais ou menos.

De fato, a privação de liberdade (que inclui um número muito restrito de opções e possíveis escolhas na vida individual) está associada à insatisfação. Não ter controle e diversidade de opções em nossas escolhas é uma ótima receita para produzir tristeza em um ser humano.

A solitária das prisões é um exemplo extremo. Tira a liberdade por completo — perde-se o controle inclusive da noção de tempo. Não sabemos se é dia ou noite, não sabemos há quanto tempo estamos isolados. Essa privação de liberdade, quando nos tiram totalmente o controle sobre nossas vidas, é psicologicamente destruidora. Aparentemente, então, liberdade de escolha e controle estão associados a uma vida melhor.

Acontece que, como mostrou o psicólogo americano Barry Schwartz, há um paradoxo. Quando temos muitas opções, ou seja, liberdade de escolha em abundância, também nos angustiamos. Em outras palavras, um grande número de opções nos leva à insatisfação e, no limite, à tristeza.

Acho que você, leitor, já deve ter vivido isso. Eu vivo frequentemente. Chego a um restaurante. Sento-me à mesa e abro o cardápio. São páginas e páginas de opções. Dezenas delas. O que acontece? Em primeiro lugar, aumenta o tempo de reflexão sobre qual opção será escolhida. Fico meia hora escolhendo. Além disso, aumenta a probabilidade de não escolher nada ou de escolher qualquer coisa porque não aguento mais pensar. Quando escolho, eis o que acontece: ou fico insatisfeito porque escolhi qualquer coisa, ou fico insatisfeito porque permaneço imaginando que poderia ter escolhido algo melhor — ou ambos.

É justamente isso que os estudos mostram: um grande número de opções gera angústia, dificulta o processo de decisão e aumenta a probabilidade de insatisfação com a escolha.

Cardápios com muitas opções são ruins para os restaurantes. As pessoas passam mais tempo à mesa, é claro. No entanto, não estão consumindo. Ou seja, estão ocupando a mesa que poderia estar sendo usada por alguém que consumisse.

Isso acontece no mundo dos relacionamentos românticos. O aplicativo Tinder é um ótimo exemplo. Um cardápio de pessoas com fotos e uma pequena descrição. O funcionamento é simples. Você curte uma pessoa. Se ela não curtir de volta, você nunca saberá. Aquelas que curtirem de volta, você saberá — e poderá entrar em contato.

Veja a genialidade. Em primeiro lugar, o aplicativo remove totalmente a angústia da rejeição. Você nunca sabe quem o rejeitou, somente quem o curtiu. Imagine se, a cada rejeição, o Tinder avisasse: "Você foi rejeitado", "você foi rejeitado"... As pessoas não suportariam um aplicativo desses por um dia!

Além disso, o Tinder dá um grande número de opções. Milhares de pessoas ao alcance. Parece ótimo. No entanto, o paradoxo da escolha talvez se aplique aqui. Por possibilitar uma grande liberdade, talvez o Tinder também nos limite — dificultando o processo de decisão e aumentando a probabilidade de insatisfação com nossos relacionamentos românticos.

Alguns estudos já sugerem que o número de parceiros sexuais passados está associado à insatisfação com o relacionamento atual. Ou seja, quanto mais parceiros passados, maior insatisfação com a relação de hoje. Outros estudos sugerem que um maior número de relacionamentos passados está associado a maiores taxas de divórcio. A hipótese dos autores é simples: quanto mais você sabe que existem outras opções, mais ciente está de que existem alternativas diferentes da pessoa que está com você. Isso poderia torná-lo mais crítico e, portanto, menos satisfeito com o que tem.

Claro, você pode argumentar que é errado presumir que viver um relacionamento monogâmico seja algo bom. Mas esta é outra questão. Estamos falando de casais que escolheram um relacionamento monogâmico — e que, portanto, acreditaram que aquilo lhes traria satisfação.

Eu costumo chamar isso de "síndrome Netflix". Se já tentou escolher um filme ou seriado na Netflix, você sabe do que estou falando. São tantas opções que se torna muito difícil escolher. A escolha é muito demorada — e provavelmente aquilo que escolhermos não trará tanta satisfação.

O problema aparentemente está no processo de "maximização". Quanto mais queremos que uma escolha seja a melhor possível, que ela nos traga o máximo possível de satisfação, maior a probabilidade de ficarmos insatisfeitos. Como eu disse anteriormente, perfeição é uma ilusão. Quando buscamos perfeição (maximização) em nossas escolhas, provavelmente ficaremos insatisfeitos. Afinal, depois que escolhermos, ficaremos pensando que outra opção poderia ter sido melhor. Pelo visto, isso vale para roupas, celulares, viagens, parceiros românticos e tudo mais.

Muita liberdade então pode ser fonte de angústia. Será este o carma de uma sociedade de consumo?

• • • • •

Falar em carma, aliás, remete a um conceito diretamente ligado à liberdade, muito difundido nos dias atuais. Diversas pessoas acreditam que nossas escolhas livres, quando boas, geram algo positivo. Quando ruins, ao contrário, escolhas produzem negatividade. Alguns chamam de energia. Outros chamam de carma — e por aí vai.

De certa forma, há um determinismo nessa relação. A boa ação determina o bem, a má ação determina o mal. Esse determinismo, de forma contraditória, limita a liberdade. Afinal, se uma boa ação sempre produz coisas boas e uma má ação sempre produz coisas ruins, onde está a liberdade?

Você poderia responder: "Nas intenções e ações. As consequências não são livres. O mau comportamento sempre gera coisas ruins. O bom comportamento sempre gera coisas boas. Mas nossa intenção ao agir, assim como nossas ações de fato — eis aqui duas coisas livres e sob nosso controle!".

Perfeito. Mas a liberdade plena seria se uma boa ação pudesse causar qualquer coisa (boa, ruim, neutra, ambígua) e uma má ação também. Liberdade plena, aliás, significa que nada é puramente bom ou puramente mau — tudo é relativo. O relativismo é a moral mais livre, se considerarmos que liberdade é sinônimo de ter o maior número possível de caminhos a escolher.

Não quero com isso dizer que relativismo é uma visão boa ou ruim do mundo. Apesar de que, ao dizer isso, estou relativizando. Mas deixo as conclusões por conta do leitor.

CLÓVIS: Nunca se falou tanto sobre o pensamento oriental quanto hoje. A impressão que eu tenho é de que ele é muito mais citado do que conhecido. Aliás, isso também acontece com alguns clássicos ocidentais, como Marx e Nietzsche.

Todo mundo fala sobre, mas poucos leem, poucos refletem a respeito.

Segundo a filosofia hindu, o objetivo último da vida é *moksha*, traduzido por esclarecimento, mas na verdade o significado literal de *moksha* é libertação. Ora, meu amigo, se há libertação é porque existe uma mudança, uma passagem da escravidão para a liberdade. Mas aí a pergunta que precisamos responder é:

Se existe libertação, ela é em relação a quê?

Bem, para começar, aos desejos. Os sábios orientais têm essa obsessão. Os desejos são o grande mal. *Moksha* é vencer os desejos. O indivíduo esclarecido e livre conhece a verdadeira natureza humana. Alcança um estado em que as distinções banais, como entre ser ou não ser, desaparecem. Consegue observar o mundo de forma desprendida. Transcendente, diríamos. Liberto das preocupações da existência comum. Por exemplo, um sábio hindu não estaria como eu agora, preocupado com algum eventual trânsito na Marginal, pois transcendeu essas preocupações. Resta saber se ele chegaria sempre na hora marcada para dar a sua palestra.

Moksha é também a libertação em relação ao *samsara*, o ciclo de nascimentos e mortes. Aqui a perplexidade aumenta, porque o último objetivo da vida seria libertar-se de sua finitude. Imagino que seja libertar-se da tristeza, do medo e da angústia que a finitude da vida nos traz. É claro, isso merece problematização. Se a vida é boa, feliz e alegre, o fim dela será ruim. Não há como não lamentar o fim daquilo que é bom. Na verdade, a morte só não significa nada para quem vive mal.

Os hindus insistem na existência de um carma e afirmam que as boas ações produzem bom carma, o que inevitavelmente leva a boa fortuna, boas ocorrências, encontros alegres com o mundo. Em compensação, as más ações produzem mau carma, o que leva consequentemente a má fortuna, má sorte, encontros apequenadores, brochantes e entristecedores com o mundo.

Ora, meu amigo, eu humildemente lamento discordar. Discordo porque conheço centenas e centenas de casos de pessoas, na vida real e na literatura, que agem bem, são bons pais de família, fazem o bem, ajudam os outros, mas levam uma vida recheada de encontros desgraçados com o mundo. A quantidade de gente traída, humilhada no amor, explorada no trabalho e que passou a vida fazendo o bem me permite discordar. A experiência empírica me mostra que as boas ações e as boas condutas podem até trazer o carma que quiserem, mas que garantirão sorte, boa fortuna e encontros alegres com o mundo, ah, só se for lá longe! Aqui perto não me parece acontecer.

3

Poder

CLÓVIS: Quando pensamos em poder, podemos pensar primeiro na possibilidade que cada um de nós tem de conseguir executar uma tarefa, realizar um intento. Por exemplo, eu tenho o poder, a capacidade de escrever um livro, de dar uma aula. E não tenho o poder de voar ou de fazer um bom desenho.

Esse sentido da palavra poder não é único. Entendemos por poder uma característica de relação entre duas ou mais pessoas. Quando duas pessoas se relacionam e há exercício de poder, é porque a vontade de uma delas determina a ação da outra. Pense, você que trabalha e está subordinado a um chefe, esse chefe exerce o poder, uma vez que o seu comportamento, as suas atividades, as suas condutas são determinadas pela vontade de seu superior. O poder reside aí: a vontade de um determina a conduta do outro.

A relação de poder parece, num primeiro momento, um pouco injusta; afinal de contas, por que alguém, além de definir o que irá fazer, ainda define o que os outros irão fazer? Olhando pelo lado daquele que se submete, por que não poder deliberar sobre a própria conduta? Por que cada um não manda em si?

Rapidamente percebemos que, para que a vida em sociedade aconteça, as relações de poder têm de estar em toda a parte. Simplesmente não é possível que cada um apenas mande em si. Há poder em todo lugar. Eu mesmo, na universidade, dou aula numa sala claramente pequena para o número de alunos que tenho e, no entanto, não cabe a mim decidir em que classe darei aula, bem como não cabe a mim decidir o dia da semana em que darei aula. Tampouco decido o quanto eu ganho. Estou claramente submetido a relações de poder. Mas não é pelo fato de eu não decidir a classe para a qual darei aula que vou pegar uma arma e me rebelar, matando todos que encontrar pela frente. Pelo contrário: toda quinta-feira vou à universidade, vou à sala que me destinaram e dou aula durante o período e no horário que também determinaram. Perceba que eu aceito esse poder, aceito não ser o titular da prerrogativa de decidir sobre essas coisas. Podemos então entender que algumas relações de poder são aceitas não só por quem o exerce como por quem a ele se submete. Chamamos nesse caso de poder legítimo, o poder aceito pelos envolvidos.

Na escala da sociedade também é assim. As leis são escritas por alguns, mas obedecidas por todos. Poderíamos nos perguntar: por que cargas d'água obedecemos? Em outras palavras, qual o fundamento da legitimidade do poder exercido pelos nossos governantes? Por que não há uma revolução por minuto? Uma rebelião por minuto? Acatamos muitas decisões que não são tomadas por nós. Eis aí uma grande questão sobre a legitimidade do poder que vai encontrar uma espécie de resposta na próxima reflexão. Mas reflita que grande parte das relações de poder, ainda caracterizadas pela subordinação de uns e pela soberania de outros, é aceita tranquilamente, harmonicamente, sem nenhum tipo de contestação. Por que será que aceitamos tão fácil não sermos nós mesmos os artífices das escolhas que constituem a nossa vida?

• • • • •

Parece desequilibrado, e injusto até, alguém dever agir em função de uma decisão tomada por outro que não ele mesmo, razão pela qual poderíamos imaginar uma tendência ao resgate da soberania, certa indignação e certa luta para a recuperação do poder decisório sobre a própria vida. Mas não é o que acontece.

Na sociedade, as relações de poder costuram o tecido social, parecem imprescindíveis, pois sem elas a sociedade não existiria. O que será que fundamenta esse exercício de poder? A natureza e os atributos de natureza possuídos por aqueles que exercem o poder e aqueles que a ele se submetem foram durante muito tempo legitimadores e justificadores de relações desse tipo. Há o grande mito de Gilgamesh, primeiro relato de que temos registro. Gilgamesh, o grande rei que não queria morrer, exercia poder sobre a sua cidade em função do seu tamanho, atributo de natureza, o tamanho garantidor da prerrogativa do exercício do poder entendido como normal e aceitável por conta do tamanho do soberano.

Ao longo da história do pensamento e da história das cidades, outros elementos de natureza garantiram a legitimação do exercício do poder. Provavelmente o tamanho das mamas em algum matriarcado, o tamanho do falo em algum patriarcado.

Na filosofia, mais próximo de nós, a natureza também legitimava o exercício do poder político. E o elemento de natureza que garantiria essa legitimidade era a inteligência, o uso da razão. Um domínio sobre as próprias paixões, sobre o próprio corpo, uma soberania sobre si mesmo, sobre os próprios apetites em nome da busca de uma verdade, de ideias perfeitas, de um mundo transcendente. Esse sábio, esse filósofo, por conta da sua inteligência, deveria exercer o poder. Os valentões como Gilgamesh ocupariam agora uma segunda classe: a dos que defenderiam fisicamente a cidade. E os que não fossem nem muito inteligentes, nem valentões, a esses caberia o resto: trabalho braçal, servidão.

Claro que a natureza não foi o único elemento que fundamentou a legitimidade do poder. Mas ainda hoje permite que identifiquemos situações de exercício de poder em nossas relações. A beleza, por exemplo, claramente garante a quem a detém prerrogativas de poder. Também a inteligência e vários outros elementos com os quais a natureza nos brinda desde o nascimento. Certamente que a natureza perdeu a prerrogativa e o monopólio legitimador do poder, mas é evidente que ainda hoje garante para muitos uma situação extremamente privilegiada nas relações.

CALABREZ: Há uma assimetria nas relações humanas. Alguns indivíduos são mais socialmente legitimados. Tornam-se dominantes. Outros, ao contrário, obedecem às regras definidas pelos dominantes. São, portanto, dominados. Ao que tudo indica, há um componente biológico que explica essas dinâmicas. Em outras palavras, temos uma natureza que nos inclina a estruturas socialmente assimétricas.

Alguns anos atrás, um estudo interessantíssimo colocou macacos em uma gaiola onde eles poderiam olhar para uma tela na qual passavam imagens, ou então poderiam optar por tomar suco. Uma coisa ou outra, o macaco tinha que escolher entre olhar as imagens ou tomar suco. Eu quero que você entenda isso porque é muito importante: macaco adora suco. Pode ser de laranja, uva, não importa. Se for açucarado, macaco é doido por suco. O canudo liberava muito pouco suco. Para beber suco, o macaco deveria ficar muito tempo sem olhar a tela.

O que essa pesquisa queria avaliar era justamente quais imagens eram mais interessantes para o macaco. Afinal, se o macaco escolher deixar de tomar suco para ver uma imagem, é porque essa imagem é realmente muito interessante para ele. Vale ressaltar que todos os macacos do estudo eram machos.

Adivinhe quais tipos de imagem chamaram a atenção dos macacos a ponto de pararem de tomar suco?

Apenas duas categorias de imagens.

Em primeiro lugar, fotos da bunda de fêmeas. Ou seja, uma espécie de revista *Playboy* "macáquica".

Em segundo lugar, fotos do rosto dos machos e das fêmeas alfa do grupo. Em outras palavras, o rosto dos macacos mais socialmente proeminentes da sociedade em que esses macacos viviam. Ou seja, uma espécie de revista *Caras* dos macacos.

Lembra dos estudos comparando neocórtices de diferentes primatas, mencionados na segunda parte do livro? Eles foram capitaneados por um cara chamado Robin Dunbar, antropólogo, psicólogo evolucionista e professor da Universidade de Oxford. Após os estudos comparativos, ele propôs que o interesse pela vida dos outros é parte fundamental do processo evolutivo dos primatas, especialmente dos grandes primatas (dos quais o ser humano faz parte).

Grandes primatas são altamente sociais. Para os membros das sociedades desse tipo de animal, é de grande importância obter informações sobre os outros membros. Tais informações permitem uma melhor navegação no ambiente social. Isso, por sua vez, permite maior cooperação — fator fundamental para a sobrevivência.

Para muita gente, uma das consequências disso tudo é péssima: a fofoca. Ou seja, a tendência que muita gente tem de cuidar da vida alheia, muitas vezes transmitindo histórias de forma seletiva e extrapolada ou deturpada e mentirosa. Tudo isso é uma espécie de desvio prejudicial de uma propensão natural que nós (e a maioria dos primatas) temos a nos interessar pela vida dos outros, a falar sobre outras pessoas. Outros primatas não falam, é claro. Apesar disso, comunicam-se de diferentes maneiras, demonstrando a mesma inclinação psicológica e comportamental. Essa inclinação, ou seja, esse interesse natural pela vida alheia, é especialmente intenso em relação às pessoas socialmente proeminentes em nossa sociedade.

Mas quem são as pessoas mais socialmente proeminentes nas sociedades humanas?

As pessoas socialmente legitimadas. Nas sociedades de chimpanzés (outro grande primata), por exemplo, os machos e fêmeas alfa não são necessariamente os mais fortes ou maiores. Frequentemente são os membros com maior capacidade de influenciar os demais, ou seja, aqueles com habilidades sociais, tais como gerenciamento de conflitos e persuasão. Veja que as sociedades de chimpanzés são altamente complexas.

A espécie humana não poderia ser diferente. Somos, afinal, um grande primata. No entanto, temos um cérebro maior e mais complexo, que permite estruturas sociais ainda mais complexas. Os elementos que definem os membros "alfa" do nosso grupo variam de acordo com a cultura do grupo. Entre militares, os dominantes são aqueles que têm medalhas no peito. Entre lutadores de artes marciais, os dominantes são aqueles que têm a faixa mais escura. Possuir um belo cavalo já foi legitimador (em alguns grupos, ainda é). Diplomas universitários hoje legitimam pessoas a trabalharem em certas posições dominantes. Se você viajasse no tempo com seu diploma de Harvard, lá para uns dois mil anos antes de Cristo, seu diploma seria inútil.

Atualmente, em muitas culturas, o dominante é aquele que conta com as melhores condições financeiras, representadas por um belo carro ou uma casa luxuosa. Antigamente as condições financeiras eram demonstradas por meio de diferentes posses materiais. Hoje, entre adolescentes, o dominante pode ser Justin Bieber ou Anitta, dependendo do recorte social. Os exemplos são inúmeros.

Em suma, na espécie humana, os critérios que definem a legitimação de indivíduos para posições de poder são relativos à cultura do grupo que estivermos analisando. São, portanto, múltiplos e constantemente mutantes. No entanto, ao que tudo indica, temos uma natureza biológica propensa a viver em — e aceitar as — relações sociais assimétricas. Nelas alguns poucos mandam e gozam dos benefícios do poder. Outros muitos obedecem.

Há quem diga que, em certa medida, os dominados também gozam de certos benefícios da obediência. Argumentam que muita gente não deseja o peso da responsabilidade de ocupar uma posição de poder. Outros dizem que, na verdade, o desejo último de todo dominado é se tornar dominante. Esta eu deixo para o leitor resolver.

4

Felicidade

CLÓVIS: Os pensadores estoicos estavam empenhados em refletir para que pudéssemos todos viver melhor. Eles sugeriram o desapego em relação às coisas, às pessoas. Se a sua alegria depender da presença de alguma coisa ou de alguém, ela é obviamente frágil, pois as coisas se destroem e as pessoas morrem. Antes de se destruírem completamente, as coisas vão perdendo suas características; as pessoas vão se transformando. Aquela pessoa que um dia o alegrou pode se tornar uma pessoa amarga e passar a entristecê-lo.

A única felicidade consolidada e que não é frágil é a felicidade que você consegue sem depender da presença de alguma coisa ou de alguém. É uma felicidade que você consegue consigo mesmo. E isso tem muito a ver, no caso dos estoicos, com evitar a dor e o sofrimento. Se você estiver na paz, estiver de boa, contemplando as coisas, para eles já é o máximo que dá para conseguir. Não é aquela coisa de mil orgasmos e uma vida cheia de luxúria. Não. É uma vida de paz, uma vida de resignação às coisas como elas são.

Agora, pare para pensar: você tem um namorado ou uma namorada, em um determinado instante, está beijando na boca, aqueles beijos que não acabam mais, e você quer que aquele momento não acabe, pois é um presente que dispensa o passado e o futuro, símbolo da vida boa. Mas não pode ter apego. O que será que isso significa? Significa que acabou o instante, a pessoa vai embora, e você não vai querer de maneira nenhuma que ela esteja ali, pois isso já é apego. É o instante pelo instante. Você vai embora, entra no ônibus para ir para casa e se esquece do que passou. Agora o ônibus é que é legal, embora lotado e com odores mil. Aí você chega em casa, e tem gente que pede para você arrumar o seu quarto, e você acha isso muito legal, curte cada momento, e nada de pensar nos beijos e na pessoa. Você só pensará na pessoa quando ela aparecer na sua frente de novo. Será mesmo?

É muito bacana filosofar. É muito legal acreditar que o instante tem que esgotar nele mesmo a sua razão de ser. É muito interessante imaginar que o passado e o futuro só atrapalham. Mas será mesmo que dá para viver como eles sugerem? Será mesmo que, depois de dar muitos beijos numa pessoa, você vai embora e pode abrir mão de pensar no que acabou de acontecer? Será mesmo que, depois de curtir com a pessoa uma noite incrível de muito amor, você vai embora e aquilo desaparece porque você estará entretido com o táxi que vai levá-lo para o aeroporto?

Ah, sabe, é bem bacana para refletir, quase poesia, mas nada tem a ver com as nossas experiências. Pelo menos não com a minha.

• • • • •

Para os estoicos, a filosofia não é um discurso, não é uma dissertação, não é um texto, não é uma ideia. Mas pode ser tudo isso, desde que tenha a ver com a vida vivida, com uma vida mais feliz, com sofrer menos. Os estoicos se preocuparam em de fato fazer a vida boa acontecer. E há uma série de exercícios para que a vida possa ser melhor. Muitos desses exercícios têm a ver com certo controle do que passa pela nossa cabeça. Quando eles dizem que é preciso viver o presente — o amor *fati* de Nietzsche, o *carpe diem* de Horácio — e realmente se preocupar com o instante vivido, no fundo estamos declarando guerra ao passado, declarando guerra a todo tipo de construção mental que resgata fatos ocorridos.

Toda vez que você se impede de reconstruir na mente fatos ocorridos, não tem as sensações correspondentes a essa produção mental. Veja que interessante: declarando guerra ao passado, você se obriga a um esquecimento. E não deixar o passado entrar é policiar-se para dar ao presente vivido uma importância tal que não sobre espaço para que o passado entre pela janela. Quando se policia contra o passado, você evita uma série de eventos em que sofreu humilhações, dissabores, decepções, coisas que o machucaram e que você permite que sejam resgatadas pela mente. Quando evita essa reconstrução, você evita redobrar esse dissabor.

É muito interessante, porque algumas coisas da vida parecem gigantescas, catastróficas, medonhas no momento em que acontecem. O convite é para que você tenha um pouco de recuo, olhe as coisas de cima, saiba que daqui a três meses já não se lembrará mais daquilo, que daqui a dez anos estará rindo da situação; portanto, você desconstrói a gravidade de uma ocorrência nefasta e com isso se permite uma inscrição em um presente que tem mais chance de ser alegrador.

Eis aí o primeiro exercício, a luta constante contra o passado. Se o passado foi bom, será nostálgico, e isso é ruim; se o passado foi ruim, será cheio de culpa, remorso e arrependimento, o que também é ruim. Portanto, não há nenhuma chance de o passado, enquanto produção presente da mente que reconstrói o mundo vivido, ser uma coisa boa. Sentir saudade não é bom, e arrependimento também não é bom.

Veja que interessante: quando Nietzsche diz que uma vida boa pressupõe saber esquecer, ele está seguindo uma tradição que tem a sua gênese muito antes dele.

Pois muito bem, o combate ao passado por meio do respeito ao instante vivido é a linda lição desta reflexão. É isso que deve nos acompanhar, porque muitas vezes damos mole para resgatar ocorrências que serão revividas pela mente. Ocorrências essas que já nos causaram dano e podem vir a causar novamente. O que é lamentável.

•••••

Coisas a respeito do que vai acontecer passam pela nossa cabeça. É natural.

Lembro-me de uma vez em que estive no Rio de Janeiro e saí de uma palestra em Niterói para dar outra palestra em

Duque de Caxias. Saí com duas horas e meia de antecedência para um trajeto que no Google está previsto para 35 minutos. Portanto, eu estava com folga. Mas houve um acidente na Linha Vermelha, e o trânsito estava pior do que de hábito. Minha mente foi atravessada por imagens do futuro.

No começo do trajeto, eu pensava que estava com duas horas e meia de antecedência e, fosse o trânsito que fosse, chegaria no horário. Perceba que essa antecipação, essa projeção — que chamamos de futuro — era favorável, e, quando isso acontece, denominamos de esperança. À medida que o trânsito foi piorando e o tempo passando, outro tipo de imagem passou pela minha cabeça: a de que eu não chegaria no horário. E me via tendo que me desculpar, atraso imperdoável. Conforme o tempo foi passando, eu percebia que o atraso era inevitável e seria grande. Era uma sensação desagradável, porque aquilo que passava pela minha cabeça sobre o que ia acontecer — o tal do futuro — não me era conveniente e, não sendo conveniente, produzia em mim um afeto apequenador de potência, redutor da energia vital.

No primeiro caso, havia esperança de chegar na hora, havia ganho de potência cada vez que o mundo a viver passava pela minha cabeça. Mas, quando eu imaginava chegar atrasado, eu apequenava a minha potência e não havia esperança, mas temor. Essa é a sensação ruim que você sente toda vez que o futuro — imagem criada no presente sobre o que vai acontecer— é desfavorável.

Pois muito bem, alguém poderia pensar que o temor é uma desgraça, e é mesmo. E aí você inclui o medo da morte.

Mas tem um futuro legalzinho. É o futuro esperançoso. Futuro legalzinho é o futuro em que a antecipação do que vai acontecer traz boas sensações, como chegar na hora, apesar do trânsito.

O que eu quero sustentar aqui, junto com os estoicos, é que, mesmo quando o futuro é legalzinho, não é bom. A esperança, embora seja agradável, embora tenha a ver com uma imagem favorável, não é um afeto legal. Sabe por quê? Primeiro, porque, quando você é esperançoso e pensa no que vai acontecer, está desfocado do que está acontecendo, está desfocado do presente vivido, está desfocado do mundo tal como se apresenta. Você está fragilizado, a cabeça em um lugar e o corpo em outro.

Segundo, porque essa esperança é um desejo, portanto, é elaborada na ignorância sobre se aquilo vai realmente acontecer ou não. A esperança é um afeto na ignorância e também na impotência, pois, quando esperava chegar na hora, eu nada podia fazer, em nada podia colaborar para de fato chegar na hora. O trânsito na Linha Vermelha condena a uma espécie de procissão sem volta e é também um afeto sem gozo, afinal, ele é sempre na falta, como todo desejo.

Quem espera chegar na hora ainda não chegou e ainda não sente a alegria de chegar na hora. Portanto, toda esperança é sem gozo, sem consciência e, claro, sem poder. Sem poder fazer nada.

• • • • •

É preciso lembrar que a esperança é constituída por pelo menos duas coisas: uma, o que passa pela sua cabeça. E o que passa pela sua cabeça tem a ver com o que você gostaria que acontecesse. Depois, o que você sente em função do que passa pela sua cabeça, que às vezes é bom e conveniente.

Além da incerteza, isto é, da ignorância sobre o que vai acontecer, a esperança é um sentimento acompanhado de castidade. Sabe por quê? Porque o gozo é sempre em uma relação com o mundo bem na sua frente, o gozo exige atrito, exige presença, exige encontro. Já a esperança é só uma quimera, é só um pensamento. A esperança é um sentimento de castidade sem gozo, sem prazer. E finalmente, o pior de tudo, a esperança é um sentimento acompanhado de impotência, e isso é de uma pertinência incrível porque, se você pudesse fazer acontecer aquilo que você espera, a esperança viraria alegria no mesmo segundo, viraria encontro, presente, prazer, gozo e felicidade. Mas, como você não pode fazer acontecer, você espera.

A impotência é a marca registrada do esperançoso. Você espera que o avião saia na hora porque você tem impotência para fazê-lo sair na hora; você espera que uma mulher lhe dê bola pela sua impotência de seduzi-la; você espera que o ônibus chegue pela sua impotência de fazê-lo chegar; você espera ser promovido pela impotência de se promover; você espera de verdade que a sua vida seja feliz pela impotência de alegrar-se naquele mesmo segundo.

Ah, impotente esperançoso! Só lhe resta isso mesmo: torcer. Torcer para que o acaso o favoreça, torcer para que variáveis que você não controla tornem a sua vida melhor porque, se de fato tivesse o bago grande, você faria acontecer. E quem sabe faz a hora, não espera acontecer.

•••••

Você imagina que essa história de condenar a esperança nos leva ao amor pelo presente, pelo instante. Passado e futuro, dois males a evitar. Esse amor pelo mundo como ele é, pelas coisas como elas são, pelas pessoas, pelas situações que se apresentam diante de nós, enfim, essa reconciliação com o real, se você pensar bem, é uma sugestão profundamente lúcida porque, afinal de contas, se tudo o que passar no espetáculo da sua percepção lhe for amável, lhe parecer justo e bom, é claro que a vida tem toda a chance de valer a pena. Aconteça o que acontecer, vai estar tudo certo. Mais que isso: aconteça o que acontecer, você irá adorar. Você irá adorar sempre, curtir sempre, sorrir sempre, amar sempre, e aí a vida não tem como ser ruim.

Mas, se a filosofia se dispõe a aconselhar isso, é porque sabe que no mundo da vida isso não acontece. A verdade é que muitas das coisas que passam pela nossa percepção, bem diante dos nossos olhos, são asquerosas, inaceitáveis, indignas, nos agridem, ofendem e humilham. É possível flagrar a agressão covarde a um idoso, a mentira, a hipocrisia. A verdade é que o mundo é cheio de canalhice, portanto, essa história de que o amor é por tudo e aconteça o que acontecer está tudo bem, nós sabemos que não é bem assim, não funciona desse jeito, não toleramos tudo.

Muita coisa do mundo nos alegra, nos faz sorrir, é de extraordinária beleza. E torcemos para que se conserve assim. Mas muita coisa — e eu diria a grande maioria — nos é inaceitável; por isso, a essa história de que a vida boa implica simplesmente um amor pela realidade, eu preferiria sugerir a transformação do que é ruim, a revolução, a subversão, a mudança. O que não é bom tem que ser transformado. Transformado para nós e para as próximas gerações. A mera contemplação amorosa do mundo implica uma aceitação conformada das coisas como elas são, e não dá para conformar-se com tantos comportamentos inaceitáveis, como tampouco dá para conformar-se com uma natureza que treme, que gera ondas gigantes e que nos mata aos montes cada vez que resolve se irritar.

Ah, o amor pelas coisas como elas são. É lindo, é poético, é sábio. Mas não tem nada a ver com a nossa vida.

•••••

Vamos agora colocar um ponto final na briga dos estoicos com o medo da morte. Podemos retomar a *Odisseia* e Ulisses.

Você lembra que Ulisses estava de boa em Ítaca, provavelmente sem inquietações. O momento presente dava conta; portanto, passado e futuro não faziam sentido. E o medo da morte, uma bobagem. Mas aí Ulisses é convocado para a guerra de Troia. São dez anos guerreando e mais dez tentando voltar para casa. Nesses vinte anos Ulisses esteve fora de lugar, vivia na nostalgia; portanto, atravessado pelo passado.

Mas ele finalmente consegue voltar para casa, encontra-se com Penélope e deita com ela no leito nupcial. Nesse momento, os deuses promovem uma distensão do tempo, ou seja, um instante que vira eternidade. E, quando um instante vira eternidade, não há passado e não há futuro. É só Ulisses e Penélope. É só o presente que conta, reconciliação completa com o instante, com o mundo. Aí, é claro, não tem como temer a morte, porque ela é uma cogitação que não vem. E é lógico, Ulisses só pode amar Penélope, só pode amar Ítaca, só pode amar o leito nupcial, pois isso tudo permite a ele uma vida que locupleta e que, portanto, não se deixa atravessar pela nostalgia dos tempos vividos, muito menos pela projeção dos tempos a viver, nos quais a morte, perniciosa, se instala para nos corroer a vida, nos amargar a existência.

Os deuses distendem o instante. Nesse momento, a vitória da morte está consumada, o fragmento de eternidade se perfaz, e, evidentemente, somos sábios no momento em que a vida é boa e que a inteligência do homem venceu sua própria paúra, seu próprio receio da sua própria condição. A finitude é só a finitude. Que acabará, acabará mesmo. Agora, pensar nisso é coisa de gente que não tem em casa uma Penélope nem o leito nupcial para tornar a existência de um jeito que dispense esse tipo de cogitação.

Calabrez: Acredito que esta seja a pergunta mais importante. O que nos faz felizes? Alguns dos mais celebrados cientistas do mundo dedicam-se a essa questão hoje. E quais são as respostas? O que a ciência tem para nos dizer sobre a felicidade?

Falar de felicidade hoje é algo paradoxal.

Por um lado, a felicidade é um tema estudado racionalmente desde o princípio da filosofia, de forma séria e profunda, como Clóvis nos mostrou desde o início do livro. Felicidade, viver bem, viver da melhor forma possível — isso está na raiz do pensamento filosófico da Antiguidade.

Por outro lado (e daí vem o paradoxo), existe uma enorme banalização do termo. Afinal, você compra felicidade no McLanche. Livros e mais livros de autoajuda dedicam-se a explicar os caminhos para a felicidade. Devido a isso, a felicidade é constantemente associada a "sentir-se bem", ou seja, àquilo que chamamos em psicologia de "emoções positivas".

O instante feliz, nesse caso, seria aquele em que estamos repletos de emoções positivas, como a alegria. É sentir-se bem. É o instante em que nos sentimos completos, plenos.

No entanto, prefiro compreender a felicidade não como um "elemento", mas como um "constructo".

O que isso significa?

Vou dar um exemplo paralelo. Vamos pensar em temperatura. Pressão barométrica. Velocidade do vento. Cada uma dessas coisas é um elemento. Em conjunto, esses elementos compõem aquilo que chamamos de "clima". Ou seja, a temperatura não é o clima. O clima é um constructo

— e um dos elementos é a temperatura, outro, a velocidade do vento, etc.

Com a felicidade é a mesma coisa. É óbvio que emoções positivas (ou seja, sentir-se bem, viver momentos alegres) são um elemento importante da felicidade. Mas a felicidade não se esgota nisso.

•••••

O primeiro passo para entender a felicidade em uma perspectiva científica é a compreensão de uma descoberta inquietante da psicologia durante as últimas décadas.

Estudos conduzidos por alguns dos maiores cientistas do mundo são taxativos: aquilo que sentimos quando olhamos no espelho está errado. A sensação que temos ao olhar no espelho é óbvia: cada um de nós sente que é um ser unificado. Sentimos que nosso "eu" é um só. Ou seja, "eu sou Pedro, e esta é minha vida", por exemplo.

Isso é um erro.

Hoje sabemos que na verdade é como se o ser humano tivesse dois "eus" diferentes.

Podemos chamar um deles de "eu experiencial", o eu que *vive o instante*. É o eu que está tendo a experiência de ler este livro agora. Os estudos sugerem que ele tem uma duração de cerca de três segundos — ou seja, é extremamente presente; portanto, experiencial.

Temos um segundo eu que podemos chamar de "eu projetivo". É o eu que *pensa sobre a vida, olhando para fora do agora*. Olhando para trás (para o que chamamos de passado) e para a frente (para o que chamamos de futuro).

Perceba que existe uma parte de nós, experiencial, que vive. E outra que é projetiva, ou seja, que pensa sobre a vida. Em outras palavras, *viver e pensar sobre a vida, do ponto de vista psicológico, são duas coisas muito diferentes*.

Só que uma coisa não é mais importante do que a outra. Na verdade, o importante é saber compreender as características desses diferentes "eus". Afinal, se são diferentes, significa que aquilo que vai fazer o eu experiencial feliz não necessariamente faz o mesmo pelo eu projetivo. De fato, sabemos hoje que as condições de felicidade do eu que vive são fundamentalmente diferentes das condições de felicidade do eu que pensa sobre a vida.

•••••

Então o que faz cada um desses nossos diferentes "eus" feliz?

O eu projetivo, como vimos, é o eu que pensa sobre a vida. Isso significa que ele vive de histórias. Olhar para o passado é contar uma história do que já foi. Olhar para o futuro é contar uma história do que se acredita que virá a ser.

O que faz essas histórias felizes são os objetivos e as conquistas. É olhar para o passado e enxergar conquistas de valor; olhar para o futuro e enxergar objetivos de valor.

Tem muita gente que diz: "Dinheiro não traz felicidade! Conquistas profissionais não trazem felicidade!". É incorreto dizer isso.

Dinheiro e conquistas profissionais são, para muita gente, objetivos importantes, valiosos. Muita gente olha para o passado e enxerga valor em suas conquistas profissionais e financeiras.

No caso do dinheiro especificamente, quanto mais for usado para comprar experiências e não meramente coisas, maior será o valor percebido pela pessoa. Afinal, uma experiência é uma história, e o eu projetivo vive de histórias. É por isso que estudos mostram reiteradamente que viajar é uma forma muito boa de gastar dinheiro — pois é gastar dinheiro com uma experiência.

Nesse sentido, conquistas profissionais e financeiras podem sim trazer felicidade — para um pedaço de nós, para esse pedaço de nós que pensa sobre a vida. O problema obviamente é quando alguém acredita que *só isso será fonte de felicidade*. Aí cometemos um grande equívoco.

Existe outro elemento importante para a felicidade do eu projetivo, que chamamos de "significado". Uma vida com significado é uma vida na qual você sente que pertence a algo maior e mais importante do que você. Muita gente encontra isso na religião, na espiritualidade e na família. Alguns encontrarão no trabalho. Pessoas que praticam atividades filantrópicas ou algum tipo de ativismo social frequentemente encontram nessas atividades uma grande fonte de significado.

É fácil notar que nossa sociedade é *expert* em prometer felicidade para o eu projetivo. Desde que nascemos, somos bombardeados com objetivos para conquistar. Entrar na escola, tirar nota boa, passar de ano, passar no vestibular, entrar na melhor faculdade, conseguir o melhor estágio, ser efetivado, ganhar dinheiro, encontrar um grande amor, conquistar a casa própria, casar, ter filhos, ter sucesso profissional... Além disso, somos rodeados de potenciais fontes de significado: nossa família, nossa igreja, nosso emprego e por aí vai.

Não importa se você nasceu numa família simples ou em Dubai. A única coisa que mudará são os objetivos e potenciais conquistas oferecidos. Obviamente os objetivos e conquistas do filho de um bilionário serão diferentes daqueles oferecidos ao filho de um morador da periferia. Ainda assim, desde que nascemos, nos são oferecidos muitos objetivos e potenciais conquistas.

Acontece que temos um outro eu — o eu experiencial. Como vimos, ele é muito diferente do eu projetivo. Esse eu experiencial está preocupado em viver, enquanto o eu projetivo se ocupa em pensar sobre a vida.

• • • • •

O que faz o eu experiencial feliz em primeiro lugar é o engajamento. É viver o mais engajado possível em suas atividades.

Engajamento tem a ver com desafios. Sabemos hoje que o ser humano precisa de desafios para se manter feliz, para se manter motivado e funcionando bem. Quando não enfrentamos desafios ou quando o desafio que enfrentamos é pequeno demais para nossas competências, tendemos ao tédio, à desmotivação. Quando, ao contrário, enfrentamos um grande número de desafios simultâneos ou desafios grandes demais para nossas competências, tendemos ao estresse.

Engajamento é o estado psicológico que ocorre quando encontramos um equilíbrio entre os desafios que enfrentamos e nossas competências. Em outras palavras, quando encontramos um desafio em linha com nossas competências, enfrentamos esse desafio de forma engajada.

Isso pode inclusive nos levar a um estado psicológico conhecido como *flow*, traduzido para o português como "fluxo" ou "fluir". Quando estamos em *flow*, perdemos a consciência de nós mesmos, perdemos a noção do tempo, mergulhamos na atividade que estamos realizando, nos tornamos hipermotivados — e só percebemos tudo isso depois que o estado de *flow* acaba. Você olha para trás e pensa: "Nossa, eu estava extremamente engajado".

Por quê?

Porque o eu experiencial vive. Não cabe a ele pensar sobre a vida, nem pensar sobre o *flow*. Quem vai perceber e pensar a respeito do *flow* é o eu projetivo.

• • • • •

Então, como vimos, a primeira coisa para termos um eu experiencial feliz é o engajamento.

Uma segunda coisa — necessária inclusive para que o engajamento surja — parece simples, mas não é nada fácil: é saborear e aproveitar o que está acontecendo enquanto está acontecendo. É estar aqui com a cabeça aqui. É enfrentar os desafios com a cabeça nos desafios.

E aí temos um problema enorme.

Esse problema é escancarado quando olhamos para um estudo da Universidade de Harvard publicado em 2010 na revista *Science* — uma das mais importantes publicações científicas do mundo.

Os pesquisadores instalaram um aplicativo nos celulares de milhares de pessoas no mundo inteiro. O aplicativo enviava mensagens em horários aleatórios para as pessoas, perguntando três coisas.

Primeiro, "como você está se sentindo neste exato momento?" — e a pessoa respondia numa escala quantitativa (ou seja, uma pergunta direcionada para o eu experiencial). Em seguida, "o que você está fazendo neste exato momento?". Finalmente, "você está pensando em algo fora daquilo que está fazendo?".

Quais foram os resultados? O estudo mostrou que 46,9% das respostas eram de pessoas que estavam fazendo uma coisa enquanto pensavam em outra. Ou seja, quase metade do tempo as pessoas estão aqui, mas com a cabeça em outro lugar.

Aí vem o resultado mais interessante da pesquisa:

Quando as pessoas estão aqui, mas com a cabeça em outro lugar (os pesquisadores chamaram isso de "a mente vagando"), tendem a estar infelizes em relação ao momento que estão vivendo. O nome do artigo é "A wandering mind is an unhappy mind". Traduzido livremente, significa "uma mente que vagueia é uma mente infeliz".

Para estar feliz, o eu experiencial precisa que estejamos aqui, saboreando e aproveitando o que está na nossa frente — e não com a cabeça em outro lugar, vagueando. Infelizmente, como vimos, em cerca de metade do tempo as pessoas estão fazendo justamente aquilo que está associado à infelicidade.

• • • • •

Temos ainda um agravante para essa situação. Como eu disse, nossa sociedade é excelente ao prometer felicidade para o eu projetivo: objetivos, conquistas e significado. Mas é péssima para nos educar para saborear o presente, aproveitar o instante, viver com a cabeça naquilo que estamos vivendo.

A coisa mais comum é a pessoa acordar na segunda-feira esperando chegar a sexta. Trabalhar ou estudar esperando as férias. Tem gente que acorda já deitada. O sujeito abre os olhos, e, antes mesmo de tirar o pé da cama, a primeira coisa que pensa é: "Como eu queria voltar para a cama". Essas pessoas estão em trânsito. Sempre aqui, mas com a cabeça em outro lugar. Aqui, esperando chegar a outro lugar. Você, leitor, sabe muito bem: o trânsito é extremamente angustiante. No sentido literal, mas também como metáfora da vida.

Antes de continuarmos, é importante notar que essas ideias têm uma sinergia muito grande com o pensamento estoico.

• • • • •

Com isso tudo, conseguimos entender as diferenças entre o eu projetivo e o eu experiencial.

Agora também conseguimos compreender por que a maioria dos estudos que acompanham as pessoas ao longo de diferentes momentos da vida (dos 18 anos até o fim da vida) aponta que, em termos de satisfação geral com a vida, o ser humano apresenta uma curva em "u".

O que significa isso?

Quando temos 18 anos, nossa satisfação geral com a vida é alta. Conforme passa o tempo, vai diminuindo, diminuindo... Até que chega ao ponto mais baixo: em média, entre os 40 e 50 anos de idade. A partir daí, a curva começa a subir. A consequência é que idosos geralmente são muito mais satisfeitos com a vida do que pessoas de 30, 40 e 50 anos de idade.

O que explica essa curva? Por que isso ocorre?

Como eu disse, somos muito influenciados, desde que nascemos, a depositar todas as nossas apostas, energia e esforços em nosso eu projetivo. Além disso, vimos que esse eu vive de objetivos e conquistas, olhando para fora do agora.

Aos 18 anos, temos a vida inteira pela frente. Há muita coisa para conquistar. Estamos cheios de objetivos. Conforme o tempo passa, vamos aos poucos conquistando esses objetivos — e ajustando nossa vida àqueles que percebemos que não seremos capazes de conquistar.

Entramos na faculdade, conseguimos o emprego, conquistamos a casa própria, encontramos um grande amor, temos filhos, conseguimos sucesso profissional, vemos nossos filhos crescer e por aí vai... Conforme cada um desses objetivos se torna uma conquista atingida, nos adaptamos e seguimos para o próximo.

Um exemplo: quem já terminou a faculdade lembra da grande alegria, quase eufórica, ao passar no vestibular. Poucos meses depois, adaptou-se e partiu para a próxima conquista: conseguir um estágio. Isso ocorre com praticamente tudo.

Lá pelos 40, 50 anos de idade, já conquistamos todas as coisas que aos 18 imaginávamos que trariam plenitude. Olhamos para a frente — e não há nada muito novo a conquistar. Apenas mais do mesmo. Chegamos então ao ponto mais baixo da curva... Uma espécie de crise, conhecida como crise da meia-idade. Essa crise é derivada do fato de que, conforme o tempo passa, vamos conquistando todos os almejados objetivos. Até que não temos mais novidades para conquistar.

"Ué, por que então a curva começa a subir novamente depois dessa crise?"

Porque as pessoas começam a apreciar aquilo que elas têm, aquilo que já conquistaram — aquilo que estão vivendo, no momento em que estão vivendo. Ou seja, começam a viver mais no presente, viver o instante, saborear as coisas que estão acontecendo enquanto estão lá. É como se descobrissem seu eu experiencial e passassem a valorizá-lo.

• • • • •

Existe apenas uma variável que faz feliz tanto o eu projetivo quando o eu experiencial. Esta é, aliás, a variável mais importante. Não há nada mais importante para a felicidade humana do que isto: a qualidade das nossas relações. Pessoas felizes são aquelas que têm relações de qualidade, que se rodeiam de pessoas queridas e amadas. Um dos maiores catalisadores de tristeza é a solidão. Como vimos anteriormente, o apego é uma necessidade humana.

Agora você já sabe o que as ciências da mente entendem hoje como uma vida feliz. Veja, no entanto, que nada disso é muita novidade. Pelo contrário, muitas correntes de pensamento orientais, como as védicas e budistas, e também correntes ocidentais, como o pensamento dos estoicos e de Spinoza, já diziam algumas dessas coisas. A diferença é que hoje temos a capacidade de confirmar, usando o método científico, a importância dessas ideias.

A felicidade é fruto de um equilíbrio. Não se trata de viver somente agora, como também não se trata de viver em função do passado ou do futuro. De um lado, é importante olhar para o passado e enxergar conquistas, olhar para o futuro e enxergar objetivos, olhar para a vida de maneira geral e enxergar significado. Por outro lado, devemos também apreciar, valorizar e saborear o presente, estando aqui, com a cabeça aqui, enfrentando desafios adequados às nossas competências. Na base de tudo isso, é fundamental semear e cultivar relações de qualidade com as pessoas que amamos.

Devemos evitar viver a vida como uma viagem. Na viagem, estamos o tempo inteiro esperando o destino chegar. Compramos passagens, esperamos a data, pegamos o táxi até o aeroporto, fazemos *check-in*, despachamos bagagem, subimos no avião. Decolamos, voamos, pousamos, descemos, esperamos a bagagem, entramos no táxi e só então chegamos ao destino...

Esse tempo todo, nosso maior desejo era que essas coisas acabassem logo, para o destino chegar o mais rápido possível. Tem gente que vive assim.

Um exemplo.

O rapaz é adolescente. Mas não quer ser adolescente. Quer ser adulto. Está no ensino médio. Mas não quer estar no ensino médio, quer se formar e entrar na faculdade. Entra na faculdade. Agora não quer mais aquilo. Quer um emprego. Consegue o emprego. Pouco tempo depois, não quer mais aquela vaga. Deseja uma promoção para uma vaga melhor.

Esse é o eu projetivo governando a vida.

A proposta aqui é evitar viver a vida como uma viagem, esperando o destino e querendo que aquilo que estamos vivendo acabe logo. A proposta é viver a vida mais como um passeio. Todo passeio tem um destino, é claro. Mas a diferença é que, ao passear, também aproveitamos e saboreamos o caminho. Se o destino chegar, ótimo. Se não chegar, pelo menos aproveitamos aquele caminho que percorremos.

Então, tenha sim objetivos. Orgulhe-se de suas conquistas. Valorize, agradeça e preserve as relações com as pessoas importantes da sua vida. Mas não se esqueça de saborear e aproveitar os instantes que a vida lhe dá, de estar aqui, com a cabeça aqui, de não viver o tempo inteiro esperando o objetivo chegar. Em vez disso, tenha o objetivo lá no horizonte, mas, ao deitar sua cabeça no travesseiro, tente encontrar a tranquilidade de que hoje você aproveitou ao máximo, saboreou ao máximo e fez o melhor que podia — para amanhã chegar lá.

NOTAS E RECOMENDAÇÕES DE LEITURA

....

Aqui o leitor encontrará comentários e leituras que permitirão um aprofundamento nas ideias discutidas ao longo do livro.

Optamos sempre que possível pelas traduções para o português. Quando não havia tradução para a nossa língua, mantivemos os títulos originais.

Buscamos também títulos de amplo acesso, que não sejam de difícil compreensão ou tenham linguagem excessivamente acadêmica. Seguimos esse caminho com apenas duas exceções gerais. Primeiramente, em relação aos estudos específicos citados ao longo do texto. Em segundo lugar, fizemos questão de mencionar algumas obras que, apesar de difíceis, são muito importantes (e valem um esforço dos leitores mais corajosos).

Recomendamos também que o leitor conheça o canal NeuroVox, comandado pelo professor Pedro Calabrez no YouTube, onde semanalmente são publicados conteúdos científicos e reflexivos a respeito das relações entre mente, cérebro e comportamento (www. youtube. com/NeuroVox).

Parte I - **A realidade**

1. O que é o mundo?

- Sobre a realidade como percepção na filosofia, duas obras essenciais, porém de leitura difícil: Berkeley, G., *Três diálogos entre Hylas e Philonous* (São Paulo: Ícone Editora, 2005); Ponty, M., *Fenomenologia da percepção* (São Paulo: WMF Martins Fontes, 2011).

- O mundo como construção do cérebro e exemplos clínicos (sinestesia, membros fantasma e muitos outros): Mlodinow, L., *Subliminar* (Rio de Janeiro: Zahar, 2013); Ramachandran, V. S., *O que o cérebro tem para contar* (Rio de Janeiro: Zahar, 2010); Sacks, O., *O homem que confundiu sua mulher com um chapéu* (São Paulo: Companhia das Letras, 1997).

- "A mente é o que o cérebro faz" — a frase é de Steven Pinker, mas a ideia é muito bem trabalhada também por António Damásio, neurologista e neurocientista: Damásio, A., *O erro de Descartes: razão, emoção e o cérebro humano* (São Paulo: Companhia das Letras, 1994); Pinker, S., *Como a mente funciona* (São Paulo: Companhia das Letras, 1997).

- Testes cegos: Barbosa, R., "Justiça libera provisoriamente anúncio com teste cego de cervejas", 3 de fevereiro de 2013, em http://economia. uol. com. br/noticias/redacao/2013/02/04/justica-libera-provisoriamente--anuncio-com-teste-cego-de-cervejas. htm, acessado em janeiro de 2016.

- O "Desafio Pepsi", a preferência por Pepsi em teste cego, por Coca-Cola em testes abertos e os aspectos neurocientíficos dessa questão: Van Praet, D., *Unconscious Branding* (Nova York: Palgrave Macmillan, 2011).

- Estudo sobre vinhos com estudantes de enologia: Brochet, F. e Morrot, G., "Influence du contexte sur la perception du vin: implications cognitives et méthodologiques", *Journal international des sciences de la vigne et du vin*, 33, 4 (1999).

- Estudo neurocientífico sobre sabor de vinhos: Plassmann, H.; O'Doherty, J.; Shiv, B. e Rangel, A., "Marketing actions can modulate neural representations of experienced pleasantness", *Proceedings of the National Academy of Sciences*, 105, 3 (2007), pp. 1050–1054.

- Estudo neurocientífico sobre sabor de Coca-Cola e Pepsi, comparando teste cego com teste aberto: McClure, S. M.; Li, J.; Tomlin, D.; Cypert, K. S.; Montague, L. M. e Montague, P. R., "Neural correlates of behavioral preference for culturally familiar drinks", *Neuron*, 44, 2 (2204), pp. 379–387.

- Estudo sobre patê e comida de cachorro: Bohannon, J.; Goldstein, R. e Herschkowitsch, A., "Can people distinguish pâté from dog food?", *Chance*, 23, 2 (2013), pp. 43–46.

- Sobre a universalidade das emoções, incluindo expressões faciais, um dos estudos mais citados é: Ekman, P. e Friesen, W. V., "Constants across cultures in the face and emotion", *Journal of Personality and Social Psychology*, 11 (1971), pp. 124–129.

- Estudo levantando dúvidas sobre a universalidade das expressões faciais das emoções: Crivelli, C.; Russell, J.; Jarillo, S. e Fernández-Dols, J., "The fear gasping face as a threat display in a Melanesian society", *Proceedings of the National Academy of Sciences*, 113, 33 (2016).

- Para todas as menções ao cérebro feitas neste livro e uma discussão rigorosa e abrangente dos diversos campos neurocientíficos: Kandel, E. *et al*, *Princípios de neurociências* (Porto Alegre: Artmed, 2014).

2. O mundo, os desejos e os prazeres

- A arte sob uma perspectiva filosófica. Os autores, filósofos, propõem que a arte cumpre um propósito maior do que a transmissão de valores e ideias — e pode ajudar nas grandes e pequenas questões da vida: Botton, A. e Armstrong, J., *A arte como terapia* (Rio de Janeiro: Intrínseca, 2014).

- Arte, consciência e o inconsciente sob uma perspectiva histórica e neurocientífica: Kandel, E., *The Age of Insight: The Quest to Understand the Unconscious in Art, Mind, and Brain* (Nova York: Random House, 2012).

- Obra essencial sobre o desejo em Platão. Leitura acessível, considerando-se textos filosóficos: Platão, *O banquete* (São Paulo: Editora 34, 2016).

- Sobre a dualidade entre mundo sensível e mundo das ideias em Platão; também a definição que distingue desejo de vontade. Texto mais longo e difícil: Platão, *A república* (Bauru: Edipro, 2012).

- "A razão é, e só pode ser, escrava das paixões": Hume, D., *Tratado da natureza humana* (São Paulo: UNESP, 2000).

- Lesões cerebrais e déficits nos processos de planejamento e tomadas de decisão: Damásio, A., *O erro de Descartes: razão, emoção e o cérebro humano* (São Paulo: Companhia das Letras, 1994).

- Sistema quente e frio: Mischel, W., *O teste do marshmallow* (Rio de Janeiro: Objetiva, 2016).

- Sistema 1 e sistema 2: Kahneman, D., *Rápido e devagar: duas formas de pensar* (Rio de Janeiro: Objetiva, 2015).

- O dinheiro e a satisfação geral com a vida: Kahneman, D. e Deaton, A., "High income improves evaluation of life but not emotional well-being", *Proceedings of the National Academy of Sciences*, 107, 38 (2010).

- Os discursos sobre nós mesmos: Barros Filho, C.; Lopes, F. e Issler, B., *Comunicação do eu: ética e solidão* (Petrópolis: Vozes, 2005).

- Modelos de consistência cognitiva: Chaxel, A. e Russo, J., "Cognitive consistency: cognitive and motivational perspectives", em Evan, A. e Reyna, V. (eds.), *Neuroeconomics, Judgement, and Decision Making* (Nova York: Taylor & Francis, 2015).

- "Efeito Dunning-Kruger", a incapacidade de reconhecer a própria incompetência: Kruger, J. e Dunning, D., "Unskilled and unaware of it: how difficulties in recognizing one's own incompetence lead to inflated self-assessments", *Journal of Personality and Social Psychology*, 77, 6 (1999), p. 1121–34. No Google Acadêmico (http://scholar. google. com/) estão disponíveis diversos outros artigos que expandem as descobertas originais.

- Acreditamos que somos honestos (quando na verdade não somos): Ariely, D., *A mais pura verdade sobre a desonestidade* (Rio de Janeiro: Campus Elsevier, 2012).

- Achamos que somos mais bonitos do que de fato somos: Epley, N. e Whitchurch, E., "Mirror, mirror on the wall: enhancement in self-recognition", *Personality and Social Psychology Bulletin*, 34, 9, (2008), p. 1159–70.

- Sobre a paixão do ponto de vista do cérebro, ver as recomendações de leitura para o Capítulo 1 da Parte III.

- Córtex pré-frontal e suas características: Kandel, E. *et al*, *Princípios de neurociências* (Porto Alegre: Artmed, 2014).

- Recompensa, prazer e motivação: Bloom, P., *How Pleasure Works* (Nova York: W. W. Norton, 2010); Reeve, J., *Understanding Motivation and Emotion* (New Jersey: John Wiley & Sons, 2009); Schultz, W., "Neuronal Reward and Decision Signals: From Theories to Data", *Physiological Reviews*, 95, 3 (2015), pp. 853–951.

Parte II - **O cosmos e a vida humana**

- Excelente (e acessível) leitura sobre a sabedoria dos mitos: Ferry, L., *A sabedoria dos mitos gregos* (Rio de Janeiro: Objetiva, 2009).

1. A *Odisseia* de Homero

- Homero, *Odisseia* (São Paulo: Penguin Companhia, 2011).

2. Platão e a busca pela verdade

- Platão, *A república* (Bauru: Edipro, 2012).

3. A *Teogonia* de Hesíodo

- Hesíodo, *Teogonia* (São Paulo: Iluminuras, 2015).

4. O navio de Teseu

- O relato do navio de Teseu pode ser encontrado na biografia escrita por Plutarco. Não há edição em português. Recomendamos a edição bilíngue da Universidade de Harvard, com o original e tradução para o inglês: Plutarch, *Lives I: Theseus and Romulus. Lycurgus and Numa. Solon and Publicola* (Cambridge: Harvard University Press, 1914).

5. O cosmos aristotélico

- A questão da felicidade em Aristóteles e as relações entre sua concepção de cosmos e a conduta humana (ética): Aristóteles, *Ética a Nicômaco* (Porto Alegre: Artmed, 2009).

- Análise de Alexandre Koyré sobre o cosmos da Grécia antiga até as perspectivas newtonianas: Koyré, A., *Du Monde Clos a l'Univers Infini* (Paris: Gallimard, 1988).

- Não há edições completas em português da *Física* de Aristóteles. Recomendamos a edição bilíngue de Harvard: Aristotle, *The Physics: Books I–IV* (Cambridge: Harvard University Press, 1957); Aristotle, *The Physics: Books V–VIII* (Cambridge: Harvard University Press (1934).

- O principal tratado cosmológico de Aristóteles: Aristóteles, *Do céu* (Bauru: Edipro, 2014).

6. O estoicismo

7. O nosso papel no cosmos

- Introdução geral e acessível ao estoicismo: Ferry, L., *Aprender a viver: filosofia para os novos tempos* (Rio de Janeiro: Objetiva, 2006).

- Texto denso e mais completo sobre o estoicismo: Inwood, B. (org.), *Os estoicos* (São Paulo: Odysseus, 2006).

- Texto acessível de Marco Túlio Cícero: Cícero, M. T., *Saber envelhecer e a amizade* (São Paulo: L&PM, 1997).

- Obra completa de Epicteto em coletânea bilíngue, com o original e tradução para o inglês (o manual é conhecido como o *Encheiridion*): Epictetus, *Discourses — Books 1–2* (Cambridge: Harvard University Press, 1925); Epictetus, *Discourses — Books 3–4, The Encheiridion* (Cambridge: Harvard University Press, 1928).

- Obra completa de Marco Aurélio em edição bilíngue, com o original e tradução para o inglês: Marcus Aurelius, *Marcus Aurelius* (Cambridge: Harvard University Press, 1916).

8. A transição entre Antiguidade e Idade Média

- Análise da transição sob uma perspectiva histórico-filosófica (e uma boa introdução à filosofia): Ferry, L., *Aprender a viver: filosofia para os novos tempos* (Rio de Janeiro: Objetiva, 2006).

- Introdução ao pensamento pré-socrático: Marcondes, D., *Uma iniciação à filosofia: os pré-socráticos* (Rio de Janeiro: Zahar, 2016).

9. A revolução copernicana

- Análise detalhada da revolução copernicana, bem como da estrutura das revoluções científicas: Kuhn, T., *A revolução copernicana* (Portugal: Edições 70, 1990); Kuhn, T., *A estrutura das revoluções científicas* (São Paulo: Perspectiva, 2009). Ver também: Koyré, A., *Du Monde Clos a l'Univers Infini* (Paris: Gallimard, 1988).

10. O cosmos (des)ordenado: Renascença, Modernidade e Humanismo

- Análise histórico-filosófica da Renascença, Modernidade e Iluminismo: Ferry, L., *Aprender a viver: filosofia para os novos tempos* (Rio de Janeiro: Objetiva, 2006).
- Rousseau e a perfectibilidade: Rousseau, J., *Discurso sobre a origem e os fundamentos da desigualdade entre os homens* (São Paulo: L&PM, 2008).
- Sartre, J. P., *O existencialismo é um humanismo*. Petrópolis: Vozes de Bolso, 2012).
- A tábula rasa: Locke, J., *Ensaio sobre o entendimento humano (Livros I e II)* (Portugal: Calouste Gulbenkian, 2014).

11. A desconstrução do Humanismo

- Introdução ao pensamento de Nietzsche: Ferry, L., *Aprender a viver: filosofia para os novos tempos* (Rio de Janeiro: Objetiva, 2006).
- A obra de Nietzsche é densa e complexa. O mais apropriado para quem ainda não teve contato com ela: Nietzsche, F., *Crepúsculo dos ídolos* (São Paulo: Companhia das Letras, 2006).
- Obra de Charles Darwin que revolucionou as ciências naturais: Darwin, C., *A origem das espécies* (São Paulo: Martin Claret, 2014).
- "A ideia perigosa de Darwin" é uma alusão ao título desta obra: Dennett, D., *Darwin's Dangerous Idea* (Londres: Penguin UK, 1995).
- Análise dos impactos e a atualidade da ideia central de Charles Darwin (de que todos os seres vivos derivam do mesmo ancestral comum, evoluindo a partir do processo de seleção natural): Coyne, J., *Why Evolution is True* (Nova York: Penguin, 2009).

- Freud é um pensador raro, cuja leitura é acessível e em geral prazerosa. Recomendamos dois textos para aqueles que não conhecem sua obra — "O mal-estar na civilização" e "O eu e o id", encontrados em: Freud, S., *Freud vol. 16 (1923–1925): O eu e o id, autobiografia e outros textos* (São Paulo: Companhia das Letras, 2010); Freud, S., *Freud vol. 18 (1930–1936): O mal-estar na civilização, novas conferências introdutórias e outros textos* (São Paulo: Companhia das Letras, 2010).

12. Filosofia estoica x filosofia contemporânea

- Diferenças entre a filosofia antiga e contemporânea: Ferry, L., *Aprender a viver: filosofia para os novos tempos* (Rio de Janeiro: Objetiva, 2006).

13. Naturalismo poético

14. O demônio de Laplace

15. A direção do tempo

16. O cosmos tende à desordem

17. Um pálido ponto azul

- Para a visão cosmológica apresentada nestes capítulos: Carroll, S., *The Big Picture* (Nova York: Penguin, 2016).

- Interessante discussão entre uma visão naturalista e outra não naturalista do cosmos: Chopra, D. e Mlodinow, L., *War of Worldviews: Where Science and Spirituality Meet — and not* (Nova York: Random House, 2011).

- A ideia de que buracos negros evaporarão foi proposta pelo astrofísico Stephen Hawking. Recomendamos o artigo original (de difícil leitura) e um livro do autor (de leitura mais acessível): Hawking, S. (1973), "Black hole explosions?", *Nature*, 248 (1973), pp. 30–31; Hawking, S., *Buracos negros* (Rio de Janeiro: Intrínseca, 2016).

- Obras recomendadas dos autores mencionados ao final do Capítulo 13: deGrasse Tyson, N., *Origens* (São Paulo: Planeta, 2016); Einstein, A., *Como vejo o mundo* (Rio de Janeiro: Nova Fronteira, 2015); Hawking, S., *O universo numa casca de noz* (Rio de Janeiro: Intrínseca, 2015); Kaku, M., *Mundos paralelos* (São Paulo: Rocco (2016); Kaku, M., *O futuro da mente* (São Paulo: Rocco, 2015); Krauss, L., *Um universo que veio do nada* (São Paulo: Paz e Terra, 2013); Mlodinow, L., *De primatas a astronautas* (Rio de Janeiro: Zahar, 2015); Sagan, C., *O mundo assombrado pelos demônios* (São Paulo: Companhia de Bolso, 2006); Sagan, C., *Pálido ponto azul* (São Paulo: Companhia das Letras 1996).

- A alegoria da ilha do conhecimento: Gleiser, M., *A ilha do conhecimento: os limites da ciência e a busca por sentido* (São Paulo: Record, 2014).

- A alegoria do calendário cósmico foi tirada da série *Cosmos* original, apresentada por Carl Sagan. Ela foi reinserida na versão mais recente da série e continua sendo utilizada por uma série de autores nos dias de hoje.

18. Cérebro: um cosmos dentro do cosmos

- Introdução às neurociências, abrangente e suficientemente profunda: Kandel, E. *et al*, *Princípios de neurociências* (Porto Alegre: Artmed, 2014).

- Excelente livro introdutório sobre o funcionamento do cérebro, que inspirou este e outros capítulos: Eagleman, D., *The Brain: the Story of you* (Nova York: Pantheon, 2016).

- Sobre o número de neurônios no cérebro: Azevedo, F. A. C.; Carvalho, L. R. B.; Grinberg, L. T.; Farfel, J. M.; Ferretti, R. E. L.; Leite, R. E. P. e Herculano-Houzel, S., "Equal numbers of neuronal and nonneuronal cells make the human brain an isometrically scaled-up primate brain", *The Journal of Comparative Neurology*, 513, 5 (2009), pp. 532–541;

Herculano-Houzel, S. (2016), *The Human Advantage: A New Understanding of How our Brains Became Remarkable* (Nova York: MIT Press, 2016).

19. Nascer e crescer

- Metáfora do pianista para descrever as relações entre biologia e ambiente: Pinel, J., *Biopsicologia* (Porto Alegre: Artmed, 2005).

- A natureza biológica da mente e o comportamento dos seres humanos: Pinker, S., *Tábula rasa: a negação contemporânea da natureza humana* (São Paulo: Companhia das Letras, 2005).

- Hierarquia das necessidades: Maslow, A. H., "A theory of human motivation", *Psychological Review*, 50, 4 (1943), pp. 370–396.

- A natureza social dos seres humanos (e a crítica a Abraham Maslow): Lieberman, M., *Social: Why Our Brains Are Wired to Connect* (Nova York: Broadway Books, 2014).

- Estudos comparativos entre neocórtices de diferentes primatas e a evolução do cérebro: Dunbar, R., *Grooming, Gossip and the Evolution of Language* (Cambridge: Harvard University Press, 1998).

- Políticas de natalidade na Romênia: Gail Kligman, *The Politics of Duplicity. Controlling Reproduction in Ceausescu's Romania* (Berkeley: University of California Press, 1998).

- Relatos sobre os orfanatos da Romênia: Eagleman, D., *The Brain: The Story of You* (Nova York: Pantheon, 2016).

- Teoria do apego: Mooney, C. G., *Theories of Attachment: An Introduction to Bowlby, Ainsworth, Gerber, Brazelton, Kennell, and Klaus* (St. Paul: Red Leaf Press, 2009).

- Inverno da fome na Holanda e suas consequências para a saúde de indivíduos concebidos durante esse período: Hart, Nicky, "Famine, maternal nutrition and infant mortality: a re-examination of the Dutch hunger winter", *Population Studies*, 47 (1993), pp. 27–46; Roseboom, T. J.; Painter, R. C.; van Abeelen, A. F. M.; Veenendaal, M. V. E. e de Rooij, S. R., "Hungry in the womb: what are the consequences? Lessons from the Dutch famine", *The European Menopause Journal*, 70, 2 (2011), pp. 141–145.

• Período intrauterino e o desenvolvimento da criança e do adulto (incluindo relatos do "inverno da fome"): Paul, A. M., *Origins: How the Nine Months Before Birth Shape the Rest of our Lives* (Nova York: Free Press, 2011).

• Estresse, depressão e ansiedade durante a gravidez e aumento do risco de problemas no desenvolvimento neurocomportamental do feto: Kinsella, M. T. e Monk, C., "Impact of maternal stress, depression & anxiety on fetal neurobehavioral development", *Clinical Obstetrics and Gynecology*, 52, 3 (2014), pp. 425–440.

• O termo "Facebook depression" (com aspas) retornou 686 resultados no Google Acadêmico (http://scholar. google. com) em janeiro de 2017.

• Obesidade e sobrepeso na infância e vida adulta: Ng, M. *et al.*, "Global, regional, and national prevalence of overweight and obesity in children and adults during 1980–2013: a systematic analysis for the Global Burden of Disease Study 2013", *The Lancet*, 384, 9945 (2014), pp. 766–781.

• Relatório da Organização Mundial da Saúde sobre hipertensão, ressaltando o problema do consumo de sal por crianças, bem como de açúcar e gorduras pela população em geral: "A global brief on hypertension: silent killer, global public health crisis" (2013), em http://www. who. int/cardiovascular_diseases/publications/global_brief_hypertension/ en/, acessado em janeiro de 2017.

• Pornografia e o cérebro humano: Kühn, S. e Gallinat, J., "Brain structure and functional connectivity associated with pornography consumption: the brain on porn", *JAMA Psychiatry*, 71, 7 (2014), pp. 827–834.

• Impacto da pornografia na saúde mental de adolescentes: Owens, E. W.; Behun, R. J.; Manning, J. C. e Reid, R. C., "The impact of internet pornography on adolescents: a review of the research", *Sexual Addiction & Compulsivity*, 19 (2012), pp. 99–122.

20. Amadurecer

• A importância de processos emocionais para a formação de memórias e aprendizagem: Immordino-Yang, M. H., *Emotions, Learning and the Brain* (Nova York: W. W. Norton & Company, 2015).

• A queda da satisfação do casal com o casamento após o nascimento dos filhos: Twenge, J. M.; Campbell, W. K. e Foster, C. A., "Parenthood and Marital Satisfaction: a Meta-Analytic Review", *Journal of Marriage and Family*, 65, 3 (2003), pp. 574–583; Walker, C., "Some variations in marital satisfaction", em R. Chester e J. Peel, *Equalities and inequalities in family life* (Londres: Academic Press, 1977).

• O desenvolvimento do cérebro adolescente, sua autoconsciência e a acentuada percepção do *self* (eu psicológico): Sommerville, L. H.; Jones, R. M.; Ruberry, E. J.; Dyke, J. P.; Glover, G. e Casey, B. J., "The medial prefrontal cortex and the emergence of self-conscious emotion in adolescence", *Psychological Science*, 24, 8 (2013), pp. 1554–1562; Bjork, J. M.; Knutson, B.; Fong, G. W.; Caggiano, D. M.; Bennett, S. M. e Hommer, D. W., "Incentive-elicited brain activation in adolescents: similarities and differences from young adults", *The Journal of Neuroscience*, 24, 8 (2004), pp. 1793–1802; Spear, L. P., "The adolescent brain and age-related behavioral manifestations", *Neuroscience and Biobehavioral Reviews*, 24, 4 (2000), pp.

417–463; Heatherton, T. F., "Neuroscience of self and self-regulation", *Annual Review of Psychology*, 62, (2011) pp. 363–390.

- Interessante reflexão filosófica sobre a ideia de que nunca ficamos "prontos": Cortella, M. S., *Não nascemos prontos!* (Petrópolis: Vozes, 2009).

- Estudo sobre o hipocampo de taxistas em Londres: Maguire, E. A.; Woollett, K. e Spiers, H. J., "London taxi drivers and bus drivers: a structural MRI and neuropsychological analysis", *Hippocampus*, 16, 12 (2006), pp. 1091–1101.

- A queda de atividade metabólica que acompanha o envelhecimento e o aumento do acúmulo de gordura: Bouchard, C.; Despres, J. P. e Mauriege, P. (1993), "Genetic and nongenetic determinants of regional fat distribution", *Endocrinology Review*, 14 (1993), pp. 72–93; Chumlea, W. C.; Rhyne, R. L.; Garry, P. G. e Hunt, W. C., "Changes in anthropometric indices of body composition with age in a healthy elderly population", *American Journal of Human Biology*, 1 (1989), pp. 457–462; National Cholesterol Education Program (US), "Expert Panel on Detection Evaluation and Treatment of High Blood Cholesterol in Adults". Third report of the National Cholesterol Education Program (NCEP) Expert Panel on Detection, Evaluation, and Treatment of High Blood Cholesterol in Adults (adult treatment panel III): final report. The Program, Washington, D.C., 2002.

- Dados sobre a prevalência de demências por país: Alzheimer's Disease International, "World Alzheimer Report 2015: an analysis of prevalence, incidence, cost and trends", em: https://www. alz. co. uk/research/WorldAlzheimerReport2015. pdf, acessado em janeiro de 2017.

- Ser bilíngue retarda o surgimento dos sintomas da doença de Alzheimer: Craik, F. I. M.; Bialystok, E. e Freedman, M., "Delaying the onset of Alzheimer disease: bilingualism as a form of cognitive reserve", *Neurology*, 75, 19 (2010), pp. 1726–1729; Woumans, E.; Santens, P.; Stieben, A.; Versijpt, J.; Stevens, M. e Duyck, W., "Bilingualism delays clinical manifestation of Alzheimer's disease", *Bilingualism: Language and Cognition*, 18, 3 (2014), pp. 568–574.

- Atividade física, alimentação e outros fatores de proteção contra a doença de Alzheimer: Scheltens, P.; Blennow, K.; Breteler, M. M. B.; de Strooper, B.; Frisoni, G. B.; Salloway, S. e Van der Flier, W. M., "Alzheimer's disease", *The Lancet*, 388, 10043 (2016), pp. 505–517; Winblad, B.; Amouyel, P.; Andrieu, S.; Ballard, C.; Brayne, C.; Brodaty, H.; Cedazo-Minguez, A.; Dubois, B.; Edvardsson, D.; Feldman, H.; Fratiglioni, L.; Frisoni, G. B.; Gauthier, S.; Georges, J.; Graff, C.; Iqbal, K.; Jessen, F.; Johansson, G.; Jönsson, L.; Kivipelto, M.; Knapp, M.; Mangialasche, F.; Melis, R.; Nordberg, A.; Rikkert, M. O.; Qiu, C.; Sakmar, T. P.; Scheltens, P.; Schneider, L. S.; Sperling, R.; Tjernberg, L. O.; Waldemar, G.; Wimo, A. e Zetterberg, H., "Defeating Alzheimer's disease and other dementias: a priority for European science and society", *Lancet Neurology*, 15, 5 (2016), pp. 455–532.

- Sobre a importância do sono para a saúde cardiovascular é importante notar que, de maneira geral, todo benefício cardiovascular traz por natureza um benefício cerebral. Transtornos neurológicos e psiquiátricos têm geralmente aspectos vasculares e inflamatórios (por exemplo, a doença de Alzheimer e a depressão): Cappuccio, F. P.; Cooper, D.; D'Elia, L.; Strazzullo, P. e Miller, M. A., "Sleep duration predicts cardiovascular outcomes: a systematic review and meta-analysis of prospective studies", *European Heart Journal*, 32 12 (2011), pp. 1484–1492.

21. A morte

- O poema de Lucrécio em versão bilíngue, com o original e tradução para o inglês: Lucretius, *On the Nature of Things* (Cambridge: Harvard University Press, 1975).

- Nas *Geórgicas*, Virgílio atribui a Lucrécio a ideia de que o medo da morte é a raiz da ilusão da alma imortal: Virgílio, *Bucólicas, Geórgicas e Eneida* (Portugal: Temas e Debates, 2012).

- Ideias de Sêneca sobre a morte: Sêneca, *Sobre a brevidade da vida* (São Paulo: L&PM Pocket, 2006).

- Para a visão estoica, ver recomendações do Capítulo 6, Parte II.

- O texto citado de Hannah Arendt está em: Arendt, H., *Entre o passado e o futuro* (Rio de Janeiro: Perspectiva, 2014).

22. Deus

- A "aposta" de Pascal e outras ideias do grande matemático e pensador: Pascal, *Pensées* (Paris: Folio France, 2004).

23. A ilusão da imortalidade

- As ideias deste capítulo são muito inspiradas na filosofia estoica. Ver recomendações do Capítulo 6, Parte II.

Parte III - **Viver e conviver**

1. Amor e paixão

- Excelente livro sobre o amor visto de diferentes perspectivas filosóficas: Comte-Sponville, A., *O Amor* (São Paulo: WMF Martins Fontes, 2006).

- O amor em Spinoza é definido neste importante (e difícil) livro: Spinoza, B., *Ética* (Rio de Janeiro: Autêntica, 2010).

- Para Lucrécio, ver recomendações do Capítulo 21, Parte II.

- Visão científica do amor em duas fases: Fischer, H., *Why We Love: The Nature and Chemistry of Romantic Love* (Nova York: Henry Holt, 2004).

- A neurobiologia do amor: de Boer, A.; van Buel, E. M. e Ter Host, G. J., "Love is more than just a kiss: a neurobiological perspective on love and affection", *Neuroscience*, 201 (2012), pp. 114–124.

- Sobre motivação e prazer, ver recomendações do Capítulo 2, Parte I.

- A menção a Vinicius de Moraes se refere ao seu "Soneto de fidelidade".

- Sobre o cérebro processar dores físicas e emocionais de maneira semelhante: Lieberman, M., *Social: Why Our Brains Are Wired to Connect* (Nova York: Broadway Books, 2014).

- A observação de que a qualidade das relações é o principal elemento de uma vida feliz está presente em dezenas de estudos. Um dos mais importantes é um estudo longitudinal da Universidade de Harvard que acompanha participantes há mais de setenta anos (e já está estudando filhos e netos da amostra original). Um compilado dos resultados do estudo e suas implicações podem ser encontrados em: Valliant, G. E., *Triumphs of experience: The Men of the Harvard Grant Study*, (Massachusetts: Belknap Press, 2015).

2. A liberdade

- O conceito de má-fé: Sartre, J. P., *O existencialismo é um humanismo* (Petrópolis: Vozes de Bolso, 2012).

- O julgamento de Sócrates: Platão, *Apologia de Sócrates* (São Paulo: L&PM, 2008).

- O livro de Bauby, escrito enquanto ele sofria de síndrome do encarceramento: Bauby, J., *O escafandro e a borboleta* (São Paulo: WMF Martins Fontes, 2014).

- Sobre o erro de Descartes e uma crítica ao dualismo: Damásio, A., *O erro de Descartes: razão, emoção e o cérebro humano* (São Paulo: Companhia das Letras, 1994).

- Duas revisões atuais sobre o cérebro de psicopatas: Cummings, M. A., "The neurobiology of psychopathy: recent developments and new directions in research and treatment", *CNS Spectrums*, 20, 3 (2015), pp. 200–206; Del Casale, A.; Kotzalidis, G. D.; Rapinesi, C.; Di Pietro, S.; Alessi M. C.; Di Cesare, G.; Criscuolo, S.; De Rossi, P.; Tatarelli, R.; Girardi, P. e Ferracuti, S., "Functional neuroimaging in psychopathy", *Neuropsychobiology*, 72 (2015), pp. 97–117.

- Associação entre demências e benzodiazepinas (como clonazepam/Rivotril): Billioti de Gage, S.; Bégaud, B.; Bazin, F.; Verdoux, H.; Dartigues, J. F.; Pérès, K.; Kurth e T.; Pariente, A., "Benzodiazepine use and risk of dementia: prospective population based study", *BMJ*, 345, e6231 (2012).

- Duas obras sobre o conceito de inconsciente em uma perspectiva científica atual (sem relação com o inconsciente freudiano), a primeira difícil, densa e profunda, a segunda fácil e acessível: Hassin, R. R.; Uleman, J. S. e Bargh, J. A., *The New Unconscious* (Nova York: Oxford University Press, 2011); Mlodinow, L., *Subliminar* (Rio de Janeiro: Zahar, 2013).

- Estudo sobre compra de vinhos: North, A. C.; Hargreaves, D. J. e McKendrick, J., "In-store music affects product choice", *Nature*, 390 (1997), p. 132.

- Estudo sobre o café frio/quente: Williams, L. e Bargh, J. A., "Experiencing physical warmth promotes interpersonal warmth", *Science,* 322, 5901 (2008), pp. 606–607.

- Estudo sobre nojo e julgamentos mais severos: Schnall, S.; Haidt, J.; Clore, G. L. e Jordan, A. H., "Disgust as embodied moral judgement", *Personality and Social Psychology Bulletin*, 34, 8 (2008), pp. 1096–1109.

- Estudo sobre visões políticas com e sem o pote de gel higienizador para as mãos: Helzer, E. G. e Pizarro, D. A., "Dirty liberals! Reminders of physical cleanliness influence moral and political attitudes", *Psychological Science*, 22, 4 (2011), pp. 517–522.

- Estudo sobre gorjetas dadas para *strippers*: Miller, G.; Tybur, J. M. e Jordan, B. D., "Ovulatory cycle effects on tip earnings by lap dancers: economic evidence for human estrus?", *Evolution and Human Behavior,* 28 (2007), pp. 375–381.

- O cérebro decide antes de se ter consciência das decisões: Soon, C. S.; Brass, M.; Heinze, H. e Haynes, J., "Unconscious determinants of free decisions in the human brain", *Nature Neuroscience,* 11 (2008), pp. 543–545.

- Crítica filosófica ao conceito de livre-arbítrio amparada em estudos neurocientíficos: Harris, S., *Free will* (Nova York: Free Press, 2012).

- Olhar-se no espelho e sentir-se bem como importante fator contributivo para o bem-estar: Hamermesh, D. S. e Abrevaya, "Beauty is the promise of happiness?", *European Economic Review,* 64 (2013), pp. 351–368.

- Mais da metade do Brasil tem acesso à internet: Gomes, H. S., "Internet chega pela 1ª vez a mais de 50% das casas no Brasil, mostra IBGE", 6 de abril de 2016, em: http://g1. globo. com/tecnologia/noticia/2016/04/internet-chega-pela-1-vez-mais-de-50-das-casas-no-brasil-mostra-ibge.html, acessado em janeiro de 2017.

- "A Biblioteca de Babel": Borges, J. L., *Ficções* (São Paulo: Companhia das Letras, 2007).

- A vida como produto para consumo: Bauman, Z., *Vida para consumo*. (Rio de Janeiro: Zahar, 2008).

- O "paradoxo da escolha": Schwartz, B., *The paradox of choice* (Nova York: HarperCollins, 2016).

- Estudo sugerindo associação entre maior número de parceiros sexuais passados e maior insatisfação com o relacionamento atual: Rhoades, G. K e Stanley, S. M., "Before 'I do': what do premarital experiences have to do with marital quality among today's young adults?", *The National Marriage Project* (Charlottesville: University of Virginia, 2014).

- Estudo sugerindo que maior número de relacionamentos passados está associado a maiores taxas de divórcio: Teachman, J., "Premarital sex, premarital cohabitation, and the risk of subsequent marital dissolution among women", *Journal of Marriage and Family*, 65, 2 (2011), pp. 444–455.

3. Poder

- Estudo dos macacos que escolhiam entre tomar suco e olhar imagens: Deaner, R. O.; Khera, A. V. e Platt, M. L., "Monkeys pay per view: adaptive valuation of social images by rhesus macaques", *Current Biology*, 15, 6 (2005), pp. 543–548.

- O interesse pela vida dos outros é parte fundamental do processo evolutivo dos primatas: Dunbar, R., *Grooming, Gossip and the Evolution of Language* (Cambridge: Harvard University Press, 1998).

4. Felicidade

• Os elementos que compõem a felicidade (emoções positivas, engajamento, significado, relações de qualidade e conquistas): Seligman, M., *Florescer* (Rio de Janeiro: Objetiva, 2011).

• O estado de "*flow*": Csikszentmihalyi, M., *Flow* (Nova York: HarperCollins, 2004).

• Estudo de Harvard sobre a mente que vagueia: Kilingsworth, M. e Gilbert, D., "A wandering mind is an unhappy mind", *Science*, 330, 6006 (2010), p. 932.

• A curva em "u" de satisfação geral com a vida: Blanchflower, D. e Oswald, A., "Is well-being u-shaped over the life cycle?", *Social Science and Medicine*, 66 (2008), pp. 1733–1749; Stone, A.; Schwartz, J.; Brodericka, J. e Deatonc, A., "A snapshot of the age distribution of psychological well-being in the United States", *PNAS*, 107, 22 (2010).

• A ideia do eu projetivo e eu experiencial é do psicólogo Daniel Kahneman, que usa o termo *remembering self* (eu que se lembra) para definir o eu projetivo. Optamos pelo termo "projetivo" por acreditar que representa melhor o fenômeno psicológico. Ver: Kahneman, D., *Rápido e devagar: duas formas de pensar* (Rio de Janeiro: Objetiva, 2013). Ver também a palestra de Kahneman no TED (www. ted. com).

• Qualidade das relações como principal elemento da felicidade: Valliant, G. E., *Triumphs of Experience: The Men of the Harvard Grant Study* (Massachusetts: Belknap Press, 2015).